U0065110
吳承恩
西遊記
卷1
第一回至第二〇回

編者序

《西遊記》是中國古典小說中，以神話為題材的一部神魔小說。從唐代玄奘取經，歷經八百年左右的民間傳說的演變過程，最後寫成於一五七〇年代，由明朝吳承恩成書。

《西遊記》寫唐僧取經，是確有其人其事。唐太宗貞觀三年（西元六二九年），青年和尚玄奘（六〇二～六六四）獨自一人到天竺（今印度）取經，歷時十七年（《西遊記》上說是十四年），跋山涉水，取回梵文佛經六百五十七部。玄奘回國以後，唐太宗為他設立譯場，讓他主持翻譯佛經的工作，並講述取經途中的奇聞軼事，後由門徒辯機寫成《大唐西域記》，介紹西域各國的佛教遺址和風土人情。玄奘的門徒慧立、彥琮為弘揚師父不屈不撓的精神，將取經的過程誇大渲染後，寫成《大唐慈恩寺三藏法師傳》。

玄奘法師隻身赴天竺取經的故事，開始在民間流傳，越傳越誇張，離本來面目，也就越來越遠了。在唐人筆記《獨異志》和《唐新語》等書中所載的一些傳說，可看出具有濃厚的神奇色彩。

而取經故事不但形諸筆墨，五代時亦已流布丹青，揚州壽寧寺藏經樓、敦煌壁畫中安西榆林窟的壁畫中，已有唐僧、猴行者和白馬。到了宋代，取經故事成了「說話」藝術的重要題材，《大唐三藏取經詩話》便是一個重要的說經話本，除了猴行者，還有深沙神，也就是後來《西遊記》中孫悟空和沙僧的雛形。

從金元到明代中葉，取經故事再度「演化」，除了孫行者，豬八戒也登場，深沙神則改成了沙和尚；火焰山借扇、女人國逼配等情節也出現了。到了元末明初，孫悟空正式成了取經故事中的主角，基本情節也和今見百回本《西遊記》大致相同。

關於《西遊記》的作者，長期以來有不同說法。明刊百回本沒有署作者的名字，清初刊刻的《西遊證道書》提出為元代道士丘處機作，後經現代學者魯迅、胡適等人考證，認為是吳承恩所作，為目前學術界認可。

吳承恩（約一五〇〇～一五八二），字汝忠，號射陽山人，淮安山陽（今江蘇淮安）人。他早年屢試不第，中年以後補為歲貢生，仍不得志，《西遊記》是他晚年寫成的。吳承恩生活的時代，皇帝昏庸，宦官專權，世道並不平靜，於是他的作品多透過神鬼奇幻的形式來反映現實，寄寓他的愛憎和理想。

胡適認為《西遊記》是一部沒有什麼微妙寓意的滑稽小說，但更多的研究者認為，除了趣味，《西遊記》實則反映明代中葉以後的時代思想。《西遊記》寫取經路上的師徒四人，真正的主角卻是孫悟空而非唐僧。孫悟空來歷不凡，不把神仙界的權威放在眼裡；他樂觀勇敢、善惡分明，在取經路上總是保護唐僧，老愛戲弄豬八戒；沙和尚雖是老實人，但關鍵時刻也頗有見地。人物寫來活靈活現，令讀者時而捧腹，時而感傷，確是一部老少咸宜的小說。

人人出版公司《人人文庫》系列的四大小說——《紅樓夢》、《三國演義》、《水滸傳》、《西遊記》——於二〇一七年首度合體登場，盼提供讀者最豐富的閱讀饗宴。

《人人文庫》系列秉持好看、好讀的「輕」小說原則，方便您一卷在手，隨身攜帶。不但選用輕韌的日本紙，注解簡明易懂，編排賞心悅目。祈願讀者們盡情優游書海，享受閱讀的樂趣。

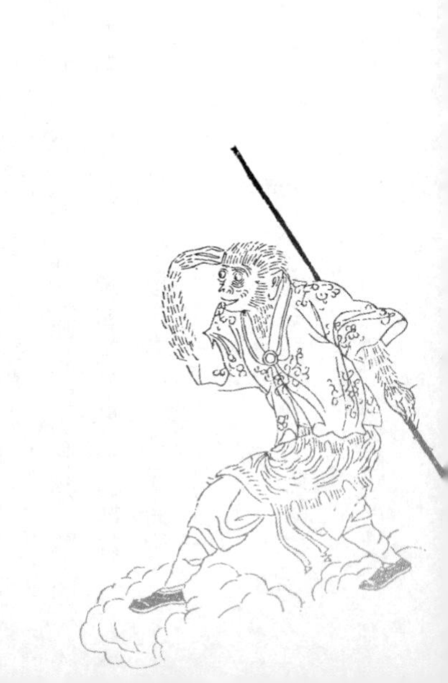

卷1

第一回至第二〇回

【目次】

第一回

靈根育孕源流出
心性修持大道生

詩曰：

混沌未分天地亂，茫茫渺渺無人見。
自從盤古破鴻濛，開闢從茲清濁辨。
覆載群生仰至仁，發明萬物皆成善。
欲知造化會元功，須看西遊釋厄傳◆。

蓋聞天地之數，有十二萬九千六百歲為一元。將一元分為十二會，乃子、丑、寅、卯、辰、巳、午、未、申、酉、戌、亥之十二支也。每會該一萬八百歲。且就一日而論：子時得陽氣，而丑則雞鳴；寅不通光，而卯則日出；辰時食後，而巳則挨排◆；日午天中，而未則西蹉；申時晡◆而日落酉，戌黃昏而入定亥。

譬於大數，若到戌會之終，則天地昏曚而萬物否矣。再去五千四百歲，交亥會之初，則當黑暗，而兩間人物俱無矣，故曰混沌。又五千四百歲，亥會將終，貞下起元，近子之會，而復逐漸開明。

邵康節◆曰：「冬至子之半◆，天心無改移。一陽初動處，萬物未生時。」到此，天始有根。

再五千四百歲，正當子會，輕清上騰，有日，有月，有星，有辰。日、月、星、辰，謂之四象。故曰，天開於子。又經五千四百歲，子會將終，近丑之會，而逐漸堅實。

《易》◆曰：「大哉乾元！至哉坤元！萬物資生，乃順承天。」至此，地

◆西遊釋厄傳──是《西遊記》較早的傳本之一。釋指唐僧，厄即災難。　挨排──挨次排列。

晡──約當午後三時至五時。一般泛指下午或黃昏。

邵康節──邵雍（西元一〇一一至一〇七七），字堯夫，自號安樂先生，人又稱百源先生，諡康節，後世稱邵康節，北宋五子之一，易學家、思想家、詩人。

冬至子之半──一年中的冬至就像一日中的子時，萬物皆靜，但正蓄勢待發。

始凝結。

再五千四百歲，正當丑會，重濁下凝，有水，有火，有山，有石，有土。水、火、山、石、土，謂之五形。故曰，地闢於丑。又經五千四百歲，丑會終而寅會之初，發生萬物。

曆曰：「天氣下降，地氣上升；天地交合，群物皆生。」至此，天清地爽，陰陽交合。

再五千四百歲，正當寅會，生人，生獸，生禽，正謂天地人，三才定位。故曰，人生於寅。

感盤古開闢，三皇治世，五帝定倫，世界之間，遂分為四大部洲：曰東勝神洲，曰西牛賀洲，曰南贍部洲，曰北俱蘆洲。這部書單表東勝神洲。海外有一國土，名曰傲來國。國近大海，海中有一座名山，喚為花果山。此山乃十洲之祖脈，三島之來龍◆，自開清濁而立，鴻濛◆判後而成。真個好山！有詞賦為證。賦曰：

勢鎮汪洋，威寧瑤海。
勢鎮汪洋，潮湧銀山魚入穴；威寧瑤海，波翻雪浪蜃◆離淵。
水火方隅高積土，東海之處聳崇巔。
丹崖怪石，削壁奇峰。
丹崖上，彩鳳雙鳴；削壁前，麒麟獨臥。
峰頭時聽錦雞鳴，石窟每觀龍出入。
林中有壽鹿仙狐，樹上有靈禽玄鶴。
瑤草奇花不謝，青松翠柏長春。
仙桃常結果，修竹每留雲。
一條澗壑藤蘿密，四面原堤草色新。
正是百川會處擎天柱，萬劫無移大地根。

◆《易》—即《易經》，是中國古代一部探索意義和價值的哲學著作。
來龍—堪輿家稱連綿起伏的山脈地形為「龍」。來龍為龍頭的所在，即山脈起伏的中心地。
鴻濛—宇宙形成前的混沌狀態。　蜃—一種大的蛤蜊。

那座山正當頂上，有一塊仙石。其石有三丈六尺五寸高，有二丈四尺圍圓。三丈六尺五寸高，按周天◆三百六十五度；二丈四尺圍圓，按政曆◆二十四氣。上有九竅八孔，按九宮八卦。

四面更無樹木遮陰，左右倒有芝蘭相襯。蓋自開闢以來，每受天真地秀，日精月華，感之既久，遂有靈通之意。

內育仙胞，一日迸裂，產一石卵，似圓球樣大。因見風，化作一個石猴，五官俱備，四肢皆全。便就學爬學走，拜了四方。

目運兩道金光，射沖斗府。驚動高天上聖大慈仁者玉皇大天尊玄穹高上帝，駕座金闕雲宮靈霄寶殿，聚集仙卿，見有金光焰焰，即命千里眼、順風耳開南天門觀看。二將果奉旨出門外，看的真，聽的明。

須臾回報道：「臣奉旨觀聽金光之處，乃東勝神洲海東傲來小國之界，有一座花果山，山上有一仙石，石產一卵，見風化一石猴，在那裡拜四方，眼運金光，射沖斗府。如今服餌水食◆，金光將潛息矣。」

玉帝垂賜恩慈曰：「下方之物，乃天地精華所生，不足為異。」

那猴在山中，卻會行走跳躍，食草木，飲澗泉，採山花，覓樹果；與狼蟲為伴，虎豹為群，獐鹿為友，獼猿為親；夜宿石崖之下，朝遊峰洞之中。真是：「山中無甲子◆，寒盡不知年。」一朝天氣炎熱，與群猴避暑，都在松陰之下頑耍。你看他一個個：

跳樹攀枝，採花覓果；拋彈子，邷麼兒◆；

跑沙窩，砌寶塔；趕蜻蜓，撲蚆蜡◆；參老天，拜菩薩；

扯葛藤，編草帓◆；捉虱子，咬又掐；理毛衣，剔指甲。

挨的挨，擦的擦；推的推，壓的壓；扯的扯，拉的拉。

◆**周天**—曆法以三百六十度為周天，即繞天體一周。　**政曆**—曆法。

服餌水食—喻涉入人世，非僅食人間煙火。　**蚆蜡**—指蝗蟲。音巴炸。

甲子—古代以干支紀日或紀年。甲為十干之首，子為十二支之首，干支次第相配，以六十為一周。這裡指曆日。　**邷麼兒**—弄碎瓦礫或小石子，拋擲作戲。邷音娃。

青松林下任他頑，綠水澗邊隨洗濯。

一群猴子耍了一會，卻去那山澗中洗澡。見那股澗水奔流，真個似滾瓜湧濺◆。古云：「禽有禽言，獸有獸語。」眾猴都道：「這股水不知是哪裡的水。我們今日趕閑◆無事，順澗邊往上溜頭尋看源流，耍子◆去耶！」喊一聲，都拖男挈◆女，呼弟呼兄，一齊跑來，順澗爬山，直至源流之處，乃是一股瀑布飛泉。

但見那：

一派白虹起，千尋雪浪飛。海風吹不斷，江月照還依。

冷氣分青嶂，餘流潤翠微。潺湲名瀑布，真似掛簾帷。

眾猴拍手稱揚道：「好水，好水！原來此處遠通山腳之下，直接大海之波。」又道：「哪一個有本事的，鑽進去尋個源頭出來，不傷身體者，我等即拜他為王。」

連呼了三聲，忽見叢雜中跳出一個石猴，應聲高叫道：「我進去！我進去！」好猴！也是他：

今日芳名顯，時來大運通。有緣居此地，王遣入仙宮。

你看他瞑目蹲身，將身一縱，逕跳入瀑布泉中，忽睜睛抬頭觀看，那裡邊卻無水無波，明明朗朗的一架橋梁。他住了身，定了神，仔細再看，原來是座鐵板橋。橋下之水，沖貫於石竅◆之間，倒掛流出去，遮閉了橋門。卻又欠身◆上橋頭，再走再看，卻似有人家住處一般，真個好所在。但見那：

翠蘚堆藍，白雲浮玉，光搖片片煙霞。

虛窗靜室，滑凳板生花。

◆**草䘢**——草帶子。　**滚瓜湧濺**——形容澗水奔流時，水大流急。　**趕閑**——趁著空閑。

耍子——嬉戲、玩耍。　**挈**——帶領。挈音竊。　**石竅**——石洞。

欠身——身體稍斜傾向上提，好像要站起來的樣子。

乳窟龍珠倚掛，縈迴滿地奇葩。
鍋灶傍崖存火跡，樽罍靠案見殽◆渣。
石座石床真可愛，石盆石碗更堪誇。
又見那一竿兩竿修竹，三點五點梅花。
幾樹青松常帶雨，渾然◆像個人家。

看罷多時，跳過橋中間，左右觀看。只見正當中有一石碣，碣上有一行楷書大字，鐫著「花果山福地，水簾洞洞天」。

石猿喜不自勝，急抽身◆往外便走，復瞑目蹲身，跳出水外，打了兩個呵呵道：「大造化！大造化！」

眾猴把他圍住，問道：「裡面怎麼樣？水有多深？」

石猴道：「沒水！沒水！原來是一座鐵板橋，橋那邊是一座天造地設的家當◆。」

眾猴道：「怎見得是個家當？」

石猴笑道：「這股水乃是橋下沖貫石橋，倒掛下來遮閉門戶的。橋邊有花有樹，乃是一座石房。房內有石鍋、石灶、石碗、石盆、石床、石凳。中間一塊石碣上，鐫著『花果山福地，水簾洞洞天』。真個是我們安身之處。裡面且是寬闊，容得千百口老小。我們都進去住，也省得受老天之氣。這裡邊：

颳風有處躲，下雨好存身。
霜雪全無懼，雷聲永不聞。
煙霞常照耀，祥瑞每蒸熏。
松竹年年秀，奇花日日新。」

眾猴聽得，個個歡喜。都道：「你還先走，帶我們進去，進去！」石猴卻又瞑目蹲身，往裡一跳，叫道：「都隨我進來！進來！」

◈**餚**—菜餚。通「肴」。 **渾然**—完全、全然。 **抽身**—脫身離去。 **家當**—家中所有的產物。

那些猴有膽大的，都跳進去了；膽小的，一個個伸頭縮頸，抓耳撓腮，大聲叫喊，纏一會，也都進去了。跳過橋頭，一個個搶盆奪碗，占灶爭床，搬過來，移過去，正是猴性頑劣，再無一個寧時，只搬得力倦神疲方止。

石猿端坐上面道：「列位呵，『人而無信，不知其可。』你們才說有本事進得來，出得去，不傷身體者，就拜他為王。我如今進來又出去，出去又進來，尋了這一個洞天與列位安眠穩睡，各享成家之福，何不拜我為王？」

眾猴聽說，即拱伏無違◆，一個個序齒排班◆，朝上禮拜，都稱「千歲大王」。自此，石猿高登王位，將「石」字兒隱了，遂稱「美猴王」。有詩為證。詩曰：

三陽交泰產群生，仙石胞含日月精。
借卵化猴完大道，假他名姓配丹成。
內觀不識因無相，外合明知作有形。

歷代人人皆屬此，稱王稱聖任縱橫。

美猴王領一群猿猴、獼猴、馬猴◆等，分派了君臣佐使，朝遊花果山，暮宿水簾洞，合契同情，不入飛鳥之叢，不從走獸之類，獨自為王，不勝歡樂。是以：

春採百花為飲食，夏尋諸果作生涯。
秋收芋栗延時節，冬覓黃精◆度歲華。

美猴王享樂天真，何期有三五百載。一日，與群猴喜宴之間，忽然憂惱，墮下淚來。眾猴慌忙羅拜◆道：「大王何為煩惱？」

◆**拱伏無違**—抱拳舉到頭上，彎下身子。表示毫無抵抗，全部順從。
序齒排班—依年齡的長幼排定先後次序。齒，指年齡。　**羅拜**—圍著叩拜。
馬猴—一種體型較大的猴子。
黃精—百合科黃精屬，多年生草本。葉似百合，花為白色或淡綠色。果實可食。

猴王道：「我雖在歡喜之時，卻有一點兒遠慮，故此煩惱。」

眾猴又笑道：「大王好不知足。我等日日歡會，在仙山福地，古洞神洲，不服麒麟轄，不服鳳凰管，又不服人間王位所拘束，自由自在，乃無量之福，為何遠慮而憂也？」

猴王道：「今日雖不歸人王法律，不懼禽獸威嚴，將來年老血衰，暗中有閻王老子管著，一旦身亡，可不枉生世界之中，不得久注天人之內？」

眾猴聞此言，一個個掩面悲啼，俱以無常為慮。

只見那班部中，忽跳出一個通背猿猴，厲聲高叫道：「大王若是這般遠慮，真所謂道心開發也！如今五蟲之內，惟有三等名色，不伏閻王老子所管。」

猴王道：「你知哪三等人？」

猿猴道：「乃是佛與仙與神聖三者，躲過輪迴，不生不滅，與天地山川齊壽。」

猴王道：「此三者居於何所？」

猿猴道：「他只在閻浮世界◆之中，古洞仙山之內。」

猴王聞之，滿心歡喜道：「我明日就辭汝等下山，雲遊海角，遠涉天涯，務必訪此三者，學一個不老長生，常躲過閻君之難。」噫！這句話，頓教跳出輪迴網，致使齊天大聖成。

眾猴鼓掌稱揚，都道：「善哉！善哉！我等明日越嶺登山，廣尋些果品，大設筵宴送大王也。」

次日，眾猴果去採仙桃，摘異果，刨山藥，斸◆黃精。芝蘭香蕙，瑤草

◆無常—佛教用語。指剎那生起，生已即滅，生生滅滅轉變不已。這裡是死亡的意思。

五蟲—古人對動物的分類，稱做五蟲。人為倮蟲，獸類為毛蟲，禽類為羽蟲，魚類為鱗蟲，昆蟲為介蟲。

輪迴—佛教用語。指一切尚未證得解脫的眾生，由於業力的關係，永遠在六道內轉化不休。

閻浮世界—閻浮，梵語，原意指南贍部洲，這裡泛指人類世界。

斸—砍、斫。斸音竹。

奇花，般般件件，整整齊齊，擺開石凳石桌，排列仙酒仙殽。但見那：

金丸珠彈，紅綻黃肥。
金丸珠彈臘櫻桃，色真甘美；
紅綻黃肥熟梅子，味果香酸。
鮮龍眼，肉甜皮薄；火荔枝，核小囊紅。
林檎◆碧實連枝獻，枇杷緗苞◆帶葉擎。
兔頭梨子◆雞心棗，消渴除煩更解酲◆。
香桃爛杏，美甘甘似玉液瓊漿；脆李楊梅，酸蔭蔭如脂酥膏酪。
紅囊黑子熟西瓜，四瓣黃皮大柿子。
石榴裂破，丹砂粒現火晶珠；芋栗剖開，堅硬肉團金瑪瑙。
胡桃銀杏可傳茶，椰子葡萄能做酒。
榛松榧◆柰◆滿盤盛，橘蔗柑橙盈案擺。
熟煨山藥，爛煮黃精。搗碎茯苓並薏苡，石鍋微火漫炊羹。
人間縱有珍饈味，怎比山猴樂更寧？

群猴尊美猴王上坐，各依齒肩排於下邊，一個個輪流上前奉酒、奉花、奉果，痛飲了一日。

次日，美猴王早起，教：「小的們，替我折些枯松，編作栰◆子，取個竹竿作篙，收拾些果品之類，我將去也。」果獨自登栰，盡力撐開，飄飄蕩蕩，逕向大海波中，趁天風，來渡南瞻部洲地界。這一去，正是那：

天產仙猴道行隆，離山駕栰趁天風。
飄洋過海尋仙道，立志潛心建大功。
有分有緣休俗願，無憂無慮會元龍。
料應必遇知音者，說破源流萬法通。

◆**林檎**—蘋果。　**緗苞**—淺黃色的苞。緗音香。
酲—醉酒。酲音程。　**柰**—俗稱蘋果。柰音耐。
兔頭梨子—果實秋季成熟，梨形或蘋果形，未成熟時青色，有白毛，成熟後金黃色，味甘酸。
榧—植物名。紅豆杉科榧屬，常綠喬木。略似杉，木理甚美，有香氣，為建築及製器之上材。榧音匪。
栰—桴栰，編木為之，大曰栰，小曰桴，棄之渡水。栰音筏。

也是他運至時來，自登木栰之後，連日東南風緊，將他送到西北岸前，乃是南贍部洲地界。

持篙試水，偶得淺水，棄了栰子，跳上岸來。只見海邊有人捕魚、打雁、穵◆蛤、淘鹽。他走近前，弄個把戲，裝個□虎◆，嚇得那些人丟筐棄網，四散奔跑。將那跑不動的拿住一個，剝了他衣裳，也學人穿在身上。搖搖擺擺，穿州過府，在市廛◆中學人禮，學人話。

朝餐夜宿，一心裡訪問佛、仙、神聖之道，覓個長生不老之方。見世人都是為名為利之徒，更無一個為身命者。正是那：

爭名奪利幾時休？早起遲眠不自由！
騎著驢騾思駿馬，官居宰相望王侯。
只愁衣食耽勞碌，何怕閻君就取勾？
繼子蔭孫圖富貴，更無一個肯回頭。

猴王參訪仙道，無緣得遇。在於南贍部洲，串長城，遊小縣，不覺八九年餘。忽行至西洋大海，他想著海外必有神仙。獨自個依前作栰，又飄過西海，直至西牛賀洲地界。登岸遍訪多時，忽見一座高山秀麗，林麓幽深。他也不怕狼蟲，不懼虎豹，登上山頂上觀看。果是好山：

千峰排戟，萬仞開屏。
日映嵐光輕鎖翠，雨收黛色冷含青。
枯藤纏老樹，古渡界幽程。
奇花瑞草，修竹喬松。
修竹喬松，萬載常青欺福地；奇花瑞草，四時不謝賽蓬瀛◆。
幽鳥啼聲近，源泉響溜清。
重重谷壑芝蘭繞，處處巉崖苔蘚生。
起伏巒頭龍脈好，必有高人隱姓名。

◆**穵**—同「挖」。　**裝㲚虎**—做出嚇人的樣子。㲚音掐。
市廛—指商店雲集之地。廛音纏。　**蓬瀛**—蓬萊山和瀛洲，神話傳說中的仙境。

正觀看間，忽聞得林深之處有人言語。急忙趨步，穿入林中，側耳而聽，原來是歌唱之聲。歌曰：

觀棋柯爛，伐木丁丁，雲邊谷口徐行。賣薪沽酒，狂笑自陶情。
蒼徑秋高，對月枕松根，一覺天明。
認舊林，登崖過嶺，持斧斷枯藤。
收來成一擔，行歌市上，易米三升。
更無些子爭競，時價平平。不會機謀巧算，沒榮辱，恬淡延生。
相逢處，非仙即道，靜坐講黃庭◆。

美猴王聽得此言，滿心歡喜道：「神仙原來藏在這裡！」即忙跳入裡面，仔細再看，乃是一個樵子，在那裡舉斧砍柴。但看他打扮非常：

頭上戴箬笠◆，乃是新筍初脫之籜◆。
身上穿布衣，乃是木綿撚就之紗。
腰間繫環絛，乃是老蠶口吐之絲。

足下踏草履，乃是枯莎◆搓就之爽◆。

手執衠◆鋼斧，擔挽火麻繩。扳松劈枯樹，爭似此樵能。

猴王近前叫道：「老神仙，弟子起手◆。」

那樵漢慌忙丟了斧，轉身答禮道：「不當人◆！不當人！我拙漢衣食不全，怎敢當『神仙』二字？」

猴王道：「你不是神仙，如何說出神仙的話來？」

樵夫道：「我說甚麼神仙話？」

猴王道：「我才來至林邊，只聽得你說：『相逢處，非仙即道，靜坐講黃庭。』《黃庭》乃道德真言，非神仙而何？」

◆**黃庭**—道教的經典，有《黃庭內景經》等六種。
箬笠—用箬竹葉及篾條編成的寬邊帽。
籜—竹皮、筍殼。籜音拓。　**莎**—莎草。莎音縮。　**爽**—草鞋上的絞繩。
衠—真的。衠音諄。　**起手**—出家人的敬禮。　**不當人**—罪過的意思。

樵夫笑道：「實不瞞你說，這個詞名做《滿庭芳》，乃一神仙教我的。那神仙與我舍下相鄰，他見我家事勞苦，日常煩惱，教我遇煩惱時，即把這詞兒念念，一則散心，二則解困。我才有些不足處思慮，故此念念，不期被你聽了。」

猴王道：「你家既與神仙相鄰，何不從他修行？學得個不老之方，卻不是好？」

樵夫道：「我一生命苦。自幼蒙父母養育至八九歲，才知人事，不幸父喪，母親居孀。再無兄弟姐妹，只我一人，沒奈何，早晚侍奉。如今母老，一發不敢拋離。卻又田園荒蕪，衣食不足，只得斫兩束柴薪，挑向市廛之間，貨幾文錢，糴幾升米，自炊自造，安排些茶飯，供養老母，所以不能修行。」

猴王道：「據你說起來，乃是一個行孝的君子，向後必有好處。但望你指與我那神仙住處，卻好拜訪去也。」

樵夫道：「不遠，不遠。此山叫做靈臺方寸◆山，山中有座斜月三星◆洞，那洞中有一個神仙，稱名須菩提◆祖師。那祖師出去的徒弟，也不計其數，現今還有三、四十人從他修行。你順那條小路兒，向南行七八里遠近，即是他家了。」

猴王用手扯住樵夫道：「老兄，你便同我去去，若還得了好處，決不忘你指引之恩。」樵夫道：「你這漢子甚不通變，我方才這般與你說了，你還不省？假若我與你去了，卻不誤了我的生意？老母何人奉養？我要斫柴，你自去，自去。」

猴王聽說，只得相辭。出深林，找上路徑，過一山坡，約有七八里遠，果然望見一座洞府。挺身觀看，真好去處！但見：

◆**一發**—更加、越是。　**斫**—以刀斧砍削。斫音卓。　**靈臺方寸**—靈臺、方寸，都是「心」的別稱。
斜月三星—心字的形狀。斜月像心字的一勾，三星像心字的三點。
須菩提—佛的十大弟子之一。這裡是結合佛、道的一個人物。

煙霞散彩，日月搖光。
千株老柏，萬節修篁。
千株老柏，帶雨半空青冉冉；萬節修篁，含煙一壑色蒼蒼。
門外奇花布錦，橋邊瑤草噴香。
石崖突兀青苔潤，懸壁高張翠蘚長。
時聞仙鶴唳，每見鳳凰翔。
仙鶴唳時，聲振九皋霄漢遠；鳳凰翔起，翎毛五色彩雲光。
玄猿白鹿隨隱見，金獅玉象任行藏。
細觀靈福地，真個賽天堂。

又見那洞門緊閉，靜悄悄杳無人跡。忽回頭，見崖頭立一石碑，約有三丈餘高，八尺餘闊，上有一行十個大字，乃是「靈臺方寸山，斜月三星洞」。美猴王十分歡喜道：「此間人果是樸實，果有此山此洞。」看夠多時，不敢敲門。且去跳上松枝梢頭，摘松子吃了頑耍。

少頃間，只聽得呀的一聲，洞門開處，裡面走出一個仙童，真個丰姿英偉，像貌清奇，比尋常俗子不同。但見他：

髽髻◈雙絲綰，寬袍兩袖風。貌和身自別，心與相俱空。
物外長年客，山中永壽童。一塵全不染，甲子任翻騰。

那童子出得門來，高叫道：「甚麼人在此騷擾？」

猴王撲地跳下樹來，上前躬身道：「仙童，我是個訪道學仙之弟子，更不敢在此騷擾。」

仙童笑道：「你是個訪道的麼？」猴王道：「是。」

童子道：「我家師父正才下榻，登壇講道，還未說出原由，就教我出來開門，說：『外面有個修行的來了，可去接待接待。』想必就是你了？」

猴王笑道：「是我，是我。」童子道：「你跟我進來。」

◈**九皋霄漢**—九皋，水澤深遠。霄，九霄，天空極高處。漢，即銀河。皋音高。
髽髻—就是抓髻。一般是婦女的髮型，道士也沿用來挽結長髮。髽音抓。

這猴王整衣端肅，隨童子逕入洞天深處觀看：一層層深閣瓊樓，一進進珠宮貝闕，說不盡那靜室幽居。直至瑤臺之下，見那菩提祖師端坐在臺上，兩邊有三十個小仙侍立臺下。果然是：

大覺金仙◆沒垢姿，西方妙相祖菩提。
不生不滅三三行，全氣全神萬萬慈。
空寂自然隨變化，真如本性任為之。
與天同壽莊嚴體，歷劫明心大法師。

美猴王一見，倒身下拜，磕頭不計其數，口中只道：「師父！師父！我弟子志心朝禮！志心朝禮！」

祖師道：「你是哪方人氏？且說個鄉貫◆、姓名明白，再拜。」

猴王道：「弟子乃東勝神洲傲來國花果山水簾洞人氏。」

祖師喝令：「趕出去！他本是個撒詐搗虛◆之徒，哪裡修甚麼道果！」

猴王慌忙磕頭不住道：「弟子是老實之言，決無虛詐。」

祖師道：「你既老實，怎麼說東勝神洲？那去處到我這裡隔兩重大海，一座南贍部洲，如何就得到此？」

猴王叩頭道：「弟子飄洋過海，登界遊方◆，有十數個年頭，方才訪到此處。」

祖師道：「既是逐漸行來的也罷。你姓甚麼？」

猴王又道：「我無性。人若罵我，我也不惱；若打我，我也不嗔。只是陪個禮兒就罷了。一生無性。」

祖師道：「不是這個性。你父母原來姓甚麼？」

猴王道：「我也無父母。」祖師道：「既無父母，想是樹上生的？」

猴王道：「我雖不是樹上生，卻是石裡長的。我只記得花果山上有一塊仙石，其年石破，我便生也。」

◆**大覺金仙**—宋徽宗時對佛的稱謂。**鄉貫**—籍貫、本籍。**撒詐搗虛**—指說謊騙人。

登界遊方—登上天界，遊歷四方。指周遊世界。

祖師聞言暗喜，道：「這等說，卻是個天地生成的。你起來走走我看。」

猴王縱身跳起，拐呀拐的走了兩遍。

祖師笑道：「你身軀雖是鄙陋，卻像個食松果的猢猻。我與你就身上取個姓氏，意思教你姓『猢』。猢字去了個獸旁，乃是個古月。古者，老也；月者，陰也。老陰不能化育，教你姓『猻』倒好。猻字去了獸旁，乃是個子系。子者，兒男也；系者，嬰細也，正合嬰兒之本論。教你姓『孫』罷。」

猴王聽說，滿心歡喜，朝上叩頭道：「好！好！好！今日方知姓也。萬望師父慈悲，既然有姓，再乞賜個名字，卻好呼喚。」

祖師道：「我門中有十二個字，分派起名，到你乃第十輩之小徒矣。」

猴王道：「哪十二個字？」

祖師道：「乃廣、大、智、慧、真、如、性、海、穎、悟、圓、覺十二字。排到你，正當『悟』字。與你起個法名叫做『孫悟空』，好麼？」

猴王笑道：「好！好！好！自今就叫做孫悟空也。」正是：

鴻濛初闢原無姓，打破頑空須悟空。

畢竟不知向後修些甚麼道果◆，且聽下回分解。

◆猢猻——獼猴的別名。　道果——指修行方法和成就。

第二回　悟徹菩提真妙理　斷魔歸本合元神

話表美猴王得了姓名，怡然踴躍，對菩提前作禮啟謝。那祖師即命大眾引孫悟空出二門外，教他灑掃應對、進退周旋之節。眾仙奉行而出。

悟空到門外，又拜了大眾師兄，就於廊廡之間安排寢處。次早，與眾師兄學言語禮貌、講經論道、習字焚香。每日如此。閒時即掃地鋤園、養花修樹、尋柴燃火、挑水運漿。凡所用之物，無一不備。在洞中不覺倏六七年。一日，祖師登壇高坐，喚集諸仙，開講大道。真個是：

天花亂墜，地湧金蓮。

妙演三乘教，精微萬法全。

慢搖麈尾噴珠玉，響振雷霆動九天。
說一會道，講一會禪，三家配合本如然。
開明一字皈誠理，指引無生◆了性玄。

孫悟空在旁聞講，喜得他抓耳撓腮，眉花眼笑，忍不住手之舞之，足之蹈之。忽被祖師看見，叫孫悟空道：「你在班中，怎麼顛狂躍舞，不聽我講？」

悟空道：「弟子誠心聽講，聽到老師父妙音處，喜不自勝，故不覺作此踴躍之狀。望師父恕罪。」

◆**元神**—道教的說法，人的靈魂經過了修煉就叫「元神」。
踴躍—跳躍。　**二門**—大門進去的第二道門。　**地湧金蓮**—被佛教寺院定為「五樹六花」之一。
天花亂墜—傳說佛祖講經說法，感動了天神，天上各色香花從空中紛紛落下。
三乘—佛教謂三種能使人獲得證悟，息滅煩惱的途徑。即從他人聽聞佛法而悟道的聲聞乘，自己觀察自然現象而悟道的獨覺乘，和以成佛為目標的佛乘。
無生—佛教用語。大乘佛教中觀派認為沒有任何現象是真實的，所以一般所謂「生出某東西」的概念，在實際上是不存在的。

祖師道：「你既識妙音，我且問你，你到洞中多少時了？」

悟空道：「弟子本來懵懂，不知多少時節。只記得灶下無火，常去山後打柴，見一山好桃樹，我在那裡吃了七次飽桃矣。」

祖師道：「那山喚名爛桃山。你既吃七次，想是七年了。你今要從我學些甚麼道？」

悟空道：「但憑尊師教誨，只是有些道氣兒，弟子便就學了。」

祖師道：「『道』字門中有三百六十傍門，傍門皆有正果。不知你學哪一門哩？」

悟空道：「憑尊師意思，弟子傾心聽從。」

祖師道：「我教你個『術』字門中之道，如何？」

悟空道：「術門之道怎麼說？」

祖師道：「術字門中，乃是些請仙扶鸞、問卜揲蓍，能知趨吉避凶之理。」

悟空道：「似這般可得長生麼？」

祖師道：「不能！不能！」悟空道：「不學！不學！」

祖師又道：「教你『流』字門中之道，如何？」

悟空又問：「流字門中是甚義理？」

祖師道：「流字門中，乃是儒家、釋家、道家、陰陽家、墨家、醫家，或看經，或念佛，並朝真降聖之類。」

悟空道：「似這般可得長生麼？」

祖師道：「若要長生，也似壁裡安柱。」

◆**妙音**—奇妙或美妙的聲音。 **道氣**—心中存著正念，能夠感化人的氣叫道氣。

傍門—道教術語，認為只有金丹一道是修行正路，其餘都非正道的途徑、法門。

扶鸞—一種民間請示神明的方法。將丁字形木棍架在沙盤上，由兩人扶著架子，依法請神，木棍於沙盤上畫出文字，作為神明的啟示，以顯吉凶。

揲蓍—古人用蓍草卜卦時，先在五十根蓍草中抽出一根，再將其餘作兩部分，然後四根一數，以定陰爻或陽爻的動作稱為「揲蓍」。揲音蛇，蓍音失。

悟空道：「師父，我是個老實人，不曉得打市語◆。怎麼謂之『壁裡安柱』？」祖師道：「人家蓋房，欲圖堅固，將牆壁之間立一頂柱，有日大廈將頹，他必朽矣。」

悟空道：「據此說，也不長久。不學！不學！」

祖師道：「教你『靜』字門中之道，如何？」

悟空道：「靜字門中是甚正果？」

祖師道：「此是休糧◆守穀◆、清靜無為、參禪打坐、戒語持齋，或睡功，或立功，並入定◆、坐關◆之類。」

悟空道：「這般也能長生麼？」祖師道：「也似窰頭土坯◆。」

悟空笑道：「師父果有些滴達◆。一行說我不會打市語。怎麼謂之『窰頭土坯』？」

祖師道：「就如那窰頭上造成磚瓦之坯，雖已成形，尚未經水火煅煉，一朝大雨滂沱，他必濫矣。」

悟空道：「也不長遠。不學！不學！」
祖師道：「教你『動』字門中之道，如何？」
悟空道：「動門之道卻又怎麼？」
祖師道：「此是有為有作，採陰補陽、攀弓踏弩、摩臍過氣、用方炮製、燒茅打鼎、進紅鉛◆、煉秋石◆，並服婦乳之類。」
悟空道：「似這等也得長生麼？」
祖師道：「此欲長生，亦如水中撈月。」
悟空道：「師父又來了。怎麼叫做『水中撈月』？」

◆**市語**—古代行幫使用的隱語。　**休糧**—即避穀，停止食物。道家的修煉方法之一。
守穀—就是養五臟神。道教認為可以達到不死的修煉方法之一。
入定—佛教用語。指修習禪觀時，心念惟安住在一對象上，而餘念不生的境界。
坐關—修行人在一定時間內，個人獨居靜室，或誦經、或參禪、或念佛，以求明心見性。
窨頭土坯—指未經燒製的磚瓦土坯。　**滴漉**—囉嗦。漉音踏。
紅鉛—道教術語，指女人月經。　**秋石**—用男人的尿熬煉成的藥品。

祖師道：「月在長空，水中有影，雖然看見，只是無撈摸處，到底只成空耳。」

悟空道：「也不學！不學！」

祖師聞言，咄◆的一聲，跳下高臺，手持戒尺◆，指定悟空道：「你這猢猻，這般不學，那般不學，卻待怎麼？」走上前，將悟空頭上打了三下。倒背著手，走入裡面，將中門關了，撇下大眾而去。

諕◆得那一班聽講的人人驚懼，皆怨悟空道：「你這潑猴，十分無狀◆。師父傳你道法，如何不學，卻與師父頂嘴？這番衝撞了他，不知幾時才出來啊！」

此時俱甚報怨他，又鄙賤嫌惡他。悟空一些兒也不惱，只是滿臉陪笑。原來那猴王已打破盤中之謎◆，暗暗在心，所以不與眾人爭競，只是忍耐無言。祖師打他三下者，教他三更時分存心；倒背著手走入裡面，將中門關上者，教他從後門進步，祕處傳他道也。

當日悟空與眾等，喜喜歡歡，在三星仙洞之前，盼望天色，急不能到晚。及黃昏時，卻與眾就寢，假合眼，定息存神◆。山中又沒打更傳箭◆，不知時分，只自家將鼻孔中出入之氣調定。約到子時前後，輕輕的起來，穿了衣服，偷開前門，躲離大眾，走出外，抬頭觀看，正是那：

月明清露冷，八極◆迥無塵。深樹幽禽宿，源頭水溜汾。

飛螢光散影，過雁字排雲。正值三更候，應該訪道真。

◆咄—音墮。斥責、怒罵。

戒尺—戒壇上和尚說戒時的法器，為兩塊小木，一俯一仰，可相擊使鳴。

定息存神—道教徒修煉養生的方法。傳說修道的人，先要停止一切思念，存我之神，想我之身，日久可以延壽長生。

諕—使人害怕。諕音下。　無狀—沒禮貌。

箭—古代以銅壺滴漏計時，壺中立著刻有度數的箭，只要看箭露出水平面的度數是多少，即可知道時刻。

八極—古人認為九州之外有八寅，八寅之外有八紘，八紘之外有八極。八極就是八方最遠的地方。

打破盤中之謎—指已經看穿其中的奧祕。

你看他從舊路逕至後門外，只見那門兒半開半掩。悟空喜道：「老師父果然注意與我傳道，故此開著門也。」即曳步◆近前，側身進得門裡，只走到祖師寢榻之下。見祖師踡跼◆身軀，朝裡睡著了。悟空不敢驚動，即跪在榻前。那祖師不多時覺來，舒開兩足，口中自吟道：

難！難！難！道最玄，莫把金丹作等閒。
不遇至人傳妙訣，空言口困舌頭乾！

悟空應聲叫道：「師父，弟子在此跪候多時。」祖師聞得聲音是悟空，即起披衣，盤坐喝道：「這猢猻，你不在前邊去睡，卻來我這後邊作甚？」悟空道：「師父昨日壇前對眾相允，教弟子三更時候，從後門裡傳我道理，故此大膽逕拜老爺榻下。」祖師聽說，十分歡喜，暗自尋思道：「這廝◆果然是個天地生成的，不然，何就打破我盤中之暗謎也？」悟空道：「此間更無六耳◆，只弟子一人，望師父大捨慈悲，傳與我長生之道罷，永不忘恩！」祖師道：「你今有緣，我亦喜說。既識得盤中暗謎，你近前來，仔細聽之，當傳與你長生之妙道也。」悟空叩頭謝了，洗耳用心，跪於榻下。祖師云：

顯密圓通真妙訣，惜修性命無他說。
都來總是精氣神，謹固牢藏休漏泄。
休漏泄，體中藏，汝受吾傳道自昌。
口訣記來多有益，屏除邪欲得清涼。
得清涼，光皎潔，好向丹臺◆賞明月。

◆曳步—緩步慢行。　蹺蹋—蹺曲不能舒展的樣子。　廝—對男子的賤稱。
六耳—六耳，六隻耳朵，指三個人。法不傳六耳指道法不可以說給第三個人聽。比喻事情極端祕密。
丹臺—神仙的居所。

月藏玉兔日藏烏◆，自有龜蛇相盤結。
相盤結，性命堅，卻能火裡種金蓮。
攢簇五行顛倒用，功完隨作佛和仙。

此時說破根源，悟空心靈福至，切切記了口訣。對祖師拜謝深恩，即出後門觀看。但見東方天色微舒白，西路金光大顯明。

依舊路，轉到前門，輕輕的推開進去，坐在原寢之處，故將床鋪搖響道：「天光了！天光了！起耶！」那大眾還正睡哩，不知悟空已得了好事。當日起來打混◆，暗暗維持，子前午後，自己調息。

卻早過了三年，祖師復登寶座，與眾說法。談的是公案比語◆，論的是外像◆包皮◆。忽問：「悟空何在？」

悟空近前跪下：「弟子有。」祖師道：「你這一向修些甚麼道來？」

悟空道：「弟子近來法性頗通，根源亦漸堅固矣。」祖師道：「你既通法性，會得根源，已注神體，卻只是防備著三災利害◆。」悟空聽說，沉吟良久道：「師父之言謬矣。我常聞道高德隆，與天同壽；水火既濟，百病不生。卻怎麼有個『三災利害』？」祖師道：「此乃非常之道：奪天地之造化，侵日月之玄機；丹成之後，鬼神難容。雖駐顏益壽，但到了五百年後，天降雷災打你，須要見性明心◆，預先躲避。躲得過，壽與天齊；躲不過，就此絕命。「再五百年後，天降火災燒你。這火不是天火，亦不是凡火，喚做『陰火』。自本身湧泉穴◆下燒起，直透泥垣宮◆，五臟成灰，四肢皆朽，把千

◆月藏玉兔日藏烏—神話中，日中有烏，月中有兔。後以烏兔代替日月。
打混—做事態度不認真，得過且過。 包皮—指表皮以外，與外像義同。
公案比語—以古代禪師開悟的故事、非邏輯的言行，作為參禪時思惟的內容。這類的故事或言行，稱為公案。因公案的深旨，意恆在言外，故稱比語。
外像—像同「相」。佛教中的術語，指善、惡、美、醜表現在身上的，和語言表現在外表上的。
三災利害—指修行者在一定階段時必然經受的各種災難。 湧泉穴—足心。
見性明心—見到自己本來的真性，發現自己的真心。 泥垣宮—即泥丸宮，位於頭頂的前部。

年苦行，俱為虛幻。再五百年，又降風災吹你。這風不是東南西北風，不是和薰金朔風，亦不是花柳松竹風，喚做『贔風』。自顖門中吹入六腑，過丹田，穿九竅，骨肉消疏，其身自解。所以都要躲過。」

悟空聞說，毛骨悚然，叩頭禮拜道：「萬望老爺垂憫，傳與躲避三災之法，到底不敢忘恩。」

祖師道：「此亦無難，只是你比他人不同，故傳不得。」

悟空道：「我也頭圓頂天，足方履地，一般有九竅四肢，五臟六腑，何以比人不同？」

祖師道：「你雖然像人，卻比人少腮。」

原來那猴子孤拐面，凹臉尖嘴。悟空伸手一摸，笑道：「師父沒成算。我雖少腮，卻比人多這個素袋，亦可准折過也。」

祖師說：「也罷，你要學哪一般？有一般天罡數，該三十六般變化；有一般地煞數，該七十二般變化。」

悟空道：「弟子願多裡撈摸◆，學一個地煞變化罷。」

祖師道：「既如此，上前來，傳與你口訣。」遂附耳低言，不知說了些甚麼妙法。這猴王也是他一竅通時百竅通，當時習了口訣，自修自煉，將七十二般變化都學成了。

忽一日，祖師與眾門人在三星洞前戲玩晚景。

祖師道：「悟空，事成了未曾？」

悟空道：「多蒙師父海恩◆，弟子功果完備，已能霞舉飛升也。」

祖師道：「你試飛舉我看。」

悟空弄本事，將身一聳，打了個連扯跟頭◆，跳離地有五六丈，踏雲霞去

◆**和薰金朔風**—指春夏秋冬四季。 **丹田**—指肚臍以下三寸的地方。

贔風—暴怒的風。佛、道家所謂三劫中的風劫。贔音必。

九竅—七竅及排尿口、肛門的合稱。 **孤拐面**—上凸下尖的面形。 **成算**—盤算。

素袋—素當作嗉，即動物的嗉囊。 **准折**—折算、抵償。

撈摸—在水中撈尋物品。引申為尋取。 **連扯跟頭**—連續騰翻的跟頭。 **海恩**—如山高。

勾◆有頓飯之時，返復不上三里遠近，落在面前，扠手◆道：「師父，這就是飛舉騰雲了。」

祖師笑道：「這個算不得騰雲，只算得爬雲而已。自古道：『神仙朝遊北海暮蒼梧。』似你這半日，去不上三里，即爬雲也還算不得哩！」

悟空道：「怎麼為『朝遊北海暮蒼梧◆』？」

祖師道：「凡騰雲之輩，早辰◆起自北海，遊過東海、西海、南海，復轉蒼梧。蒼梧者，卻是北海零陵之語話也。將四海之外，一日都遊遍，方算得騰雲。」

悟空道：「這個卻難！卻難！」

祖師道：「世上無難事，只怕有心人。」

悟空聞得此言，叩頭禮拜，啟道：「師父，為人須為徹，索性捨個大慈悲，將此騰雲之法，一發傳與我罷，決不敢忘恩。」

祖師道：「凡諸仙騰雲，皆跌足◆而起，你卻不是這般。我才見你去，連扯方才跳上。我今只就你這個勢，傳你個觔斗雲罷。」

悟空又禮拜懇求，祖師卻又傳個口訣道：「這朵雲，捻著訣◆，念動真言◆，攢緊了拳，將身一抖，跳將起來，一觔斗就有十萬八千里路哩！」大眾聽說，一個個嘻嘻笑道：「悟空造化，若會這個法兒，與人家當鋪兵◆、送文書、遞報單，不管哪裡都尋了飯吃。」師徒們天昏各歸洞府。這一夜，悟空即運神煉法，會了觔斗雲。逐日家無拘無束，自在逍遙，此亦長生之美。

一日，春歸夏至，大眾都在松樹下會講◆多時。大眾道：「悟空，你是哪世修來的緣法？前日老師父附耳低言，傳與你

◆**勾**—足夠。同「夠」。　**扠手**—兩手交叉放在胸前，表示恭敬的拱手姿勢。　**跌足**—跺腳。

早辰—辰是辰時，早辰是指辰時之初。　**捻訣**—指施法術時做出的手勢。

蒼梧—九疑山，舜葬於此，今廣西梧州一帶。北海是今貝加爾湖。「朝遊北海暮蒼梧」，形容神仙騰雲駕霧速度很快。

鋪兵—驛站中負責遞送緊急公文的兵士。　**真言**—指咒語、密語。

會講—是中國古老的學術研討方式，誰的學問好，大家就向他學習。

的躲三災變化之法，可都會麼？」

悟空笑道：「不瞞諸兄長說，一則是師父傳授，二來也是我晝夜殷勤，那幾般兒都會了。」

大眾道：「趁此良時，你試演演，讓我等看看。」

悟空聞說，抖擻精神，賣弄手段道：「眾師兄請出個題目。要我變化甚麼？」

大眾道：「就變棵松樹罷。」悟空捻著訣，念動咒語，搖身一變，就變做一棵松樹。真個是：

鬱鬱含煙貫四時，凌雲直上秀貞姿。
全無一點妖猴像，盡是經霜耐雪枝。

大眾見了鼓掌，呵呵大笑，都道：「好猴兒，好猴兒！」不覺的嚷鬧，驚動了祖師。祖師急拽杖出門來問道：「是何人在此喧譁？」

大眾聞呼，慌忙檢束，整衣向前。悟空也現了本相，雜在叢中道：「啟上尊師：我等在此會講，更無外姓喧譁。」

祖師怒喝道：「你等大呼小叫，全不像個修行的體段◆！修行的人，口開神氣散，舌動是非生，如何在此嚷笑？」

大眾道：「不敢瞞師父，適才孫悟空演變化耍子。教他變棵松樹，果然是棵松樹，弟子們俱稱揚喝采，故高聲驚冒尊師，望乞恕罪。」

祖師道：「你等起去。」叫：「悟空過來！我問你弄甚麼精神◆，變甚麼松樹？這個工夫◆，可好在人前賣弄？假如你見別人有，不要求他？別人見你有，必然求你。你若畏禍，卻要傳他；若不傳他，必然加害，你之性命又不可保。」

悟空叩頭道：「只望師父恕罪。」

祖師道：「我也不罪你，但只是你去罷。」

◆體段—體統、身分。　弄精神—傷腦筋，費心思。　工夫—此指本領。

悟空聞此言，滿眼墮淚道：「師父，教我往哪裡去？」

祖師道：「你從哪裡來，便從哪裡去就是了。」

悟空頓然醒悟道：「我自東勝神洲傲來國花果山水簾洞來的。」

祖師道：「你快回去，全你性命；若在此間，斷然不可。」

悟空領罪，上告尊師：「我也離家有二十年矣，雖是回顧舊日兒孫，但念師父厚恩未報，不敢去。」

祖師道：「哪裡甚麼恩義，你只是不惹禍，不牽帶我就罷了。」

悟空見沒奈何，只得拜辭，與眾相別。

祖師道：「你這去，定生不良。憑你怎麼惹禍行凶，卻不許說是我的徒弟。你說出半個字來，我就知之，把你這猢猻剝皮剉骨，將神魂貶在九幽之處，教你萬劫不得翻身！」

悟空道：「決不敢提起師父一字，只說是我自家會的便罷。」

悟空謝了，即抽身，捻著訣，丟個連扯◆，縱起觔斗雲，逕回東勝。哪裡消一個時辰，早看見花果山水簾洞。美猴王自知快樂，暗暗的自稱道：

去時凡骨凡胎重，得道身輕體亦輕。
舉世無人肯立志，立志修玄玄自明。
當時過海波難進，今日回來甚易行。
別語叮嚀還在耳，何期頃刻見東溟。

悟空按下雲頭，直至花果山，找路而走。忽聽得鶴唳猿啼，鶴唳聲沖霄漢外，猿啼悲切甚傷情。即開口叫道：「孩兒們，我來了也！」那崖下石坎邊，花草中，樹木裡，若大若小之猴，跳出千千萬萬，把個美猴王圍在當中，叩頭叫道：「大王，你好寬心◆，怎麼一去許久？把我們俱閃◆在這裡，望你誠如飢渴。近來被一妖魔在此欺虐，強要占我們水簾

◆牽帶—拖累。　九幽—極深暗的地下。　丟個連扯—連翻數個觔斗。　寬心—放心。
閃—這裡是撇下的意思。

洞府，是我等捨死忘生，與他爭鬥。這些時，被那廝搶了我們家火◆，捉了許多子姪，教我們晝夜無眠，看守家業。幸得大王來了，大王若再年載不來，我等連山洞盡屬他人矣！」

悟空聞說，心中大怒，道：「是甚麼妖魔，輒敢無狀？你且細細說來，待我尋他報仇。」

眾猴叩頭：「告上大王，那廝自稱混世魔王，住居在直北下。」

悟空道：「此間到他那裡，有多少路程？」

眾猴道：「他來時雲，去時霧，或風或雨，或電或雷，我等不知有多少路。」悟空道：「既如此，你們休怕，且自頑耍，等我尋他去來！」

好猴王，將身一縱，跳起去，一路觔斗，直至北下觀看，見一座高山，真是十分險峻。好山：

筆峰挺立，曲澗深沉。筆峰挺立透空霄，曲澗深沉通地戶。

兩崖花木爭奇，幾處松篁鬥翠。

左邊龍，熟熟馴馴◆；右邊虎，平平伏伏。每見鐵牛耕，常有金錢種。幽禽睍睆◆聲，丹鳳朝陽立。石磷磷，波淨淨，古怪蹺蹊真惡獰。世上名山無數多，花開花謝蘩◆還眾。爭如此景永長存，八節四時渾不動。誠為三界坎源山◆，滋養五行水臟洞◆。

美猴王正默觀看景致，只聽得有人言語，逕自下山尋覓。原來那陡崖之前，乃是那水臟洞。洞門外有幾個小妖跳舞，見了悟空就走。

◆家火—器具。　**熟熟馴馴**—馴順。　**睍睆**—清和婉轉的鳥鳴聲。睍音現，睆音緩。

蘩—植物名。　**左龍右虎**—龍、虎指的是山形。

三界坎源山—三界坎，指三條山尾從不同方向交匯一處形成的地形。「源」是源頭。「三界坎源山」指大嶺山，寓意人體背部腎臟處。

五行水臟洞—五臟分別與五行對應，即心火、肝火、脾土、肺金、腎水。「五行水臟洞」寓意腹腔下單田內臟濁精，為混世魔王欲念所生。

悟空道：「休走！借你口中言，傳我心內事。我乃正南方花果山水簾洞洞主。你家甚麼混世鳥魔，屢次欺我兒孫，我特尋來，要與他見個上下！」

那小妖聽說，疾忙跑入洞裡報道：「大王，禍事了！」

魔王道：「有甚禍事？」

小妖道：「洞外有猴頭稱為花果山水簾洞洞主，他說你屢次欺他兒孫，特來尋你，見個上下哩！」

魔王笑道：「我常聞得那些猴精說他有個大王，出家修行去，想是今番來了。你們見他怎生打扮？有甚器械？」

小妖道：「他也沒甚麼器械，光著個頭，穿一領紅色衣，勒一條黃縧，足下踏一對烏靴，不僧不俗，又不像道士、神仙，赤手空拳，在門外叫哩！」魔王聞說：「取我披掛兵器來。」那小妖即時取出。

那魔王穿了甲冑，綽◆刀在手，與眾妖出得門來，即高聲叫道：「哪個是水簾洞洞主？」悟空急睜睛觀看，只見那魔王：

頭戴烏金盔，映日光明；身掛皂羅袍，迎風飄蕩。

下穿著黑鐵甲，緊勒皮條；足踏著花褶靴，雄如上將。腰廣十圍，身高三丈。手執一口刀，鋒刃多明亮。稱為混世魔，磊落凶模樣。

猴王喝道：「這潑魔這般眼大，看不見老孫！」魔王見了，笑道：「你身不滿四尺，年不過三旬，手內又無兵器，怎麼大膽猖狂，要尋我見甚麼上下？」悟空罵道：「你這潑魔，原來沒眼！你量我小，要大卻也不難；你量我無兵器，我兩隻手勾著天邊月哩！你不要怕，只吃老孫一拳！」縱一縱，跳上去，劈臉就打。

那魔王伸手架住道：「你這般矬矮◆，我這般高長；你要使拳，我要使刀。使刀就殺了你，也吃人笑。待我放下刀，與你使路拳看。」

◆綽—用手抄、抓、提。　矬矮—身材短小。矬音措ㄧ聲。　架子—指武術中的招數。

悟空道：「說得是。好漢子，走來！」

那魔王丟開架子便打，這悟空鑽進去相撞相迎。他兩個拳搥腳踢，一衝一撞。原來長拳空大，短簇堅牢。那魔王被悟空掏短脅，撞了襠，幾下觔節，把他打重了。他閃過，拿起那板大的鋼刀，望悟空劈頭就砍。悟空急撤身，他砍了一個空。

悟空見他凶猛，即使身外身法，拔一把毫毛，丟在口中嚼碎，望空噴去，叫一聲：「變！」即變做三二百個小猴，周圍攢簇。

原來人得仙體，出神變化，無方不知。這猴王自從了道之後，身上有八萬四千毛羽，根根能變，應物隨心。那些小猴眼乖會跳，刀來砍不著，槍去不能傷。你看他前踴後躍，鑽上去，把個魔王圍繞，抱的抱，扯的扯，鑽襠的鑽襠，扳腳的扳腳，踢打撏毛，摳眼睛，捻鼻子，抬鼓弄，直打做一個攢盤。這悟空才去奪得他的刀來，分開小猴，照頂門一下，砍為兩段。領眾殺進洞中，將那大小妖精盡皆剿滅。卻把毫毛一抖，收上身來，又見那收不上身者，卻是那魔王在水簾洞擒去的小猴。

悟空道：「汝等何為到此？」

約有三、五十個，都含淚道：「我等因大王修仙去後，這兩年被他爭吵，把我們都攝◆將來。那不是我們洞中的家火？石盆、石碗都被這廝拿來也。」

悟空道：「既是我們的家火，你們都搬出外去。」隨即洞裡放起火來，把那水臟洞燒得枯乾，盡歸了一體。對眾道：「汝等跟我回去。」

眾猴道：「大王，我們來時，只聽得耳邊風響，虛飄飄到於此地，更不識路徑，今怎得回鄉？」

悟空道：「這是他弄的個術法兒，有何難也？我如今一竅通，百竅通，我也會弄。你們都合了眼，休怕。」

◆**架子**—指武術中的招數。**短脅**—胳肢窩。**觔節**—筋肉骨節。**了道**—了悟真理。**撏**—拉扯、拔取。**抬鼓弄**—許多人把一個人抬起來讓他翻倒。**打攢盤**—圍毆。**攝**—此指捉拿、拘捕。

好猴王，念聲咒語，駕陣狂風，雲頭落下。叫：「孩兒們睜眼。」眾猴腳躧◆實地，認得是家鄉，個個歡喜，都奔洞門舊路。那在洞眾猴，都一齊簇擁同入，分班序齒，禮拜猴王。安排酒果，接風賀喜，啟問降魔救子之事。悟空備細言了一遍，眾猴稱揚不盡道：「大王去到哪方，不意學得這般手段。」

悟空又道：「我當年別汝等，隨波逐流，飄過東洋大海，到西牛賀洲地界，逕至南贍部洲，學成人像，著此衣，穿此履，擺擺搖搖，雲遊了八九年餘，更不曾有道。又渡西洋大海，到西牛賀洲地界，訪問多時，幸遇一老祖，傳了我與天同壽的真功果，不死長生的大法門。」

眾猴稱賀，都道：「萬劫難逢也！」

悟空又笑道：「小的們，又喜我這一門皆有姓氏。」

眾猴道：「大王姓甚？」

悟空道：「我今姓孫，法名悟空。」

眾猴聞說，鼓掌忻然◆道：「大王是老孫，我們都是二孫、三孫、細孫、小孫……一家孫、一國孫、一窩孫矣！」都來奉承老孫，大盆小碗的椰子酒、葡萄酒、仙花、仙果，真個是合家◆歡樂。咦！貫通一姓身歸本，只待榮遷仙籙◆名。

畢竟不知怎生結果，居此界終始如何，且聽下回分解。

◆躧—踩、踏。音洗。 忻然—高興、歡喜。 合家—全家。

籙—簿書、簿冊。道家認為得道之後，被記載到仙冊上叫做登仙籙。

第三回

四海千山皆拱伏
九幽十類盡除名

卻說美猴王榮歸故里，自剿了混世魔王，奪了一口大刀。逐日操演武藝，教小猴砍竹為標◆，削木為刀，治旗旛，打哨子◆，一進一退，安營下寨，頑耍多時。

忽然靜坐處，思想道：「我等在此，恐作耍成真，或驚動人王，或有禽王、獸王認此犯頭◆，說我們操兵造反，興師來相殺，汝等都是竹竿木刀，如何對敵？須得鋒利劍戟方可。如今奈何？」

眾猴聞說，個個驚恐道：「大王所見甚長，只是無處可取。」

正說間，轉上四個老猴，兩個是赤

尻◆馬猴，兩個是通背猿猴，走在面前道：「大王，若要治鋒利器械，甚是容易。」悟空道：「怎見容易？」

四猴道：「我們這山向東去，有二百里水面，那廂乃傲來國界。那國界中有一王位，滿城中軍民無數，必有金銀銅鐵等匠作。大王若去那裡，或買或造些兵器，教演我等，守護山場，誠所謂保泰長久之機也。」

悟空聞說，滿心歡喜道：「汝等在此頑耍，待我去來。」

好猴王，急縱觔斗雲，霎時間過了二百里水面。果見那廂有座城池，六街三市，萬戶千門，來來往往，人都在光天化日之下。

悟空心中想道：「這裡定有現成的兵器，我待下去買他幾件，還不如使個神通◆覓他幾件倒好。」他就捻起訣來，念動咒語，向巽地◆上吸一口氣，

◆標—旗桿。　**打哨子**—放哨、警戒。

犯頭—冒犯的原由。認犯頭指無意中觸怒對方而發生誤會。　**尻**—臀部。尻音靠平聲。

神通—高明的本領或手段。　**巽地**—東南方位。

呼的吹將去，便是一陣風，飛沙走石，好驚人也：

炮雲起處蕩乾坤，黑霧陰霾大地昏。
江海波翻魚蟹怕，山林樹折虎狼奔。
諸般買賣無商旅，各樣生涯不見人。
殿上君王歸內院，階前文武轉衙門。
千秋寶座都吹倒，五鳳高樓晃動根。

風起處，驚散了那傲來國君王，三市六街，都慌得關門閉戶，無人敢走。悟空才按下雲頭，逕闖入朝門裡，直尋到兵器館、武庫中，打開門扇看時，那裡面無數器械：刀、槍、劍、戟、斧、鉞、毛◆、鐮、鞭、鈀◆、撾◆、簡◆、弓、弩、叉、矛，件件俱備。一見甚喜道：「我一人能拿幾何？還使個分身法搬將去罷。」好猴王，即拔一把毫毛，入口嚼爛，噴將出去，念動咒語，叫聲：「變！」變做千百個小猴，都亂搬亂搶，有力的拿五七件，力小的拿三二件，盡數搬個罄淨。

逕踏雲頭，弄個攝法，喚轉狂風，帶領小猴，俱回本處。

卻說那花果山大小猴兒，正在那洞門外頑耍，忽聽得風聲響處，見半空中丫丫叉叉◆，無邊無岸的猴精，諕得都亂跑亂躲。少時，美猴王按落雲頭，收了雲霧，將身一抖，收了毫毛，將兵器都亂堆在山前，叫道：「小的們，都來領兵器！」

眾猴看時，只見悟空獨立在平陽◆之地，俱跑來叩頭問故。悟空將前使狂風、搬兵器，一應事說了一遍。眾猴稱謝畢，都去搶刀奪劍，撾斧爭槍，扯弓扳弩，吆吆喝喝，耍了一日。

◆毛—一種古代的冷兵器。
鈀—武器名。狀似耙，有柄。鈀音把。
撾—古代的兵械，十八般兵器之一。凡具有人手或獸爪形象的武器，皆屬此類。撾音抓。
簡—類似鞭，四棱形，鐵製。　丫丫叉叉—形容雜亂的樣子。　平陽—平坦的地方。

次日，依舊排營。悟空會聚群猴，計有四萬七千餘口。早驚動滿山怪獸，都是些狼、蟲、虎、豹、麖◆、麂◆、獐、犯、狐、狸、獾、狢◆、獅、象、狻猊◆、猩猩、熊、鹿、野豕、山牛、羚羊、青兕◆、狡兔、神獒……各樣妖王，共有七十二洞，都來參拜猴王為尊。

每年獻貢，四時點卯◆。也有隨班操演的，也有隨節徵糧的。齊齊整整，把一座花果山造得似鐵桶金城。各路妖王，又有進金鼓、進彩旗、進盔甲的，紛紛攘攘，日逐◆家習舞興師。

美猴王正喜間，忽對眾說道：「汝等弓弩熟諳，兵器精通，奈我這口刀著實榔槺◆，不遂我意，奈何？」

四老猴上前啟奏道：「大王乃是仙聖，凡兵是不堪用。但不知大王水裡可能去得？」

悟空道：「我自聞道之後，有七十二般地煞變化之功，觔斗雲有莫大的神通；善能隱身遯身◆，起法攝法。上天有路，入地有門；步日月無影，入金石無礙；水不能溺，火不能焚。哪些兒去不得？」
四猴道：「大王既有此神通，我們這鐵板橋下，水通東海龍宮。大王若肯下去，尋著老龍王，問他要件甚麼兵器，卻不趁心？」
悟空聞言，甚喜道：「等我去來。」
好猴王，跳至橋頭，使一個閉水法，捻著訣，撲地鑽入波中，分開水路，逕入東洋海底。正行間，忽見一個巡海的夜叉，擋住問道：「那推水來的，是何神聖？說個明白，好通報迎接。」

◈**麖**—水鹿，體形高大，栗棕色，性機警，善奔跑。雄的有角，為名貴藥材。麖音經。
麂—形似犬而較大。雄麂有獠牙、短角。腿細而有力，善跳躍。毛棕色，皮柔軟，可製革。麂音己。
狢—同「貉」，即貍，銳頭尖鼻，耳短小而圓，四肢短，毛褐色或黑灰色。於夜間活動，以小動物、魚類等為食。其皮為珍貴裘料。
狻猊—獅子。狻猊音酸泥。　**兕**—古代一種似牛的野獸。兕音四。
點卯—舊時官署在卯時上班，由長官點名，稱為「點卯」。　**日逐**—日復一日。
榔槺—形容長大、笨重、使用不方便。　**遯身**—用遁形術隱藏身體。

悟空道：「吾乃花果山天生聖人孫悟空，是你老龍王的緊鄰，為何不識？」

那夜叉聽說，急轉水晶宮傳報道：「大王，外面有個花果山天生聖人孫悟空，口稱是大王緊鄰，將到宮也。」

東海龍王敖廣即忙起身，與龍子、龍孫、蝦兵、蟹將出宮迎道：「上仙請進，請進。」

直至宮裡相見，上坐獻茶畢，問道：「上仙幾時得道？授何仙術？」

悟空道：「我自生身之後，出家修行，得一個無生無滅之體。近因教演兒孫，守護山洞，奈何沒件兵器。久聞賢鄰享樂瑤宮貝闕，必有多餘神器，特來告求一件。」龍王見說，不好推辭，即著鱖都司取出一把大桿刀奉上。

悟空道：「老孫不會使刀，乞另賜一件。」

龍王又著鮊太尉領鱔力士，抬出一桿九股叉來。悟空跳下來，接在手中，使了一路，放下道：「輕！輕！輕！又不趁手◆。再乞另賜一件。」
龍王笑道：「上仙，你不看看，這叉有三千六百斤重哩。」
悟空道：「不趁手！不趁手！」龍王心中恐懼，又著鯿提督、鯉總兵抬出一柄畫桿方天戟。那戟有七千二百斤重。悟空見了，跑近前，接在手中，丟幾個架子◆，撒兩個解數◆，插在中間道：「也還輕！輕！輕！」
老龍王一發害怕道：「上仙，我宮中只有這根戟重，再沒甚麼兵器了。」
悟空笑道：「古人云：『愁海龍王沒寶哩！』你再去尋尋看，若有可意◆的，一一奉價。」龍王道：「委的◆再無。」
正說處，後面閃過龍婆、龍女道：「大王，觀看此聖，決非小可。我們這海藏中，那一塊天河定底的神珍鐵，這幾日霞光豔豔，瑞氣騰騰，敢莫

◆**夜叉**—佛教謂一種捷疾勇健會傷害人的鬼。　**上仙**—天上的神仙。　**趁手**—順手。
丟架子—使了幾招。　**解數**—武術的招數。　**可意**—中意、適意。　**委的**—真的、確實。

是◆該出現，遇此聖也？」

龍王道：「那是大禹治水之時，定江海淺深的一個定子◆，是一塊神鐵，能中何用？」

龍婆道：「莫管他用不用，且送與他，憑他怎麼改造，送出宮門便了。」老龍王依言，盡向悟空說了。

悟空道：「拿出來我看。」

龍王搖手道：「扛不動，抬不動，須上仙親去看看。」

悟空道：「在何處？你引我去。」龍王果引導至海藏中間，忽見金光萬道。

龍王指定道：「那放光的便是。」悟空撩衣上前，摸了一把，乃是一根鐵柱子，約有斗來粗，二丈有餘長。

他盡力兩手撾過道：「忒粗忒長些，再短細些方可用。」說畢，那寶貝就短了幾尺，細了一圍。

悟空又掂一掂道：「再細些更好。」那寶貝真個又細了幾分。悟空十分歡喜，拿出海藏看時，原來兩頭是兩個金箍，中間乃一段烏鐵。緊挨箍有鐫成的一行字，喚做「如意金箍棒」，重一萬三千五百斤。心中暗喜道：「想必這寶貝如人意。」一邊走，一邊心思口念，手掂著道：「再短細些更妙。」拿出外面，只有二丈長短，碗口粗細。

你看他弄神通，丟開解數，打轉水晶宮裡。諕得老龍王膽戰心驚，小龍子魂飛魄散，龜鱉黿鼉皆縮頸，魚蝦鰲蟹盡藏頭。悟空將寶貝執在手中，坐在水晶宮殿上，對龍王笑道：「多謝賢鄰厚意。」

龍王道：「不敢，不敢。」

悟空道：「這塊鐵雖然好用，還有一說。」

龍王道：「上仙還有甚說？」

◈**敢莫是**—疑問之詞。莫非是、難道是。　**定子**—標誌、記號，作為標定位置、界線之用。

悟空道：「當時若無此鐵，倒也罷了；如今手中既拿著他，身上更無衣服相趁，奈何？你這裡若有披掛，索性送我一副，一總奉謝。」

龍王道：「這個卻是沒有。」

悟空道：「一客不煩二主。若沒有，我也定不出此門。」

龍王道：「煩上仙再轉一海，或者有之。」

悟空又道：「走三家不如坐一家。千萬告求一件。」

龍王道：「委的沒有，如有即當奉承。」

悟空道：「真個沒有？就和你試試此鐵！」

龍王慌了道：「上仙，切莫動手！切莫動手！待我看舍弟處可有，當送一副。」

悟空道：「令弟何在？」

龍王道：「舍弟乃南海龍王敖欽、北海龍王敖順、西海龍王敖閏是也。」

悟空道：「我老孫不去！不去！俗語謂『賒三不敵見二◆』，只望你隨高就低◆的送一副便了。」

老龍道：「不須上仙去。我這裡有一面鐵鼓、一口金鐘，凡有緊急事，擂得鼓響，撞得鐘鳴，舍弟們就頃刻而至。」

悟空道：「既是如此，快些去擂鼓撞鐘。」真個那鼉將便去撞鐘，鱉帥即來擂鼓。

少時，鐘鼓響處，果然驚動那三海龍王，須臾來到，一齊在外面會著。敖欽道：「大哥，有甚緊事，擂鼓撞鐘？」

老龍道：「賢弟，不好說。有一個花果山甚麼天生聖人，早間來認我做鄰居。後要求一件兵器，獻鋼叉嫌小，奉畫戟嫌輕；將一塊天河定底神珍鐵，自己拿出手，丟了些解數。如今坐在宮中，又要索甚麼披掛。我處無有，故響鐘鳴鼓，請賢弟來。你們可有甚麼披掛，送他一副，打發出門去罷了。」

◆賒三不敵見二——比喻空許的好處比不上現有的。　**隨高就低**——猶言可高可低，隨便怎樣。

敖欽聞言，大怒道：「我兄弟們，點起兵，拿他不是！」

老龍道：「莫說拿！莫說拿！那塊鐵，挽著些兒就死，磕著些兒就亡；挨挨兒皮破，擦擦兒筋傷。」

西海龍王敖閏說：「二哥不可與他動手。且只湊副披掛與他，打發他出了門，啟表奏上上天，天自誅也。」

北海龍王敖順道：「說得是。我這裡有一雙藕絲步雲履哩。」

西海龍王敖閏道：「我帶了一副鎖子黃金甲哩。」

南海龍王敖欽道：「我有一頂鳳翅紫金冠哩。」老龍大喜，引入水晶宮相見了，以此奉上。

悟空將金冠、金甲、雲履都穿戴停當，使動如意棒，一路打出去，對眾龍道：「聒噪！聒噪！」四海龍王甚是不平，一邊商議進表上奏不題。

你看這猴王，分開水道，逕回鐵板橋頭，攛將上去。只見四個老猴領著眾猴，都在橋邊等候。忽然見悟空跳出波外，身上更無一點水濕，金燦燦的走上橋來。諕得眾猴一齊跪下道：「大王好華彩耶！好華彩耶！」悟空滿面春風，高登寶座，將鐵棒豎在當中。那些猴不知好歹，都來拿那寶貝，卻便似蜻蜓撼鐵樹，分毫也不能禁動。一個個咬指伸舌道：「爺爺呀！這般重，虧你怎的拿來也！」悟空近前，舒開手，一把撾起，對眾笑道：「物各有主。這寶貝鎮於海藏中，也不知幾千百年，可可的◆今歲放光。龍王只認做是塊黑鐵，又喚做天河鎮底神珍。那廝每都扛抬不動，請我親去拿之。那時此寶有二丈多長，斗來粗細。被我撾他一把，意思嫌大，他就小了許多；再教小些，他又小了許多；再教小些，他又小了許多。急對天光看處，上有一行字，乃『如意金箍棒，一萬三千五百斤』。你都站開，等我再叫他變一變著。」他將那寶貝掂在手中，叫：「小！小！小！」即時就小做一個繡花針兒相似，可以揌◆在耳朵裡面藏下。

◆聒噪──吵鬧、打攪。　可可的──恰好、剛巧。　揌──同塞。用物堵住有孔隙的地方。

眾猴駭然，叫道：「大王，還拿出來耍耍。」

猴王真個去耳朵裡拿出，托放掌上叫：「大！大！大！」即又大做斗來粗細，二丈長短。

他弄到歡喜處，跳上橋，走出洞外，將寶貝揝◆在手中，使一個法天象地◆的神通，把腰一躬，叫聲：「長！」他就長得高萬丈，頭如泰山，腰如峻嶺，眼如閃電，口似血盆，牙如劍戟；手中那棒，上抵三十三天，下至十八層地獄。把些虎豹狼蟲、滿山群怪、七十二洞妖王，都諕得磕頭禮拜，戰兢兢魄散魂飛。

霎時收了法像，將寶貝還變做個繡花針兒，藏在耳內，復歸洞府。慌得那各洞妖王，都來參賀。

此時遂大開旗鼓，響振銅鑼，廣設珍饈百味，滿斟椰液萄漿，與眾飲宴多時，卻又依前教演。猴王將那四個老猴封為健將，將兩個赤尻馬猴喚做馬、流二元帥，兩個通背猿猴喚做崩、芭二將軍。將那安營下寨、賞罰諸事，都付與四健將維持。

他放下心，日逐騰雲駕霧，遨遊四海，行樂千山。施武藝，遍訪英豪；弄神通，廣交賢友。此時又會了個七弟兄，乃牛魔王、蛟魔王、鵬魔王、獅狔王、獼猴王、狨狨王，連自家美猴王七個。日逐講文論武，走斝傳觴◆，弦歌吹舞，朝去暮回，無般兒不樂。把那萬里之遙，只當庭闈之路；所謂點頭逕過三千里，扭腰八百有餘程。

一日，在本洞吩咐四健將安排筵宴，請六王赴飲，殺牛宰馬，祭天享地，著眾怪跳舞歡歌，俱吃得酩酊大醉。送六王出去，卻又賞犒大小頭目。攲在鐵板橋邊松陰之下，霎時間睡著。四健將領眾圍護，不敢高聲。只見那美猴王睡裡，見兩人拿一張批文，上有「孫悟空」三字，走近身，

◆**揝**—抓、握。揝音贊三聲。　**法天象地**—一種法術的名稱。
斝觴—酒的容器。斝音甲，玉爵，能容六升。觴音傷，酒杯的總名。

不容分說，套上繩，就把美猴王的魂靈兒索了去，踉踉蹌蹌，直帶到一座城邊。猴王漸覺酒醒，忽抬頭觀看，那城上有一鐵牌，牌上有三個大字，乃「幽冥界」。

美猴王頓然醒悟道：「幽冥界乃閻王所居，何為到此？」

那兩人道：「你今陽壽該終，我兩人領批，勾你來也。」

猴王聽說，道：「我老孫超出三界之外，不在五行之中，已不伏他管轄，怎麼朦朧◆，又敢來勾我？」那兩個勾死人◆，只管扯扯拉拉，定要拖他進去。這猴王惱起性來，耳朵中掣出寶貝，晃一晃，碗來粗細；略舉手，把兩個勾死人打為肉醬。自解其索，丟開手，掄著棒，打入城中。諕得那牛頭鬼東躲西藏，馬面鬼南奔北跑。

眾鬼卒奔上森羅殿◆，報著：「大王，禍事！禍事！外面有一個毛臉雷公打將來了！」

慌得那十代冥王急整衣來看，見他相貌凶惡，即排下班次，應聲高叫道：「上仙留名！上仙留名！」

猴王道：「你既認不得我，怎麼差人◆來勾我？」

十王道：「不敢！不敢！想是差人差了。」

猴王道：「我本是花果山水簾洞天生聖人孫悟空。你等是甚麼官位？」

十王躬身道：「我等是陰間天子十代冥王。」

悟空道：「快報名來，免打。」

十王道：「我等是秦廣王、楚江王、宋帝王、五官王、閻羅王、平等王、泰山王、都市王、卞城王、轉輪王。」

悟空道：「汝等既登王位，乃靈顯感應之類，為何不知好歹？我老孫修仙了道，與天齊壽，超升三界之外，跳出五行之中，為何著人拘我？」

十王道：「上仙息怒。普天下同名同姓者多，敢是那勾死人錯走了也？」

◆朦朧—這裡是糊塗的意思。　勾死人—傳說中的勾魂鬼。
森羅殿—相傳為陰曹地府閻羅所居住的殿。　差人—官府的衙役。

悟空道：「胡說！胡說！常言道：『官差吏差，來人不差。』你快取生死簿子來我看！」十王聞言，即請上殿查看。

悟空執著如意棒，逕登森羅殿上，正中間南面坐下。十王即命掌案的判官取出文簿來查。那判官不敢怠慢，便到司房裡捧出五六簿文書並十類簿子。逐一查看：倮蟲、毛蟲、羽蟲、介蟲、鱗蟲之屬，俱無他名。又看到猴屬之類，原來這猴似人相，不入人名；似倮蟲，不居國界；似走獸，不伏麒麟管；似飛禽，不受鳳凰轄。另有個簿子，悟空親自檢閱，直到那「魂」字一千三百五十號上，方注著孫悟空名字，乃「天產石猴，該壽三百四十二歲，善終」。

悟空道：「我也不記壽數幾何，且只消了名字便罷。取筆過來。」那判官慌忙捧筆，飽掭濃墨。悟空拿過簿子，把猴屬之類，但有名者，一概勾之。

捽下簿子道：「了帳！了帳！今番不伏你管了。」一路棒，打出幽冥界。

那十王不敢相近，都去翠雲宮，同拜地藏王菩薩，商量啟表，奏聞上天，不在話下。

這猴王打出城中，忽然絆著一個草紇繨◆，跌了個蹡踵◆，猛的醒來，乃是南柯一夢◆。才覺伸腰，只聞得四健將與眾猴高叫道：「大王，吃了多少酒，睡這一夜，還不醒來？」

悟空道：「睡還小可，我夢見兩個人來此勾我，把我帶到幽冥界城門之外，卻才醒悟。是我顯神通，直嚷到森羅殿，與那十王爭吵，將我們的生死簿子看了，但有我等名號，俱是我勾了，都不伏那廝所轄也。」眾猴磕頭禮謝。

◆**差人**—官府的衙役。　**生死簿**—陰間記載生者生卒年月日時辰的簿本。

掭—用毛筆蘸墨。掭音添四聲。　**草紇繨**—草結。紇繨同疙瘩。

蹡踵—踉蹌欲跌的樣子。蹡音龍。

南柯一夢—廣陵人淳于棼在夢中被大槐國國王招為駙馬，當了南柯郡太守，歷盡人生窮通榮辱。醒來發現躺在大槐樹下，而一切的夢境均發生於樹旁之蟻穴。

自此，山猴多有不老者，以陰司無名故也。美猴王言畢前事，四健將報知各洞妖王，都來賀喜。不幾日，六個義兄弟又來拜賀，一聞銷名之故，又個個歡喜，每日聚樂不題。

卻表啟那個高天上聖大慈仁者玉皇大天尊玄穹高上帝，一日駕坐金闕雲宮靈霄寶殿，聚集文武仙卿早朝之際，忽有丘弘濟真人◆啟奏道：「萬歲，通明殿外有東海龍王敖廣進表，聽天尊宣詔。」玉皇傳旨：「著宣來。」敖廣宣至靈霄殿下，禮拜畢，旁有引奏仙童接上表文。玉皇從頭看過。表曰：

水元下界◆東勝神洲東海小龍臣敖廣啟奏大天聖主玄穹高上帝君：

近因花果山生、水簾洞住妖仙孫悟空者，

欺虐小龍，強坐水宅，索兵器，施法施威；要披掛，騁凶騁勢。

驚傷水族，諕走龜鼉。

南海龍戰戰兢兢，西海龍悽悽慘慘，北海龍縮首歸降。

臣敖廣舒身下拜，獻神珍之鐵棒，鳳翅之金冠，
與那鎖子甲、步雲履，以禮送出。他仍弄武藝，顯神通，
但云：『聒噪！聒噪！』果然無敵，甚為難制。
臣今啟奏，伏望聖裁。
懇乞天兵，收此妖孽，庶使海嶽◆清寧，下元安泰。奉奏。

聖帝覽畢，傳旨：「著龍神回海，朕即遣將擒拿。」老龍王頓首謝去。

下面又有葛仙翁天師◆啟奏道：「萬歲，有冥司秦廣王齎奉幽冥教主地藏王菩薩表文進上。」旁有傳言玉女接上表文。玉皇亦從頭看過。表曰：

◆**真人**——道家稱修真得道的人。亦泛稱道士。　**海嶽**——大海和高山。
水元下界——道教稱天空做上元，陸地做中元，水中做下元。此指水府。
天師——東漢張道陵傳五斗米教，其門徒尊稱為「天師」。其後世子孫受元世祖之封，世代以天師為名號。

幽冥境界，乃地之陰司。
天有神而地有鬼，陰陽輪轉；禽有生而獸有死，反復雌雄。
生生化化，孕女成男，此自然之數，不能易也。
今有花果山水簾洞天產妖猴孫悟空，逞惡行凶，不服拘喚。
弄神通，打絕九幽鬼使；恃勢力，驚傷十代慈王。
大鬧森羅，強銷名號。
致使猴屬之類無拘，獼猴之畜多壽；寂滅輪迴，各無生死。
貧僧具表，冒瀆天威。
伏乞調遣神兵，收降此妖，整理陰陽，永安地府。謹奏。

玉皇覽畢，傳旨：「著冥君回歸地府，朕即遣將擒拿。」秦廣王亦頓首謝去。

大天尊宣眾文武仙卿，問曰：「這妖猴是幾年產育，何代出身，卻就這般有道？」

一言未已，班中閃出千里眼、順風耳道：「這猴乃三百年前天產石猴。當時不以為然，不知這幾年在何方修煉成仙，降龍伏虎，強削死籍也。」

玉帝道：「哪路神將下界收伏？」

言未已，班中閃出太白長庚星，俯伏啟奏道：「上聖，三界中凡有九竅者，皆可修仙。奈此猴乃天地育成之體，日月孕就之身，他也頂天履地，服露餐霞，今既修成仙道，有降龍伏虎之能，與人何以異哉？臣啟陛下，可念生化之慈恩，降一道招安聖旨，把他宣來上界，授他一個大小官職，與他籍名在籙，拘束此間。若受天命，後再升賞；若違天命，就此擒拿。一則不動眾勞師，二則收仙有道也。」

玉帝聞言甚喜，道：「依卿所奏。」即著文曲星官修詔，著太白金星招安。

金星領了旨，出南天門外，按下祥雲，直至花果山水簾洞，對眾小猴道：「我乃天差天使，有聖旨在此，請你大王上界。快快報知。」

洞外小猴一層層傳至洞天深處，道：「大王，外面有一老人，背著一角文書，言是上天差來的天使，有聖旨請你也。」

美猴王聽得大喜，道：「我這兩日正思量要上天走走，卻就有天使來請。」叫：「快請進來。」猴王急整衣冠，門外迎接。

金星逕入當中，面南立定道：「我是西方太白金星，奉玉帝招安聖旨，下界請你上天，拜受仙籙。」

悟空笑道：「多感老星降臨。」教小的們安排筵宴款待。

金星道：「聖旨在身，不敢久留。就請大王同往，待榮遷之後，再從容敘也。」

悟空道：「承光顧，空退！空退！」即喚四健將，吩咐：「謹慎教演兒孫，待我上天去看看路，卻好帶你們上去同居住也。」四健將領諾。這猴王與金星縱起雲頭，升在空霄之上。

正是那：

高遷上品天仙位，名列雲班寶籙中。

畢竟不知授個甚麼官爵，且聽下回分解。

◆空退——謂客人無所受用而歸。猶怠慢。

第四回

官封弼馬心何足　名注齊天意未寧

那太白金星與美猴王同出了洞天深處，一齊駕雲而起。

原來悟空觔斗雲比眾不同，十分快疾，把個金星撇在腦後，先至南天門外。正欲收雲前進，被增長天王領著龐、劉、苟、畢、鄧、辛、張、陶一路大力天丁◆，槍刀劍戟，擋住天門，不肯放進。

猴王道：「這個金星老兒乃奸詐之徒，既請老孫，如何教人動刀動槍，阻塞門路？」正嚷間，金星倏到。

悟空就覿面◆發狠道：「你這老兒，怎麼哄我？被你說奉玉帝招安旨意來請，卻怎麼教這些人阻住天門，不放老孫進去？」

金星笑道：「大王息怒。你自來未曾到此天堂，卻又無名，眾天丁又與你素不相識，他怎肯放你擅入？等如今見了天尊，授了仙籙，注了官名，向後隨你出入，誰復擋也？」

悟空道：「這等說，也罷，我不進去了。」

金星又用手扯住道：「你還同我進去。」

將近天門，金星高叫道：「那天門天將、大小吏兵，放開路者。此乃下界仙人，我奉玉帝聖旨，宣他來也。」那增長天王與眾天丁俱才斂兵退避。猴王始信其言，同金星緩步入裡觀看。真個是：

初登上界，乍入天堂。金光萬道滾紅霓，瑞氣千條噴紫霧。

只見那南天門，碧沉沉，琉璃造就；明晃晃◆，寶玉妝成。

◆**天丁**—天神、天兵。 **覿面**—當面、迎面。覿音敵。 **明晃晃**—明亮的樣子。

兩邊擺數十員鎮天元帥，一員員頂梁靠柱，持銑◆擁旄◆；
四下列十數個金甲神人，一個個執戟懸鞭，持刀仗劍。
外廂猶可，入內驚人：
裡壁廂有幾根大柱，柱上纏繞著金鱗耀日赤鬚龍；
又有幾座長橋，橋上盤旋著彩羽凌空丹頂鳳。
明霞晃晃映天光，碧霧濛濛遮斗口。
這天上有三十三座天宮，乃遣雲宮、毘沙宮、五明宮、太陽宮、
花樂宮，……一宮宮脊吞金穩獸；又有七十二重寶殿，乃朝會殿、
凌虛殿、寶光殿、天王殿、靈官殿，……一殿殿柱列玉麒麟。
壽星臺上，有千千年不卸的名花；煉藥爐邊，有萬萬載常青的瑞草。
又至那朝聖樓前，絳紗衣，星辰燦爛；芙蓉冠，金壁輝煌。
玉簪珠履，紫綬金章。
金鐘撞動，三曹神表進丹墀；天鼓鳴時，萬聖朝王參玉帝。
又至那靈霄寶殿，金釘攢玉戶，彩鳳舞朱門。

複道迴廊，處處玲瓏剔透；三簷四簇，層層龍鳳翱翔。
上面有個紫巍巍，明晃晃，圓丟丟，亮灼灼，大金葫蘆頂。
下面有天妃懸掌扇，玉女捧仙巾，
惡狠狠掌朝的天將，氣昂昂護駕的仙卿◆。
正中間，琉璃盤內，放許多重重疊疊太乙丹；
瑪瑙瓶中，插幾枝彎彎曲曲珊瑚樹。
正是天宮異物般般有，世上如他件件無。
金闕銀鑾並紫府，琪花瑤草暨瓊葩。
朝王玉兔壇邊過，參聖金烏著底飛。
猴王有分來天境，不墮人間點汙泥。

太白金星領著美猴王，到於靈霄殿外，不等宣詔，直至御前，朝上禮拜。

◆銑—古代用金裝飾兩端的鐘。　旄—古代竿頭上飾有犛牛尾的旗幟。　仙卿—仙界的貴官。

悟空挺身在旁，且不朝禮，但側耳以聽金星啟奏。

金星奏道：「臣領聖旨，已宣妖仙到了。」

玉帝垂簾問曰：「哪個是妖仙？」

悟空卻才躬身答應道：「老孫便是。」

仙卿們都大驚失色道：「這個野猴，怎麼不拜伏參見，輒敢這等答應道：『老孫便是。』卻該死了！該死了！」

玉帝傳旨道：「那孫悟空乃下界妖仙，初得人身，不知朝禮，且姑恕罪。」

眾仙卿叫聲：「謝恩。」猴王卻才朝上唱個大喏。玉帝宣文選武選仙卿，看哪處少甚官職，著孫悟空去除授。

旁邊轉過武曲星君啟奏道：「天宮裡各宮各殿，各方各處，都不少官，只是御馬監缺個正堂管事。」

玉帝傳旨道：「就除他做個弼馬溫罷。」眾臣叫謝恩，他也只朝上唱個大喏。玉帝又差木德星官送他去御馬監到任。

當時猴王歡歡喜喜，與木德星官逕去到任。事畢，木德星官回宮。他在監裡，會聚了監丞、監副、典簿、力士、大小官員人等，查明本監事務，只有天馬千匹。乃是：

驊騮◆騏驥，騄駬纖離；龍媒紫燕，挾翼驌驦；駃騠銀騔，騕褭飛黃；騊駼翻羽，赤兔超光；逾輝彌景，騰霧勝黃；追風絕地，飛翮奔霄；逸飄赤電，銅爵浮雲；驄瓏虎駵，絕塵紫鱗；四極大宛，八駿九逸，千里絕群。此等良馬，一個個嘶風逐電精神壯，踏霧登雲氣力長。

◆**朝禮**—參拜、朝拜。 **卻才**—方才。

唱個大喏—一面拱揖，一面口中稱「喏」，這樣敬禮叫做唱喏。喏聲很大、腰彎得很低，叫做唱個大喏或唱個肥喏。

弼馬溫—相傳猴子可以避馬瘟，因此吳承恩利用同音字「弼」、「溫」而命名。

驊騮—周穆王八匹駿馬之一。後用以泛指紅色的駿馬。

這猴王查看了文簿，點明了馬數。本監中典簿管徵備草料；力士官管刷洗馬匹、扎草◆、飲水、煮料；監丞、監副輔佐催辦。弼馬晝夜不睡，滋養馬匹。日間舞弄猶可，夜間看管殷勤，但是馬睡的，趕起來吃草；走的，捉將來靠槽。那些天馬見了他，泯耳攢蹄◆。倒養得肉肥膘滿。不覺的半月有餘。一朝閒暇，眾監官都安排酒席，一則與他接風，二則與他賀喜。

正在歡飲之間，猴王忽停杯問曰：「我這弼馬溫是個甚麼官銜？」眾曰：「官名就是此了。」又問：「此官是個幾品？」眾道：「沒有品從◆。」猴王道：「沒品，想是大之極也？」眾道：「不大，不大，只喚做未入流◆。」猴王道：「怎麼叫做『未入流』？」眾道：「末等。這樣官兒最低最小，只可與他看馬。似堂尊◆到任之後，這等殷勤，餵得馬肥，只落得道聲『好』字；如稍有些尫羸◆，還要見責；再十分傷損，還要罰贖問罪。」

猴王聞此，不覺心頭火起，咬牙大怒道：「這般藐視老孫！老孫在那花果山稱王稱祖，怎麼哄我來替他養馬？養馬者，乃後生小輩下賤之役，豈是待我的？不做他！不做他！我將去也！」

忽喇的一聲，把公案推倒，耳中取出寶貝，晃一晃，碗來粗細，一路解數，直打出御馬監，逕至南天門。眾天丁知他受了仙籙，乃是個弼馬溫，不敢阻當，讓他打出天門去了。

須臾，按落雲頭，回至花果山上。只見那四健將與各洞妖王，在那裡操演兵卒。這猴王厲聲高叫道：「小的們，老孫來了！」一群猴都來叩頭，迎接進洞天深處，請猴王高登寶位，一壁廂辦酒接風。

◆**扎草**—扎同鍘。把草切成寸段餵馬，叫做鍘草。　**泯耳攢蹄**—動物表現親暱、高興的動作。**品從**—官位等級。　**未入流**—明清稱凡未入九品的官吏為「未入流」。**堂尊**—屬下對上級官員的尊稱。　**尪羸**—指瘦弱。音汪雷。

都道：「恭喜大王，上界去十數年，想必得意榮歸也？」

猴王道：「我才半月有餘，哪裡有十數年？」

眾猴道：「大王，你在天上不覺時辰。天上一日，就是下界一年哩。請問大王，官居何職？」

猴王搖手道：「不好說！不好說！活活的羞殺人。那玉帝不會用人，他見老孫這般模樣，封我做個甚麼『弼馬溫』，原來是與他養馬，未入流品之類。我初到任時不知，只在御馬監中頑耍。及今日問我同寮，始知是這等卑賤。老孫心中大惱，推倒席面，不受官銜，因此走下來了。」

眾猴道：「來得好！來得好！大王在這福地洞天之處為王，多少尊重快樂，怎麼肯去與他做馬夫？」教小的們快辦酒來，與大王釋悶。

正飲酒歡會間，有人來報道：「大王，門外有兩個獨角鬼王，要見大王。」

猴王道：「教他進來。」那鬼王整衣跑入洞中，倒身下拜。

美猴王問他：「你見我何幹？」

鬼王道：「久聞大王招賢，無由得見；今見大王授了天籙，得意榮歸，特獻赭黃袍一件，與大王稱慶。肯不棄鄙賤，收納小人，亦得效犬馬之勞。」猴王大喜，將赭黃袍穿起。眾等欣然排班朝拜。即將鬼王封為前部總督先鋒。鬼王謝恩畢，復啟道：「大王在天許久，所授何職？」猴王道：「玉帝輕賢，封我做個甚麼『弼馬溫』。」鬼王聽言，又奏道：「大王有此神通，如何與他養馬？就做個齊天大聖，有何不可？」猴王聞說，歡喜不勝，連道幾個「好！好！好！」教四健將：「就替我快置個旌旗，旗上寫『齊天大聖』四大字，立竿張掛。自此以後，只稱我為齊天大聖，不許再稱大王。亦可傳與各洞妖王，一體知悉。」此不在話下。

卻說那玉帝次日設朝，只見張天師引御馬監監丞、監副在丹墀◈下拜奏

◈寮—官吏。通「僚」。
丹墀—屋宇前面沒有屋簷覆蓋的平臺，因古時多塗成紅色，故稱為「丹墀」。

道：「萬歲，新任弼馬溫孫悟空，因嫌官小，昨日反下天宮去了。」正說間，又見南天門外增長天王領眾天丁，亦奏道：「弼馬溫不知何故，走出天門去了。」

玉帝聞言，即傳旨：「著兩路神元，各歸本職。朕遣天兵，擒拿此怪。」班部中閃上托塔李天王與哪吒三太子，越班奏上道：「萬歲，微臣不才，請旨降此妖怪。」玉帝大喜，即封托塔天王李靖為降魔大元帥，哪吒三太子為三壇海會◆大神，即刻興師下界。

李天王與哪吒叩頭謝辭，逕至本宮，點起三軍，帥眾頭目，著巨靈神◆為先鋒，魚肚將◆掠後，藥叉將◆催兵。一霎時出南天門外，逕來到花果山，選平陽處安了營寨，傳令教巨靈神挑戰。巨靈神得令，結束整齊，掄著宣花斧，到了水簾洞外。只見小洞門外許多妖魔，都是些狼蟲虎豹之類，丫丫叉叉，掄槍舞劍，在那裡跳鬥咆哮。

這巨靈神喝道：「那業畜！快早去報與弼馬溫知道，吾乃上天大將，奉玉帝旨意，到此收伏；教他早早出來受降，免致汝等皆傷殘也。」

那些妖怪奔奔波波，傳報洞中道：「禍事了！禍事了！」

猴王問：「有甚禍事？」

眾妖道：「門外有一員天將，口稱大聖官銜，道：奉玉帝聖旨，來此收伏；教早早出去受降，免傷我等性命。」

猴王聽說，教：「取我披掛來。」就戴上紫金冠，貫上黃金甲，登上步雲鞋，手執如意金箍棒，領眾出門，擺開陣勢。這巨靈神睜睛觀看，真好猴王：

身穿金甲亮堂堂，頭戴金冠光映映。
手舉金箍棒一根，足踏雲鞋皆相稱。

◆**三壇海會**—佛教術語。「海」比喻德高，數眾。人們把許多高僧聚在一起叫「海會」。「三壇」是指天地水三壇界。

巨靈神—托塔天王帳下的一員戰將，使用的兵器是宣花板斧，舞動起來就像鳳凰穿花，靈巧無比。

魚肚將—李天王手下的大將。曾作為後軍隨李天王、哪吒三太子下界到花果山捉拿美猴王。

藥叉將—即是「夜叉」，印度民間信仰認為他們大多散布在天上、山谷、海島，或遊離於虛空。

一雙怪眼似明星，兩耳過肩查又硬。
挺挺身才變化多，聲音響亮如鐘磬。
尖嘴咨牙◆弼馬溫，心高要做齊天聖。

巨靈神厲聲高叫道：「那潑猴！你認得我麼？」

大聖聽言，急問道：「你是哪路毛神？老孫不曾會你，你快報名來。」

巨靈神道：「我把你那欺心◆的猢猻！你是認不得我！我乃高上神霄托塔李天王部下先鋒巨靈天將，今奉玉帝聖旨，到此收降你。你快卸了裝束，歸順天恩，免得這滿山諸畜遭誅；若道半個不字，教你頃刻化為齏粉◆！」

猴王聽說，心中大怒道：「潑毛神！休誇大口，少弄長舌！我本待一棒打死你，恐無人去報信。且留你性命，快早回天，對玉皇說：他甚不用賢！老孫有無窮的本事，為何教我替他養馬？你看我這旌旗上字號，若依此字號升官，我就不動刀兵，自然的天地清泰；如若不依時間，就打上靈霄寶殿，教他龍床定坐不成！」

這巨靈神聞此言，急睜睛迎風觀看，果見門外豎一高竿，竿上有旌旗一面，上寫著「齊天大聖」四大字。

巨靈神冷笑三聲道：「這潑猴，這等不知人事，輒敢無狀，你就要做齊天大聖！好好的吃吾一斧！」劈頭就砍將去。那猴王正是會家不忙◆，將金箍棒應手相迎。這一場好殺：

棒名如意，斧號宣花。
他兩個乍相逢，不知深淺，斧和棒，左右交加。
一個暗藏神妙，一個大口稱誇。
使動法，噴雲曖霧；展開手，播土揚沙。
天將神通就有道，猴王變化實無涯。
棒舉卻如龍戲水，斧來猶似鳳穿花。
巨靈名望傳天下，原來本事不如他：

◆咨牙—開口見齒。同齜牙。　欺心—使壞心眼。　齏粉—碎成粉屑。指粉身碎骨。齏音機。
會家不忙—行家對自己熟悉的事，應付裕如，不會慌亂。

大聖輕輕掄鐵棒，著頭一下滿身麻。

巨靈神抵敵他不住，被猴王劈頭一棒，慌忙將斧架隔，扢扠◆的一聲，把個斧柄打做兩截，急撤身敗陣逃生。猴王笑道：「膿包◆！膿包！我已饒了你，你快去報信！快去報信！」

巨靈神回至營門，逕見托塔天王，忙哈哈◆跪下道：「弼馬溫果是神通廣大，末將戰他不得，敗陣回來請罪。」李天王發怒道：「這廝挫◆吾銳氣，推出斬之！」旁邊閃出哪吒太子拜告：「父王息怒，且恕巨靈之罪。待孩兒出師一遭，便知深淺。」天王聽諫，且教回營待罪管事。這哪吒太子甲冑齊整，跳出營盤，撞至水簾洞外。那悟空正來收兵，見哪吒來的勇猛。好太子：

總角◆才遮顖，披毛未蓋肩。

神奇多敏悟，骨秀更清妍。

誠為天上麒麟子，果是煙霞彩鳳仙。
龍種自然非俗相，妙齡端不類塵凡。
身帶六般神器械，飛騰變化廣無邊。
今受玉皇金口詔，敕封海會號三壇。

悟空迎近前來問曰：「你是誰家小哥？闖近吾門，有何事幹？」

哪吒喝道：「潑妖猴！豈不認得我？我乃托塔天王三太子哪吒是也。今奉玉帝欽差，至此捉你。」

悟空笑道：「小太子，你的嬭牙◆尚未退，胎毛尚未乾，怎敢說這般大話？我且留你的性命，不打你。你只看我旌旗上是甚麼字號，拜上玉帝：是這般官銜，再也不須動眾，我自皈依；若是不遂我心，定要打上靈霄寶

◆**扢扠**—象聲詞。形容東西折斷破裂之聲。扢扠音股插。
膿包—譏罵軟弱無能的人。　**挫**—挫敗。　**忙哈哈**—急急忙忙的樣子。
總角—舊時未成年男女，編紮頭髮，形如兩角，稱為「總角」。　**嬭牙**—乳齒。嬭音奶。

殿。」哪吒抬頭看處，乃「齊天大聖」四字。

哪吒道：「這妖猴能有多大神通，就敢稱此名號？不要怕，吃吾一劍！」

悟空道：「我只站下不動，任你砍幾劍罷。」

那哪吒奮怒，大喝一聲，叫：「變！」

即變做三頭六臂，惡狠狠，手持著六般兵器，乃是斬妖劍、砍妖刀、縛妖索、降妖杵、繡球兒、火輪兒，丫丫叉叉，撲面來打。

悟空見了，心驚道：「這小哥倒也會弄些手段。莫無禮，看我神通。」

好大聖，喝聲：「變！」也變做三頭六臂；把金箍棒晃一晃，也變做三條。六隻手拿著三條棒架住。這場鬥，真個是地動山搖，好殺也：

六臂哪吒太子，天生美石猴王，相逢真對手，正遇本源流。

那一個蒙差來下界，這一個欺心鬧斗牛。

斬妖寶劍鋒芒快，砍妖刀狠鬼神愁。

縛妖索子如飛蟒，降妖大杵似狼頭。

火輪掣電烘烘豔，往往來來滾繡球。

大聖三條如意棒，前遮後擋運機謀。
苦爭數合無高下，太子心中不肯休。
把那六件兵器多教變，百千萬億照頭丟。
猴王不懼呵呵笑，鐵棒翻騰自運籌。
以一化千千化萬，滿空亂舞賽飛虬◆。
諕得各洞妖王都閉戶，遍山鬼怪盡藏頭。
神兵怒氣雲慘慘，金箍鐵棒響颼颼。
那壁廂，天丁吶喊人人怕；這壁廂，猴怪搖旗個個憂。
發狠兩家齊鬥勇，不知哪個剛強哪個柔。

三太子與悟空各騁神威，鬥了個三十回合。那太子六般兵，變做千千萬萬；孫悟空金箍棒，變做萬萬千千。半空中似雨點流星，不分勝負。

◆虬——一種古代傳說中的無角龍。

原來悟空手疾眼快，正在那混亂之時，他拔下一根毫毛，叫聲：「變！」就變做他的本相，手挺著棒，演◆著哪吒；他的真身，卻一縱，趕至哪吒腦後，著左膊上一棒打來。哪吒正使法間，聽得棒頭風響，急躲閃時，不能措手，被他著了一下，負痛逃走。收了法，把六件兵器依舊歸身，敗陣而回。

那陣上李天王早已看見，急欲提兵助戰，不覺太子倏至面前，戰兢兢報道：「父王，弼馬溫真個有本事，孩兒這般法力，也戰他不過，已被他打傷膊也。」

天王大驚失色道：「這廝恁的◆神通，如何取勝？」

太子道：「他洞門外豎一竿旗，上寫『齊天大聖』四字。親口誇稱，教玉帝就封他做齊天大聖，萬事俱休；若還不是此號，定要打上靈霄寶殿哩！」

天王道：「既然如此，且不要與他相持，且去上界，將此言回奏，再多遣天兵，圍捉這廝，未為遲也。」太子負痛，不能復戰，故同天王回天啟奏不題。

你看那猴王得勝歸山，那七十二洞妖王與那六弟兄，俱來賀喜，在洞天福地，飲樂無比。他卻對六弟兄說：「小弟既稱齊天大聖，你們亦可以大聖稱之。」

內有牛魔王忽然高叫道：「賢弟言之有理，我即稱做平天大聖。」

蛟魔王道：「我稱做覆海大聖。」

鵬魔王道：「我稱混天大聖。」

獅狔王道：「我稱移山大聖。」

獼猴王道：「我稱通風大聖。」猢狨王道：「我稱驅神大聖。」此時七大聖自作自為，自稱自號，耍樂一日，各散訖。

◆演—就是後文所說的「掩樣法」。一種騙人和迷惑人的幻象。
恁的—「這樣」的意思。有時又作「怎樣」解釋。

卻說那李天王與三太子領著眾將，直至靈霄寶殿，啟奏道：「臣等奉聖旨出師下界，收伏妖仙孫悟空，不期他神通廣大，不能取勝，仍望萬歲添兵剿除。」

玉帝道：「諒一妖猴，有多少本事，還要添兵？」

太子又近前奏道：「望萬歲赦臣死罪。那妖猴使一條鐵棒，先敗了巨靈神，又打傷臣臂膊。洞門外立一竿旗，上書『齊天大聖』四字。道是封他這官職，即便休兵來投；若不是此官，還要打上靈霄寶殿也。」

玉帝聞言，驚訝道：「這妖猴何敢這般狂妄？著眾將即刻誅之。」

正說間，班部中又閃出太白金星，奏道：「那妖猴只知出言，不知大小。欲加兵與他爭鬥，想一時不能收伏，反又勞師。不若萬歲大捨恩慈，還降招安旨意，就教他做個齊天大聖。只是加他個空銜，有官無祿便了。」

玉帝道：「怎麼喚做『有官無祿』？」

金星道：「名是齊天大聖，只不與他事管，不與他俸祿，且養在天壤之間，收他的邪心，使不生狂妄，庶乾坤安靖，海宇得清寧也。」

玉帝聞言道：「依卿所奏。」即命降了詔書，仍著金星領去。

金星復出南天門，直至花果山水簾洞外觀看。這番比前不同，威風凜凜，殺氣森森，各樣妖精，無般不有。一個個都執劍拈槍，拿刀弄杖的在那裡咆哮跳躍。一見金星，皆上前動手。

金星道：「那眾頭目來！累你去報你大聖知之，吾乃上帝遣來天使，有聖旨在此請他。」

眾妖即跑入報道：「外面有一老者，他說是上界天使，有旨意請你。」

悟空道：「來得好！來得好！想是前番來的那太白金星。那次請我上界，雖是官爵不堪，卻也天上走了一次，認得那天門內外之路。今番又來，定有好意。」

教眾頭目大開旗鼓，擺隊迎接。大聖即帶引群猴，頂冠貫甲，甲上罩了赭黃袍，足踏雲履，急出洞門，躬身施禮，高叫道：「老星請進，恕我失迎之罪。」

金星趨步向前，逕入洞內，面南立著道：「今告大聖，前者因大聖嫌惡官小，躲離御馬監，當有本監中大小官員奏了玉帝。玉帝傳旨道：『凡授官職，皆由卑而尊，為何嫌小？』即有李天王領哪吒下界取戰。不知大聖神通，故遭敗北，回天奏道：『大聖立一竿旗，要做齊天大聖。』眾武將還要支吾，是老漢力為大聖冒罪奏聞，免興師旅，請大王授籙。玉帝准奏，因此來請。」

悟空笑道：「前番動勞，今又蒙愛，多謝！多謝！但不知上天可與我齊天大聖之官銜也？」

金星道：「老漢以此銜奏准，方敢領旨而來；如有不遂，只坐罪老漢便是。」

悟空大喜，懇留飲宴不肯，遂與金星縱著祥雲，到南天門外。那些天丁天將都拱手相迎。逕入靈霄殿下。

金星拜奏道：「臣奉詔宣弼馬溫孫悟空已到。」

玉帝道：「那孫悟空過來，今宣你做個齊天大聖，官品極矣，但切不可胡為。」

這猴亦只朝上唱個喏，道聲：「謝恩。」

玉帝即命工幹官張、魯二班，在蟠桃園右首，起一座齊天大聖府，府內設個二司：一名安靜司，一名寧神司。司俱有仙吏，左右扶持。又差五斗星君送悟空去到任，外賜御酒二瓶，金花十朵，著他安心定志，再勿胡為。那猴王信受奉行，即日與五斗星君到府，打開酒瓶，同眾盡飲。送星官回轉本宮，他才遂心滿意，喜地歡天，在於天宮快樂，無掛無礙。正是：

仙名永注長生籙，不墮輪迴萬古傳。

畢竟不知向後如何，且聽下回分解。

第五回

亂蟠桃大聖偷丹 反天宮諸神捉怪

話表齊天大聖到底是個妖猴，更不知官銜品從，也不較俸祿高低，但只注名便了。那齊天府下二司仙吏，早晚服侍，只知日食三餐，夜眠一榻，無事牽縈，自由自在。

閒時節會友遊宮，交朋結義。見三清稱個「老」字，逢四帝道個「陛下」。

與那九曜星、五方將、二十八宿、四大天王、十二元辰、五方五老、普天星相、河漢群神，俱只以弟兄相待，彼此稱呼。今日東遊，明日西蕩，雲去雲來，行蹤不定。

一日，玉帝早朝，班部中閃出許旌陽真人，頫顖◆啟奏道：「今有齊天大聖無事閒遊，結交天上眾星宿，不論高低，俱稱朋友，恐後閒中生事。不若與他一件事管，庶免別生事端。」玉帝聞言，即時宣詔。

那猴王欣欣然而至，道：「陛下，詔老孫有何升賞？」

玉帝道：「朕見你身閒無事，與你件執事。你且權管那蟠桃園，早晚好生在意。」大聖歡喜謝恩，朝上唱喏而退。

他等不得窮忙◆，即入蟠桃園內查勘。本園中有個土地◆攔住問道：「大聖何往？」

大聖道：「吾奉玉帝點差，代管蟠桃園，今來查勘也。」那土地連忙施禮，即呼那一班鋤樹力士、運水力士、修桃力士、打掃力士都來見大聖磕

◆**三清**—道教的元始天尊、太上道君、太上老君三神。
四帝—分別是中央紫微北極太皇大帝、南極長生大帝、勾陳上宮天皇大帝、后土皇地祇。
頫顖—磕頭。頫，同「俯」。顖音信，腦門。　**窮忙**—奔走忙碌。　**土地**—社神。

頭，引他進去。但見那：

夭夭灼灼，棵棵株株。
夭夭灼灼花盈樹，棵棵株株果壓枝。
果壓枝頭垂錦彈，花盈樹上簇胭脂。
時開時結千年熟，無夏無冬萬載遲。
先熟的，酡◆顏醉臉；還生的，帶蒂青皮。
凝煙肌帶綠，映日顯丹姿。
樹下奇葩並異卉，四時不謝色齊齊；
左右樓臺並館舍，盈空常見罩雲霓。
不是玄都凡俗種，瑤池王母自栽培。

大聖看玩多時，問土地道：「此樹有多少株數？」土地道：「有三千六百株：前面一千二百株，花微果小，三千年一熟，人吃了成仙了道，體健身輕；中間一千二百株，層花甘實，六千年一熟，人吃了霞舉飛升◈，長生不老；後面一千二百株，紫紋緗核，九千年一熟，人吃了與天地齊壽，日月同庚。」大聖聞言，歡喜無任。當日查明了株樹，點看了亭閣，回府。自此後，三五日一次賞玩，也不交友，也不他遊。

一日，見那老樹枝頭，桃熟大半。他心裡要吃個嘗新，奈何本園土地、力士並齊天府仙吏緊隨不便。忽設一計道：「汝等且出門外伺候，讓我在這亭上少憩片時。」那眾仙果退。只見那猴王脫了冠服，爬上大樹，揀那熟透的大桃，摘了許多，就在樹枝上自在受用。吃了一飽，卻才跳下樹來，簪冠著服，喚眾等儀從回府。遲三二日，又去設法偷桃，儘他享用。

一朝，王母娘娘設宴，大開寶閣，瑤池中做蟠桃勝會。即著那紅衣仙女、

◈酡——喝酒時臉紅叫酡。　霞舉飛升——道教指修行得道者可由雲霞托擁，飛升天界。

青衣仙女、素衣仙女、皂衣仙女、紫衣仙女、黃衣仙女、綠衣仙女各頂花籃，去蟠桃園摘桃建會。七衣仙女直至園門首，只見蟠桃園土地、力士同齊天府二司仙吏，都在那裡把門。

仙女近前道：「我等奉王母懿旨，到此摘桃設宴。」

土地道：「仙娥◆且住。今歲不比往年了，玉帝點差齊天大聖在此督理，須是報大聖得知，方敢開園。」

仙女道：「大聖何在？」

土地道：「大聖在園內，因困倦，自家在亭子上睡哩。」

仙女道：「既如此，尋他去來，不可遲誤。」土地即與同進。尋至花亭不見，只有衣冠在亭，不知何往，四下裡都沒尋處。原來大聖耍了一會，吃了幾個桃子，變做二寸長的個人兒，在那大樹梢頭濃葉之下睡著了。

七衣仙女道：「我等奉旨前來，尋不見大聖，怎敢空回？」

旁有仙使道：「仙娥既奉旨來，不必遲疑。我大聖閒遊慣了，想是出園會友去了。汝等且去摘桃，我們替妳回話便是。」

那仙女依言，入樹林之下摘桃：先在前樹摘了二籃，又在中樹摘了三籃，到後樹上摘取，只見那樹上花果稀疏，只有幾個毛蒂青皮的。原來熟的都是猴王吃了。七仙女張望東西，只見向南枝上只有一個半紅半白的桃子。青衣女用手扯下枝來，紅衣女摘了，卻將枝子望上一放。原來那大聖變化了，正睡在此枝，被她驚醒。

大聖即現本相，耳朵內掣出金箍棒，晃一晃，碗來粗細，咄的一聲道：「妳是哪方怪物，敢大膽偷摘我桃。」

慌得那七仙女一齊跪下道：「大聖息怒。我等不是妖怪，乃王母娘娘差來的七衣仙女，摘取仙桃，大開寶閣，做蟠桃勝會。適至此間，先見了本園土地等神，尋大聖不見。我等恐遲了王母懿旨，是以等不得大聖，故先在此摘桃。萬望恕罪。」

大聖聞言，回嗔作喜道：「仙娥請起。王母開閣設宴，請的是誰？」

◆仙娥—仙女。

仙女道：「上會自有舊規，請的是西天佛老、菩薩、聖僧、羅漢，南方南極觀音，東方崇恩聖帝、十洲三島仙翁，北方北極玄靈，中央黃極黃角大仙，這個是五方五老。還有五斗星君，上八洞三清、四帝、太乙天仙等眾，中八洞玉皇、九壘、海嶽神仙，下八洞幽冥教主、注世地仙，各宮各殿大小尊神，俱一齊赴蟠桃嘉會。」

大聖笑道：「可請我麼？」仙女道：「不曾聽得說。」

大聖道：「我乃齊天大聖，就請我老孫做個席尊◆，有何不可？」

仙女道：「此是上會舊規，今會不知如何。」

大聖道：「此言也是，難怪汝等。妳且立下，待老孫先去打聽個消息，看可請老孫不請。」

好大聖，捻著訣，念聲咒語，對眾仙女道：「住！住！住！」這原來是個定身法，把那七衣仙女，一個個睖睖睜睜◆，白著眼，都站在桃樹之下。大聖縱朵祥雲，跳出園內，竟奔瑤池路上而去。

正行時，只見那壁廂：

一天瑞靄光搖曳，五色祥雲飛不絕。
白鶴聲鳴振九皋，紫芝色秀分千葉。
中間現出一尊仙，相貌天然丰采別。
神舞虹霓晃漢霄，腰懸寶籙無生滅。
名稱赤腳大羅仙，特赴蟠桃添壽節。

那赤腳大仙覿面撞見大聖，大聖低頭定計，賺哄◆真仙，他要暗去赴會，卻問：「老道何往？」

大仙道：「蒙王母見招，去赴蟠桃嘉會。」

大聖道：「老道不知。玉帝因老孫觔斗雲疾，著老孫五路邀請列位，先至通明殿下演禮，後方去赴宴。」

◆席尊—首席。 睖睖睜睜—眼睛發直、發呆。 賺哄—誘拐哄騙。

大仙是個光明正大之人，就以他的誑語作真，道：「常年就在瑤池演禮謝恩，如何先去通明殿演禮，方去瑤池赴會？」無奈，只得撥轉祥雲，逕往通明殿去了。

大聖駕著雲，念聲咒語，搖身一變，就變做赤腳大仙模樣，前奔瑤池。不多時，直至寶閣，按住雲頭，輕輕移步，走入裡面。只見那裡：

瓊香繚繞，瑞靄繽紛。
瑤臺鋪彩結，寶閣散氤氳。
鳳翥鸞翔形縹緲，金花玉萼影浮沉。
上排著九鳳丹霞扆，八寶紫霓墩，五彩描金桌，千花碧玉盆。
桌上有龍肝和鳳髓，熊掌與猩唇。
珍饈百味般般美，異果嘉殽色色新。

那裡鋪設得齊齊整整，卻還未有仙來。這大聖點看不盡，忽聞得一陣酒香撲鼻。忽轉頭，見右壁廂長廊之下，有幾個造酒的仙官、盤糟◆的力士，領幾個運水的道人、燒火的童子，在那裡洗缸刷甕，已造成了玉液瓊漿，香醪佳釀。大聖止不住口角流涎，就要去吃，奈何那些人都在這裡。他就弄個神通，把毫毛拔下幾根，丟入口中嚼碎，噴將出去，念聲咒語，叫：「變！」即變做幾個瞌睡蟲，奔在眾人臉上。你看那夥人，手軟頭低，閉眉合眼，丟了執事，都去盹睡。大聖卻拿了些百味八珍，佳殽異品，走入長廊裡面，就著缸，挨著甕，放開量，痛飲一番。吃勾了多時，酕醄◆醉了。自揣自摸道：「不好！不好！再過會，請的客來，卻不怪我？一時拿住，怎生是好？不如早回府中睡去也。」

好大聖，搖搖擺擺，仗著酒，任情亂撞。一會把路差了，不是齊天府，

◆扆——門窗間的屏風。 酕醄——大醉的樣子。酕醄音毛逃。
盤糟——盤，清點。糟，釀酒時濾下來的渣滓。

卻是兜率天宮。

一見了，頓然醒悟道：「兜率宮是三十三天之上，乃離恨天太上老君之處，如何錯到此間？也罷，也罷，一向要來望此老，不曾得來，今趁此殘步◆，就望他一望也好。」即整衣撞進去，那裡不見老君，四無人跡。原來那老君與燃燈古佛在三層高閣朱陵丹臺上講道，眾仙童、仙將、仙官、仙吏都侍立左右聽講。這大聖直至丹房◆裡面，尋訪不遇。但見丹灶◆之旁，爐中有火。爐左右安放著五個葫蘆，葫蘆裡都是煉就的金丹。

大聖喜道：「此物乃仙家之至寶。老孫自了道以來，識破了內外相同之理，也要煉些金丹濟人，不期到家無暇。今日有緣，卻又撞著此物。趁老子不在，等我吃他幾丸嘗新。」他就把那葫蘆都傾出來，就都吃了，如吃炒豆相似。

一時間，丹滿酒醒。又自己揣度道：「不好，不好！這場禍，比天還大；若驚動玉帝，性命難存。走！走！走！不如下界為王去也！」

他就跑出兜率宮，不行舊路，從西天門，使個隱身法逃去。即按雲頭，回至花果山界。但見那旌旗閃灼，戈戟光輝，原來是四健將與七十二洞妖王，在那裡演習武藝。

大聖高叫道：「小的們，我來也！」

眾怪丟了器械，跪倒道：「大聖好寬心，丟下我等許久，不來相顧。」

大聖道：「沒多時！沒多時！」

且說且行，逕入洞天深處。四健將打掃安歇，叩頭禮拜畢，俱道：「大聖在天這百十年，實受何職？」

大聖笑道：「我記得才半年光景，怎麼就說百十年話？」

健將道：「在天一日，即在下方一年也。」

大聖道：「且喜這番玉帝相愛，果封做齊天大聖，起一座齊天府，又設安靜、寧神二司，司設仙吏侍衛。向後見我無事，著我看管蟠桃園。近因

◆**殘步**—順路。　**丹房**—道家煉丹藥或修道的地方。　**丹灶**—煉丹用的爐灶。

王母娘娘設蟠桃大會，未曾請我，是我不待她請，先赴瑤池，把她那仙品、仙酒，都是我偷吃了。走出瑤池，踉踉蹡蹡◆誤入老君宮闕，又把他五個葫蘆金丹也偷吃了。但恐玉帝見罪，方才走出天門來也。」

眾怪聞言大喜。即安排酒果接風，將椰酒滿斟一石碗奉上。大聖喝了一口，即咨牙倈嘴◆道：「不好吃，不好吃。」

崩、芭二將道：「大聖在天宮吃了仙酒、仙殽，是以椰酒不甚美口。常言道：『美不美，鄉中水。』」

大聖道：「你們就是『親不親，故鄉人』。我今早在瑤池中受用時，見那長廊之下有許多瓶罐，都是那玉液瓊漿。你們都不曾嘗著，待我再去偷他幾瓶回來，你們各飲半杯，一個個也長生不老。」眾猴歡喜不勝。

大聖即出洞門，又翻一觔斗，使個隱身法，逕至蟠桃會上，進瑤池宮闕，只見那幾個造酒、盤糟、運水、燒火的還鼾睡未醒。他將大的從左右脅下挾了兩個，兩手提了兩個，即撥轉雲頭回來，會眾猴在於洞中，就做個仙酒會，各飲了幾杯，快樂不題。

卻說那七衣仙女自受了大聖的定身法術，一周天◆方能解脫。各提花籃，回奏王母，說道：「齊天大聖使術法困住我等，故此來遲。」王母問道：「汝等摘了多少蟠桃？」仙女道：「只有兩籃小桃，三籃中桃。至後面，大桃半個也無，想都是大聖偷吃了。及正尋間，不期大聖走將出來，行凶拷打，又問設宴請誰。我等把上會事說了一遍，他就定住我等，不知去向。直到如今，才得醒解回來。」

王母聞言，即去見玉帝，備陳前事。說不了，又見那造酒的一班人，同

◆**踉踉蹡蹡**—走路歪斜不穩。踉蹡音量嗆。 **俫嘴**—嘴角裂開的表情。
周天—曆法以三百六十度為周天，即繞天體一周。

仙官等來奏：「不知甚麼人，攪亂了蟠桃大會，偷吃了玉液瓊漿；其八珍百味，亦俱偷吃了。」

又有四個大天師來奏上：「太上道祖來了。」玉帝即同王母出迎。老君朝禮畢，道：「老道宮中煉了些九轉金丹，伺候陛下做丹元大會，不期被賊偷去，特啟陛下知之。」玉帝見奏悚懼。

少時，又有齊天府仙吏叩頭道：「孫大聖不守執事，自昨日出遊，至今未轉，更不知去向。」玉帝又添疑思。

只見那赤腳大仙又頫顖上奏道：「臣蒙王母詔，昨日赴會，偶遇齊天大聖，對臣言萬歲有旨，著他邀臣等先赴通明殿演禮，方去赴會。臣依他言語，即返至通明殿外，不見萬歲龍車鳳輦，又急來此俟候。」

玉帝越發大驚道：「這廝假傳旨意，賺哄賢卿。快著糾察靈官◆緝訪這廝蹤跡！」

靈官領旨，即出殿遍訪，盡得其詳細，回奏道：「攪亂天宮者，乃齊天大聖也。」又將前事盡訴一番。玉帝大惱，即差四大天王，協同李天王並哪吒太子，點二十八宿、九曜星官、十二元辰、五方揭諦、四值功曹、東西星斗、南北二神、五岳四瀆、普天星相，共十萬天兵，布一十八架天羅地網，下界去花果山圍困，定捉獲那廝處治。眾神即時興師，離了天宮。這一去，但見那：

黃風滾滾遮天暗，紫霧騰騰罩地昏。
只為妖猴欺上帝，致令眾聖降凡塵。
四大天王，五方揭諦；四大天王權總制，五方揭諦調多兵。
李托塔中軍掌號，惡哪吒前部先鋒。
羅睺星為頭檢點，計都星隨後崢嶸。
太陰星精神抖擻，太陽星照耀分明。
五行星偏能豪傑，九曜星最喜相爭。

◆靈官—仙官。道教有王靈官，名善，司雷火，為護法監壇之神。

元辰星子午卯酉，一個個都是大力天丁。
五瘟五岳東西擺，六丁六甲左右行。
四瀆龍神分上下，二十八宿密層層。
角亢氐房為總領，奎婁胃昴慣翻騰。
斗牛女虛危室壁，心尾箕星個個能。
井鬼柳星張翼軫，掄槍舞劍顯威靈。
停雲降霧臨凡世，花果山前紮下營。

詩曰：

天產猴王變化多，偷丹偷酒樂山窩。
只因攪亂蟠桃會，十萬天兵布網羅。

當時李天王傳了令，著眾天兵紮了營，把那花果山圍得水泄不通，上下布了十八架天羅地網，先差九曜惡星出戰。九曜即提兵逕至洞外，只見那洞外大小群猴跳躍頑耍。

星官厲聲高叫道：「那小妖，你那大聖在哪裡？我等乃上界差調的天神，到此降你這造反的大聖。教他快快來歸降；若道半個不字，教汝等一概遭誅。」

那小妖慌忙傳入道：「大聖，禍事了！禍事了！外面有九個凶神，口稱上界差來的天神，收降大聖。」

那大聖正與七十二洞妖王並四健將分飲仙酒，一聞此報，公然不理道：「今朝有酒今朝醉，莫管門前是與非。」說不了，一起小妖又跳來道：「那九個凶神惡言潑語，在門前罵戰哩！」大聖笑道：「莫睬他。詩酒且圖今日樂，功名休問幾時成。」說猶未了，又一起小妖來報：「爺爺！那九個凶神已把門打破，殺進來也！」大聖怒道：「這潑毛神，老大無禮！本待不與他計較，如何上門來欺我？」

即命獨角鬼王：「領帥七十二洞妖王出陣。老孫領四健將隨後。」那鬼王疾率妖兵出門迎敵，卻被九曜惡星一齊掩殺，抵住在鐵板橋頭，莫能得出。

正嚷間，大聖到了，叫一聲：「開路！」掣開鐵棒，晃一晃，碗來粗細，丈二長短，丟開架子，打將出來。九曜星哪個敢抵，一時打退。

那九曜星立住陣勢道：「你這不知死活的弼馬溫！你犯了十惡之罪，先偷桃，後偷酒，攪亂了蟠桃大會，又竊了老君仙丹，又將御酒偷來此處享樂。你罪上加罪，豈不知之？」

大聖笑道：「這幾樁事，實有！實有！但如今你怎麼？」

九曜星道：「吾奉玉帝金旨，帥眾到此收降你。快早皈依，免教這些生靈納命，不然，就躧平了此山，掀翻了此洞也。」

大聖大怒道：「量你這些毛神，有何法力，敢出浪言。不要走，請吃老孫一棒！」

這九曜星一齊踴躍。那美猴王不懼分毫，掄起金箍棒，左遮右擋。把那九曜星戰得筋疲力軟，一個個倒拖器械，敗陣而走，急入中軍帳下，對托塔天王道：「那猴王果十分驍勇！我等戰他不過，敗陣來了。」

李天王即調四大天王與二十八宿，一路出師來鬥。大聖也公然不懼，調出獨角鬼王、七十二洞妖王與四個健將，就於洞門外列成陣勢。你看這場混戰，好驚人也：

寒風颯颯，怪霧陰陰。
那壁廂旌旗飛彩，這壁廂戈戟生輝。
滾滾盔明，層層甲亮。
滾滾盔明映太陽，如撞天的銀磬；
層層甲亮砌岩崖，似壓地的冰山。

◈浪言——狂妄的話。

大桿刀，飛雲掣電；楮白槍，度霧穿雲。
方天戟，虎眼鞭，麻林擺列；
青銅劍，四明鏟，密樹排陣。
彎弓硬弩雕翎箭，短棍蛇矛挾了魂。
大聖一條如意棒，翻來覆去戰天神。
殺得那空中無鳥過，山內虎狼奔；
揚砂走石乾坤黑，播土飛塵宇宙昏。
只聽兵兵撲撲◆驚天地，煞煞威威振鬼神。

這一場自辰時布陣，混殺到日落西山。那獨角鬼王與七十二洞妖怪，盡被眾天神捉拿去了。只走了四健將與那群猴，深藏在水簾洞底。這大聖一條棒，抵住了四大天神與李托塔、哪吒太子，俱在半空中，殺夠多時，大聖見天色將晚，即拔毫毛一把，丟在口中，嚼碎了，噴將出去，叫聲：「變！」就變了千百個大聖，都使的是金箍棒，打退了哪吒太子，戰敗了五個天王。

大聖得勝，收了毫毛，急轉身回洞，早又見鐵板橋頭，四個健將領眾叩迎那大聖，哽哽咽咽大哭三聲，又唏唏哈哈◆大笑三聲。

大聖道：「汝等見了我，又哭又笑，何也？」

四健將道：「今早帥眾將與天王交戰，把七十二洞妖王與獨角鬼王盡被眾神捉了，我等逃生，故此該哭。這見大聖得勝回來，未曾傷損，故此該笑。」

大聖道：「勝負乃兵家之常。古人云：『殺人一萬，自損三千。』況捉了去的頭目乃是虎豹狼蟲、獾獐狐狢之類，我同類者未傷一個，何須煩惱？他雖被我使個分身法殺退，他還要安營在我山腳下。我等且緊緊防守，飽食一頓，安心睡覺，養養精神。天明看我使個大神通，拿這些天將，與眾

◆**乒乓撲撲**——象聲詞。交戰雙方的兵器撞擊聲。　**唏唏哈哈**——形容笑聲。

報仇。」四將與眾猴將椰酒吃了幾碗，安心睡覺不題。

那四大天王收兵罷戰，眾各報功：有拿住虎豹的，有拿住獅象的，有拿住狼蟲狐狢的。更不曾捉著一個猴精。當時果又安轅營，下大寨，賞犒了得功之將，吩咐了天羅地網之兵，各各提鈴喝號◆，圍困了花果山，專待明早大戰。各人得令，一處處謹守。此正是：

妖猴作亂驚天地，布網張羅晝夜看。

畢竟天曉後如何處治，且聽下回分解。

◆提鈴喝號──指夜間警戒之事。

第六回

觀音赴會問原因　小聖施威降大聖

且不言天神圍繞，大聖安歇。話表南海普陀落伽山大慈大悲救苦救難靈感觀世音菩薩，自王母娘娘請赴蟠桃大會，與大徒弟惠岸行者同登寶閣瑤池，見那裡荒荒涼涼，席面殘亂；雖有幾位天仙，俱不就座，都在那裡亂紛紛講論。菩薩與眾仙相見畢，眾仙備言前事。

菩薩道：「既無盛會，又不傳杯，汝等可跟貧僧去見玉帝。」

眾仙怡然隨往。至通明殿前，早有四大天師、赤腳大仙等眾俱在此，迎著菩薩，即道玉帝煩惱，調遣天兵，擒怪未回等因。

菩薩道：「我要見見玉帝，煩為轉奏。」天師丘弘濟即入靈霄寶殿，啟知宣入。時有太上老君在上，王母娘娘在後。

菩薩引眾同入裡面，與玉帝禮畢，又與老君、王母相見，各坐下。便問：「蟠桃盛會如何？」

玉帝道：「每年請會，喜喜歡歡；今年被妖猴作亂，甚是虛邀也。」

菩薩道：「妖猴是何出處？」

玉帝道：「妖猴乃東勝神洲傲來國花果山石卵化生的。當時生出，即目運金光，射沖斗府。始不介意，繼而成精，降龍伏虎，自削死籍。當有龍王、閻王啟奏。朕欲擒拿，是長庚星啟奏道：『三界之間，凡有九竅者，可以成仙。』朕即施教育賢，宣他上界，封為御馬監弼馬溫官。那廝嫌惡官小，反了天宮。即差李天王與哪吒太子收降，又降詔撫安，宣至上界，就

◈傳杯──傳弄酒杯。比喻擺設筵席飲酒歡娛。

封他做個齊天大聖，只是有官無祿。他因沒事幹管理，東遊西蕩。朕又恐別生事端，著他代管蟠桃園。他又不遵法律，將老樹大桃，盡行偷吃。及至設會，他乃無祿人員，不曾請他。他就設計賺哄赤腳大仙，卻自變他相貌入會，將仙殺仙酒盡偷吃了，又偷老君仙丹，又偷御酒若干，去與本山眾猴享樂。朕心為此煩惱，故調十萬天兵，天羅地網收伏。這一日不見回報，不知勝負如何。」

菩薩聞言，即命惠岸行者道：「你可快下天宮，到花果山，打探軍情如何。如遇相敵，可就相助一功，務必的實回話。」惠岸行者整整衣裙，執一條鐵棍，駕雲離闕，逕至山前。見那天羅地網，密密層層，各營門提鈴喝號，將那山圍繞的水泄不通。

惠岸立住叫：「把營門的天丁，煩你傳報：我乃李天王二太子木叉，南海觀音大徒弟惠岸，特來打探軍情。」那營裡五岳神兵，即傳入轅門之內。早有虛日鼠、昴日雞、星日馬、房日兔，將言傳到中軍帳下。李天王發下令旗，教開天羅地網，放他進來。此時東方才亮，惠岸隨旗進入，見四大天王與李天王下拜。拜訖，李天王道：「孩兒，你自哪廂來者？」

惠岸道：「愚男隨菩薩赴蟠桃會，菩薩見勝會荒涼，瑤池寂寞，引眾仙並愚男去見玉帝。玉帝備言父王等下界收伏妖猴，一日不見回報，勝負未知，菩薩因命愚男到此打聽虛實。」

李天王道：「昨日到此安營下寨，著九曜星挑戰，被這廝大弄神通，九曜星俱敗走而回。後我等親自提兵，那廝也排開陣勢。我等十萬天兵，與他混戰至晚，他使個分身法戰退。及收兵查勘時，只捉得些狼蟲虎豹之類，不曾捉得他半個妖猴。今日還未出戰。」

說不了◈，只見轅門外有人來報道：「那大聖引一群猴精，在外面叫戰。」四大天王與李天王並太子正議出兵，木叉道：「父王，愚男蒙菩薩吩咐，

◈的實——確實。　說不了——話還沒有說完。

下來打探消息，就說若遇戰時，可助一功。今不才願往，看他怎麼個大聖。」

天王道：「孩兒，你隨菩薩修行這幾年，想必也有些神通，切須在意。」

好太子，雙手掄著鐵棍，束一束繡衣，跳出轅門，高叫：「哪個是齊天大聖？」大聖挺如意棒，應聲道：「老孫便是。你是甚人，輒敢問我？」

木叉道：「吾乃李天王第二太子木叉，今在觀音菩薩寶座前為徒弟護教，法名惠岸是也。」

大聖道：「你不在南海修行，卻來此見我做甚？」

木叉道：「我蒙師父差來打探軍情，見你這般猖獗，特來擒你。」

大聖道：「你敢說那等大話，且休走，吃老孫這一棒！」木叉全然不懼，使鐵棒劈手相迎。他兩個立那半山中，轅門外，這場好鬥：

棍雖對棍鐵各異，兵縱交兵人不同。
一個是太乙散仙呼大聖，一個是觀音徒弟正元龍。
渾鐵棍乃千鎚打，六丁六甲運神功；

如意棒是天河定，鎮海神珍法力洪。
兩個相逢真對手，往來解數實無窮。
這個的陰手棍萬千凶，繞腰貫索疾如風；
那個的夾槍棒不放空，左遮右擋怎相容。
那陣上旌旗閃閃，這陣上鼉鼓鼕鼕。
萬員天將團團繞，一洞妖猴簇簇叢。
怪霧愁雲漫地府，狼煙煞氣射天宮。
昨朝混戰還猶可，今日爭持更又凶。
堪羨猴王真本事，木叉復敗又逃生。

這大聖與惠岸戰經五、六十合，惠岸臂膊酸麻，不能迎敵，虛晃一晃，敗陣而走。大聖也收了猴兵，安紮在洞門之外。

只見天王營門外，大小天兵接住了太子，讓開大路，逕入轅門，對四天王、李托塔、哪吒，氣哈哈的，喘息未定：「好大聖！好大聖！著實神通廣大，孩兒戰不過，又敗陣而來也！」李天王見了心驚，即命寫表求助，便差大力鬼王與木叉太子上天啟奏。

二人當時不敢停留，闖出天羅地網，駕起瑞靄祥雲。須臾，逕至通明殿下，見了四大天師，引至靈霄寶殿，呈上表章。惠岸又見菩薩施禮。菩薩道：「你打探的如何？」

惠岸道：「始領命到花果山，叫開天羅地網門，見了父親，道師父差命之意。父王道：『昨日與那猴王戰了一場，只捉得他虎豹獅象之類，更未捉他一個猴精。』正講間，他又索戰，是弟子使鐵棍與他戰經五、六十合，不能取勝，敗走回營。父親因此差大力鬼王同弟子上界求助。」菩薩低頭思忖。

卻說玉帝拆開表章，見有求助之言，笑道：「叵耐這個猴精，能有多大手段，就敢敵過十萬天兵？李天王又來求助，卻將哪路神兵助之？」

言未畢，觀音合掌啟奏：「陛下寬心，貧僧舉一神，可擒這猴。」

玉帝道：「所舉者何神？」

菩薩道：「乃陛下令甥顯聖二郎真君，現居灌洲灌江口，享受下方香火。他昔日曾力誅八怪，又有梅山兄弟與帳前一千二百草頭神◆，神通廣大。奈他只是聽調不聽宣，陛下可降一道調兵旨意，著他助力，便可擒也。」玉帝聞言，即傳調兵的旨意，就差大力鬼王齎調。

那鬼王領了旨，即駕起雲，逕至灌江口，不消半個時辰，直至真君之廟。早有把門的鬼判◆傳報至裡道：「外有天使，捧旨而至。」

二郎即與眾弟兄出門迎接旨意，焚香開讀。旨意上云：

花果山妖猴齊天大聖作亂。

因在宮偷桃、偷酒、偷丹，攪亂蟠桃大會，

◆表章—古代臣子上君主的奏章。　叵耐—不可耐。這裡有可恨的意思。
草頭神—二郎真君的手下，都是草精樹妖。　鬼判—傳說冥司的衙吏、雜差。

現著十萬天兵、一十八架天羅地網，圍山收伏，未曾得勝。今特調賢甥同義兄弟即赴花果山助力剿除。成功之後，高升重賞。

真君大喜道：「天使請回，吾當就去拔刀相助也。」鬼王回奏不題。

這真君即喚梅山六兄弟，乃康、張、姚、李四太尉，郭申、直健二將軍，聚集殿前道：「適才玉帝調遣我等往花果山收降妖猴，同去去來。」眾兄弟俱忻然願往。即點本部神兵，駕鷹牽犬，搭弩張弓，縱狂風，霎時過了東洋大海，逕至花果山。

見那天羅地網密密層層，不能前進，因叫道：「把天羅地網的神將聽著：吾乃二郎顯聖真君，蒙玉帝調來，擒拿妖猴者，快開營門放行。」一時，各神一層層傳入。四大天王與李天王俱出轅門迎接。相見畢，問及勝敗之事，天王將上項事備陳一遍。

真君笑道：「小聖來此，必須與他鬥個變化。列公將天羅地網不要幔了頂上，只四圍緊密，讓我賭鬥。若我輸與他，不必列公相助，我自有兄弟扶持；若贏了他，也不必列公綁縛，我自有兄弟動手。只請托塔天王與我使個照妖鏡◆，住立空中。恐他一時敗陣，逃竄他方，切須與我照耀明白，勿走了他。」天王各居四維◆，眾天兵各挨排列陣去訖。

這真君領著四太尉、二將軍，連本身七兄弟，出營挑戰；吩咐眾將緊守營盤，收全了鷹犬。眾草頭神得令。真君只到那水簾洞外，見那一群猴齊齊整整，排作個蟠龍陣勢。中軍裡立一竿旗，上書「齊天大聖」四字。真君道：「那潑妖，怎麼稱得起齊天之職？」梅山六弟道：「且休讚嘆，叫戰去來。」那營口小猴見了真君，急走去報知。那猴王即掣金箍棒，整黃金甲，登步雲履，按一按紫金冠，騰◆出

◆照妖鏡—映照以後即能使妖魔鬼怪顯現原形的鏡子。　騰—這裡是跳躍的意思。

四維—東、南、西、北四方之隅。　草頭神—天神的部下。俗稱嘍囉。

營門，急睜睛觀看，那真君的相貌果是清奇，打扮得又秀氣。真個是：

儀容清俊貌堂堂，兩耳垂肩目有光。
頭戴三山飛鳳帽，身穿一領淡鵝黃。
縷金靴襯盤龍襪，玉帶團花八寶妝。
腰挎彈弓新月樣，手執三尖兩刃槍。
斧劈桃山曾救母◆，彈打椶羅雙鳳凰。
力誅八怪聲名遠，義結梅山七聖行。
心高不認天家眷，性傲歸神住灌江。
赤城昭惠英靈聖，顯化無邊號二郎。

大聖見了，笑嘻嘻的將金箍棒掣起，高叫道：「你是何方小將，輒敢大膽到此挑戰？」

真君喝道：「你這廝有眼無珠，認不得我麼？吾乃玉帝外甥、敕封昭惠靈顯王二郎是也。今蒙上命，到此擒你這造反天宮的弼馬溫猢猻，你還不知死活。」

大聖道：「我記得當年玉帝妹子思凡下界，配合楊君，生一男子，曾使斧劈桃山的，是你麼？我行要罵你幾聲，曾奈無甚冤仇；待要打你一棒，可惜了你的性命。你這郎君小輩，可急急回去，喚你四大天王出來。」真君聞言，心中大怒道：「潑猴！休得無禮，吃吾一刃！」大聖側身躲過，疾舉金箍棒，劈手相還。他兩個這場好殺：

昭惠二郎神，齊天孫大聖。
這個心高欺敵美猴王，那個面生壓伏真梁棟。
兩個乍相逢，各人皆賭興。
從來未識淺和深，今日方知輕與重。
鐵棒賽飛龍，神鋒如舞鳳。

◈斧劈桃山曾救母——古代神話傳說，楊二郎曾經用斧劈開桃山，救出被玉帝貶謫的母親。
椶——「棕」的異體字，一種常綠喬木。音棕。

左擋右攻，前迎後映。
這陣上梅山六弟助威風，那陣上馬流四將傳軍令。
搖旗擂鼓各齊心，吶喊篩鑼都助興。
兩個鋼刀有見機，一來一往無絲縫。
金箍棒是海中珍，變化飛騰能取勝。
若還身慢命該休，但要差池為蹭蹬。

真君與大聖鬥經三百餘合，不知勝負。那真君抖擻神威，搖身一變，變得身高萬丈，兩隻手舉著三尖兩刃神鋒，好便似華山頂上之峰，青臉獠牙，朱紅頭髮，惡狠狠，望大聖著頭就砍。這大聖也使神通，變得與二郎身軀一樣，嘴臉一般，舉一條如意金箍棒，卻就是崑崙頂上擎天之柱，抵住二郎神。諕得那馬、流元帥戰兢兢，搖不得旌旗；崩、芭二將虛怯怯，使不得刀劍。這陣上，康、張、姚、李、郭申、直健傳號令，撒放草頭神，向他那水簾洞外縱著鷹犬，搭弩張弓，一齊掩殺。可憐沖散妖猴四健將，捉拿靈怪二三千。那些猴拋戈棄甲，撇劍丟槍，跑的跑，喊的喊，上山的上山，歸洞的歸洞。好似夜貓驚宿鳥，飛灑滿天星。眾兄弟得勝不題。

卻說真君與大聖變做法天象地的規模，正鬥時，大聖忽見本營中妖猴驚散，自覺心慌，收了法像，掣棒抽身就走。真君見他敗走，大步趕上道：「哪裡走？趁早歸降，饒你性命！」大聖不戀戰，只情◆跑起。將近洞口，正撞著康、張、姚、李四太尉，郭申、直健二將軍，一齊帥眾擋住道：「潑猴！哪裡走？」大聖慌了手腳，就把金箍棒揑做繡花針，藏在耳內。搖身一變，變做個麻雀兒，飛在樹梢頭釘住。

那六兄弟慌慌張張，前後尋覓不見，一齊吆喝道：「走了這猴精也！走了這猴精也！」正嚷處，真君到了，問：「兄弟們，趕到哪廂不見了？」

◆蹭蹬—倒霉、失勢、不得意。　只情—盡情。

眾神道：「才在這裡圍住，就不見了。」

二郎圓睜鳳目觀看，見大聖變了麻雀兒，釘在樹上。就收了法像，撇了神鋒，卸下彈弓。搖身一變，變做個鷂鷹兒，抖開翅，飛將去撲打。大聖見了，颼的一翅飛起去，變做一隻大鶿老◆，沖天而去。

二郎見了，急抖翎毛，搖身一變，變做一隻大海鶴，鑽上雲霄來嗛◆。大聖又將身按下，入澗中，變做一個魚兒，淬◆入水內。二郎趕至澗邊，不見蹤跡。心中暗想道：「這猢猻必然下水去也，定變做魚蝦之類。等我再變變拿他。」

果一變，變做個魚鷹兒，飄蕩在下溜頭波面上，等待片時。那大聖變魚兒，順水正游，忽見一隻飛禽：似青鷂，毛片不青；似鷺鷥，頂上無纓；似老鸛，腿又不紅：「想是二郎變化了等我哩！」急轉頭，打個花◆就走。

二郎看見道：「打花的魚兒：似鯉魚，尾巴不紅；似鱖魚，花鱗不見；似黑魚，頭上無星；似魴魚，鰓上無針。他怎麼見了我就回去了？必然是那猴變的。」趕上來，刷的啄一嘴。那大聖就攛出水中，一變，變做一條水蛇，游近岸，鑽入草中。

二郎因嗛他不著，他見水響中，見一條蛇攛出去，認得是大聖。急轉身，又變了一隻朱繡頂的灰鶴，伸著一個長嘴，與一把尖頭鐵鉗子相似，逕來吃這水蛇。水蛇跳一跳，又變做一隻花鴇，木木樗樗的，立在蓼汀之上。二郎見他變得低賤（花鴇乃鳥中至賤至淫之物，不拘鸞、鳳、鷹、鴉，都與交群），故此不去攏傍。即現原身，走將去，取過彈弓拽滿，一彈子把他打個躘踵。

那大聖趁著機會，滾下山崖，伏在那裡又變，變一座土地廟兒：大張著口，似個廟門；牙齒變做門扇，舌頭變做菩薩；眼睛變做窗櫺。只有尾巴不好收拾，豎在後面，變做一根旗竿。真君趕到崖下，不見打倒的鴇鳥，只有一間小廟。

急睜鳳眼，仔細看之，見旗竿立在後面，笑道：「是這猢猻了，他今又

◆**鷀老**——鸕鷀，俗呼慈老。　**嗛**——嘴裡叼著東西。嗛音賢。　**淬**——這裡指鑽進水裡。**花**——漩渦。　**木木樗樗**——形容痴呆、孤單的樣子。樗音舒。　**交群**——交配。

在那裡哄我。我也曾見廟宇，更不曾見一個旗竿豎在後面的。斷是這畜生弄喧。他若哄我進去，他便一口咬住。我怎肯進去？等我掣拳先搗窗櫺，後踢門扇。」

大聖聽得，心驚道：「好狠，好狠！門扇是我牙齒，窗櫺是我眼睛，若打了牙，搗了眼，卻怎麼是好？」撲地一個虎跳，又冒在空中不見。

真君前前後後亂趕，只見四太尉、二將軍一齊擁至，道：「兄長，拿住大聖了麼？」

真君笑道：「那猴兒才自變座廟宇哄我。我正要搗他窗櫺，踢他門扇，他就縱一縱，又渺無蹤跡。可怪！可怪！」眾皆愕然，四望更無形影。

真君道：「兄弟們在此看守巡邏，等我上去尋他。」

急縱身駕雲，起在半空。見那李天王高擎照妖鏡，與哪吒住立雲端，真君道：「天王，曾見那猴王麼？」

天王道：「不曾上來，我這裡照著他哩。」真君把那賭變化，弄神通，拿群猴一事說畢。卻道：「他變廟宇，正打處，就走了。」

李天王聞言，又把照妖鏡四方一照，呵呵的笑道：「真君，快去，快去。那猴使了個隱身法，走出營圍，往你那灌江口去也。」二郎聽說，即取神鋒，回灌江口來趕。

卻說那大聖已至灌江口，搖身一變，變做二郎爺爺的模樣，按下雲頭，逕入廟裡。鬼判不能相認，一個個磕頭迎接。他坐中間，點查香火：見李虎拜還的三牲，張龍許下的保福，趙甲求子的文書，錢丙告病的良願。

正看處，有人報：「又一個爺爺來了。」眾鬼判急急觀看，無不驚心。真君卻道：「有個甚麼齊天大聖，才來這裡否？」眾鬼判道：「不曾見甚麼大聖，只有一個爺爺在裡面查點哩。」

◆弄喧——弄玄虛，耍花招。

真君撞進門，大聖見了，現出本相道：「郎君不消嚷，廟宇已姓孫了。」這真君即舉三尖兩刃神鋒，劈臉就砍。那猴王使個身法，讓過神鋒。掣出那繡花針兒，晃一晃，碗來粗細，趕到前，對面相還。兩個嚷嚷鬧鬧，打出廟門，半霧半雲，且行且戰，復打到花果山。慌得那四大天王等眾，提防愈緊。這康、張太尉等迎著真君，合心努力，把那美猴王圍繞不題。

話表大力鬼王既調了真君與六兄弟提兵擒魔去後，卻上界回奏。玉帝與觀音菩薩、王母並眾仙卿，正在靈霄殿講話，道：「既是二郎已去赴戰，這一日還不見回報。」觀音合掌道：「貧僧請陛下同道祖出南天門外，親去看看虛實如何？」玉帝道：「言之有理。」即擺駕◆，同道祖、觀音、王母與眾仙卿至南天門。早有些天丁、力士接著，開門遙觀。只見眾天丁布羅網，圍住四面，李天王與哪吒擎照妖鏡，立在空中，真君把大聖圍繞中間，紛紛賭鬥哩。

菩薩開口對老君說：「貧僧所舉二郎神如何？果有神通，已把那大聖圍困，只是未得擒拿。我如今助他一功，決拿住他也。」

老君道：「菩薩將甚兵器？怎麼助他？」

菩薩道：「我將那淨瓶楊柳抛下去，打那猴頭，即不能打死，也打個一跌，教二郎小聖好去拿他。」

老君道：「你這瓶是個磁器，能打著他便好，如打不著他的頭，或撞著他的鐵棒，卻不打碎了？你且莫動手，等我老君助他一功。」

菩薩道：「你有甚麼兵器？」

老君道：「有，有，有。」

捋起衣袖，左膊上取下一個圈子，說道：「這件兵器，乃錕鋼◆摶煉的，被我將還丹點成，養就一身靈氣，善能變化，水火不侵，又能套諸物；一名『金鋼琢』，又名『金鋼套』。當年過函關，化胡為佛◆，甚是虧他，早

◆擺駕—為出行的帝王安排車駕。 錕鋼—用優質赤鐵煉成的鋼。
化胡為佛—傳說老子出函谷關，到西域對天竺人實行教化。

晚最可防身。等我丟下去打他一下。」

話畢，自天門上往下一摜，滴流流，逕落花果山營盤裡，可可的著猴王頭上一下。猴王只顧苦戰七聖，卻不知天上墜下這兵器，打中了天靈◆，立不穩腳，跌了一跤，爬將起來就跑。被二郎爺爺的細犬趕上，照腿肚子上一口，又扯了一跌。

他睡倒在地，罵道：「這個亡人◆！你不去妨家長，卻來咬老孫！」急翻身爬不起來，被七聖一擁按住，即將繩索捆綁，使勾刀穿了琵琶骨◆，再不能變化。

那老君收了金鋼琢，請玉帝同觀音、王母、眾仙等，俱回靈霄殿。這下面四大天王與李天王諸神，俱收兵拔寨，近前向小聖賀喜，都道：「此小聖之功也。」

小聖道：「此乃天尊洪福，眾神威權，我何功之有？」

康、張、姚、李道：「兄長不必多敘，且押這廝去上界見玉帝，請旨發落去也。」

真君道：「賢弟，汝等未受天籙，不得面見玉帝。教天甲神兵押著，我同天王等上界回旨。你們率眾在此搜山，搜淨之後，仍回灌口。待我請了賞，討了功，回來同樂。」四太尉、二將軍依言領諾。這真君與眾即駕雲頭，唱凱歌，得勝朝天。不多時，到通明殿外。

天師啟奏道：「四大天王等眾已捉了妖猴齊天大聖了，來此聽宣。」

玉帝傳旨，即命大力鬼王與天丁等眾，押至斬妖臺，將這廝碎剁其屍。

咦！正是：

欺誑今遭刑憲苦，英雄氣概等時休。

畢竟不知那猴王性命何如，且聽下回分解。

◆**天靈**—頭蓋骨的上部，即頭頂。　**亡人**—罵人的話。即死鬼、該死的。
琵琶骨—位於胸腔上部，頸下兩旁與肩胛相連的骨骼。也稱為「鎖骨」。

第七回　八卦爐中逃大聖　五行山下定心猿

富貴功名，前緣分定，為人切莫欺心。
正大光明，忠良善果彌深。
些些狂妄天加譴，眼前不遇待時臨。
問東君◆，因甚如今禍害相侵？
只為心高圖罔極◆，不分上下亂規箴。

話表齊天大聖被眾天兵押去斬妖臺下，綁在降妖柱上，刀砍斧剁，槍刺劍刳◆，莫想傷及其身。南斗星奮令火部眾神放火煨燒，亦不能燒著。又著雷部眾神以雷屑釘打，越發不能傷損一毫。

那大力鬼王與眾啟奏道：「萬歲，這大聖不知是何處學得這護身之法，臣等用刀砍斧剁，雷打火燒，一毫不能傷損，卻如之何？」

玉帝聞言道：「這廝這等，這等，如何處治？」

太上老君即奏道：「那猴吃了蟠桃，飲了御酒，又盜了仙丹。我那五壺丹，有生有熟，被他都吃在肚裡。運用三昧火，煅成一塊，所以渾做金鋼之軀，急不能傷。不若與老道領去，放在八卦爐中，以文武火煅煉，煉出我的丹來，他身自為灰燼矣。」

玉帝聞言，即教六丁、六甲將他解下，付與老君。老君領旨去訖。一壁廂宣二郎顯聖，賞賜金花百朵、御酒百瓶、還丹百粒、異寶明珠、錦繡等件，教與義兄弟分享。真君謝恩，回灌江口不題。

那老君到兜率宮，將大聖解去繩索，放了穿琵琶骨之器，推入八卦爐中，

◈**東君**——神話傳說中的太陽神。
罔極——沒有邊界、沒止境。這裡形容奢望沒有邊際。
剨——剖開。剨音哭。

命看爐的道人、架火的童子，將火搧起煅煉。

原來那爐是乾、坎、艮、震、巽、離、坤、兌八卦。他即將身鑽在巽宮位下。巽乃風也，有風則無火。只是風攪得煙來，把一雙眼火㷎◆紅了，弄做個老害病眼，故喚做「火眼金睛」。

真個光陰迅速，不覺七七四十九日，老君的火候俱全。忽一日，開爐取丹。那大聖雙手侮◆著眼，正自揉搓流涕，只聽得爐頭聲響。猛睜睛看見光明，他就忍不住，將身一縱，跳出丹爐，唿喇一聲，蹬倒八卦爐，往外就走。慌得那架火、看爐與丁甲一班人來扯，被他一個個都放倒，好似癲癇的白額虎，風狂的獨角龍。老君趕上抓一把，被他一捽，捽了個倒栽蔥◆，脫身走了。

即去耳中掣出如意棒，迎風晃一晃，碗來粗細，依然拿在手中，不分好歹，卻又大亂天宮，打得那九曜星閉門閉戶，四天王無影無形。好猴精，有詩為證。詩曰：

混元體正合先天，萬劫千番只自然。
渺渺無為渾太乙，如如◆不動號初玄。
爐中久煉非鉛汞，物外長生是本仙。
變化無窮還變化，三皈◆五戒◆總休言。

又詩：

一點靈光徹太虛，那條拄杖亦如之。
或長或短隨人用，橫豎橫排任卷舒。

又詩：

◆熓—熏的意思。熓音炒。 侮—同「搗」。掩住、遮住的意思。
倒栽蔥—蔥頭圓大，本植於地面下，以此戲稱人摔倒時，雙腳朝上的姿態。
如如—佛教術語。形容道圓融而沒有凝滯的境界。 三皈—皈同「歸」。皈依三寶的意思。
五戒—佛教中以不殺生、不偷盜、不邪淫、不妄語、不飲酒為五戒。

猿猴道體配人心，心即猿猴意思深。
大聖齊天非假論，官封弼馬是知音。
馬猿合作心和意，緊縛牢拴莫外尋。
萬相歸真從一理，如來同契住雙林。

這一番，那猴王不分上下，使鐵棒東打西敵，更無一神可擋，直打到通明殿裡，靈霄殿外。

幸有佑聖真君的佐使王靈官執殿，他看大聖縱橫，掣金鞭近前擋住道：「潑猴何往？有吾在此，切莫猖狂。」這大聖不由分說，舉棒就打；那靈官鞭起相迎。兩個在靈霄殿前廝渾一處，好殺：

赤膽忠良名譽大，欺天誑上聲名壞。
一低一好幸相持，豪傑英雄同賭賽。
鐵棒凶，金鞭快，正直無私怎忍耐？
這個是太乙雷聲應化尊，那個是齊天大聖猿猴怪。

金鞭鐵棒兩家能，都是神宮仙器械。
今日在靈霄寶殿弄威風，各展雄才真可愛。
一個欺心要奪斗牛宮，一個竭力匡扶玄聖界。
苦爭不讓顯神通，鞭棒往來無勝敗。

他兩個鬥在一處，勝敗未分。早有佑聖真君又差將佐發文到雷府，調三十六員雷將齊來，把大聖圍在垓心，各騁凶惡鏖戰。那大聖全無一毫懼色，使一條如意棒，左遮右擋，後架前迎。一時見那眾雷將的刀槍劍戟、鞭簡撾鎚、鉞斧金瓜、旄鐮月鏟來的甚緊，他即搖身一變：變做三頭六臂；把如意棒晃一晃，變做三條；六隻手使開三條棒，好便似紡車兒一般，滴流流，在那垓心裡飛舞。眾雷神莫能相近。真個是：

◈雙林——即娑羅雙樹。傳說佛祖示寂的地方。

圓陀陀，光灼灼，亙古常存人怎學？
入火不能焚，入水何曾溺？
光明一顆摩尼◆珠，劍戟刀槍傷不著。
也能善，也能惡，眼前善惡憑他作。
善時成佛與成仙，惡處披毛並帶角。
無窮變化鬧天宮，雷將神兵不可捉。

當時眾神把大聖攢在一處，卻不能近身，亂嚷亂鬥。早驚動玉帝，遂傳旨著遊奕靈官同翊聖真君上西方請佛老降伏。

那二聖得了旨，逕到靈山勝境雷音寶剎之前，對八金剛、四菩薩禮畢，即煩轉達。眾神隨至寶蓮臺下啟知，如來召請。二聖禮佛三匝，侍立臺下。如來問：「玉帝何事，煩二聖下臨？」二聖即啟道：「向時花果山產一猴，在那裡弄神通，聚眾猴攪亂世界。

玉帝降招安旨，封為弼馬溫，他嫌官小反去。當遣李天王、哪吒太子擒拿未獲，復招安他，封做齊天大聖，先有官無祿。

「著他代管蟠桃園，他即偷桃；又走至瑤池，偷殽、偷酒，攪亂大會；仗酒又暗入兜率宮，偷老君仙丹，反出天宮。玉帝復遣十萬天兵，亦不能收伏。後觀世音舉二郎真君同他義兄弟追殺，他變化多端，虧老君拋金鋼琢打中，二郎方得拿住。解赴御前，即命斬之，刀砍斧剁，火燒雷打，俱不能傷。老君奏准領去，以火煅煉。

「四十九日開鼎，他卻又跳出八卦爐，打退天丁，逕入通明殿裡，靈霄殿外。被佑聖真君的佐使王靈官擋住苦戰，又調三十六員雷將把他困在垓心，終不能相近。事在緊急，因此玉帝特請如來救駕。」

如來聞說，即對眾菩薩道：「汝等在此穩坐法堂◆，休得亂了禪位，待我

◆**摩尼**—梵語譯音。珠寶的總名。也作牟尼、末尼。

法堂—寺院中集眾說法的場所，是僅次於大殿的主要建築。法堂的布置，除佛像外，主要是在堂中設法座，供宣講佛法之用。

煉魔救駕去來。」

如來即喚阿儺、迦葉二尊者相隨，離了雷音，逕至靈霄門外。忽聽得喊聲振耳，乃三十六員雷將圍困著大聖哩。

佛祖傳法旨：「教雷將停息干戈，放開營所，叫那大聖出來，等我問他有何法力。」眾將果退。

大聖也收了法像，現出原身近前，怒氣昂昂，厲聲高叫道：「你是哪方善士，敢來止住刀兵問我？」

如來笑道：「我是西方極樂世界釋迦牟尼尊者。南無阿彌陀佛！今聞你猖狂村野，屢反天宮，不知是何方生長，何年得道，為何這等暴橫？」

大聖道：「我本：

天地生成靈混仙，花果山中一老猿。

水簾洞裡為家業，拜友尋師悟太玄。

煉就長生多少法，學來變化廣無邊。

因在凡間嫌地窄，立心端要住瑤天。

靈霄寶殿非他久，歷代人王有分傳。
強者為尊該讓我，英雄只此敢爭先。」

佛祖聽言，呵呵冷笑道：「你那廝乃是個猴子成精，焉敢欺心，要奪玉皇上帝尊位？他自幼修持，苦歷過一千七百五十劫。每劫該十二萬九千六百年，你算他該多少年數，方能享受此無極大道？你那個初世為人的畜生，如何出此大言？不當人子◆！不當人子！折了你的壽算。趁早皈依，切莫胡說。但恐遭了毒手，性命頃刻而休，可惜了你的本來面目。」

大聖道：「他雖年劫修長，也不應久占在此。常言道：『皇帝輪流做，明年到我家。』只教他搬出去，將天宮讓與我，便罷了；若還不讓，定要攪攘，永不清平！」

佛祖道：「你除了長生變化之法，再有何能，敢占天宮勝境？」

◆**善士**—慈善好施之士。 **南無**—就是頂禮、致敬的意思。 **不當人子**—罪過。

大聖道：「我的手段多哩：我有七十二般變化，萬劫不老長生；會駕觔斗雲，一縱十萬八千里。如何坐不得天位？」

佛祖道：「我與你打個賭賽：你若有本事，一觔斗打出我這右手掌中，算你贏，再不用動刀兵，苦爭戰，就請玉帝到西方居住，把天宮讓你；若不能打出手掌，你還下界為妖，再修幾劫，卻來爭吵。」

那大聖聞言，暗笑道：「這如來十分好呆。我老孫一觔斗去十萬八千里，他那手掌方圓不滿一尺，如何跳不出去？」

急發聲道：「既如此說，你可做得主張？」

佛祖道：「做得！做得！」伸開右手，卻似個荷葉大小。

那大聖收了如意棒，抖擻神威，將身一縱，站在佛祖手心裡，卻道聲：「我出去也！」

你看他一路雲光，無形無影去了。佛祖慧眼觀看，見那猴王風車子一般相似不住，只管前進。大聖行時，忽見有五根肉紅柱子，撐著一股青氣。

他道：「此間乃盡頭路了。這番回去，如來作證，靈霄宮定是我坐也。」又思量說：「且住，等我留下些記號，方好與如來說話。」拔下一根毫毛，吹口仙氣，叫：「變！」變做一管濃墨雙毫筆，在那中間柱子上寫一行大字云：「齊天大聖，到此一遊。」寫畢，收了毫毛。又不莊尊，卻在第一根柱子根下撒了一泡猴尿。翻轉觔斗雲，逕回本處，站在如來掌內道：「我已去，今來了。你教玉帝讓天宮與我。」

如來罵道：「我把你這個尿精猴子，你正好不曾離了我掌哩！」

大聖道：「你是不知。我去到天盡頭，見五根肉紅柱，撐著一股青氣，我留個記在那裡，你敢和我同去看麼？」

如來道：「不消去，你只自低頭看看。」那大聖睜圓火眼金睛，低頭看時，原來佛祖右手中指寫著「齊天大聖，到此一遊」。大指丫裡，還有些猴尿臊氣。

大聖吃了一驚道：「有這等事？有這等事？我將此字寫在撐天柱子上，

如何卻在他手指上？莫非有個未卜先知的法術？我決不信！不信！等我再去來！」

好大聖，急縱身又要跳出。被佛祖翻掌一撲，把這猴王推出西天門外，將五指化作金、木、水、火、土五座聯山，喚名「五行山」，輕輕的把他壓住。

眾雷神與阿儺、迦葉一個個合掌稱揚道：「善哉，善哉！

當年卵化學為人，立志修行果道真。
萬劫無移居勝境，一朝有變散精神。
欺天罔上思高位，凌聖偷丹亂大倫。
惡貫滿盈今有報，不知何日得翻身。」

如來佛祖殄滅了妖猴，即喚阿儺、迦葉同轉西方極樂世界。

時有天蓬、天佑急出靈霄寶殿道：「請如來少待，我主大駕來也。」佛祖聞言，回首瞻仰。

須臾，果見八景鑾輿，九光寶蓋，聲奏玄歌妙樂，詠哦無量神章，散寶花，噴真香，直至佛前謝曰：「多蒙大法收殄妖邪，望如來少停一日，請諸仙做一會筵奉謝。」

如來不敢違悖，即合掌謝道：「老僧承大天尊宣命來此，有何法力？還是天尊與眾神洪福。敢勞致謝？」

玉帝傳旨，即著雷部眾神，分頭請三清、四御、五老、六司、七元、八極、九曜、十都、千真、萬聖來此赴會，同謝佛恩。又命四大天師、九天仙女，大開玉京金闕、太玄寶宮、洞陽玉館，請如來高座七寶靈臺，調設各班坐位，安排龍肝鳳髓，玉液蟠桃。

不一時，那玉清元始天尊、上清靈寶天尊、太清道德天尊、五炁真君、五斗星君、三官四聖、九曜真君、左輔、右弼、天王、哪吒，玄虛一應靈通，

◈**殄滅**──滅盡、滅絕。殄音琢。

對對旌旗，雙雙幡蓋，都捧著明珠異寶，壽果奇花，向佛前拜獻曰：「感如來無量法力，收伏妖猴。蒙大天尊設宴，呼喚我等皆來陳謝。請如來將此會立一名如何？」

如來領眾神之託曰：「今欲立名，可作個安天大會。」各仙老異口同聲，俱道：「好個『安天大會』！好個『安天大會』！」言訖，各坐座位，走斝傳觴，簪花鼓瑟，果好會也。有詩為證。詩曰：

宴設蟠桃猴攪亂，安天大會勝蟠桃。
龍旗鸞輅祥光藹，寶節幢幡瑞氣飄。
仙樂玄歌音韻美，鳳簫玉管響聲高。
瓊香繚繞群仙集，宇宙清平賀聖朝。

眾皆暢然喜會，只見王母娘娘引一班仙子、仙娥、美姬、美女飄飄蕩蕩舞向佛前，施禮曰：「前被妖猴攪亂蟠桃一會，請眾仙眾佛，俱未成功。今蒙如來大法鏈鎖頑猴，喜慶『安天大會』，無物可謝，今是我淨手親摘大株蟠桃數顆奉獻。」真個是：

半紅半綠噴甘香，豔麗仙根萬載長。
堪笑武陵源上種，爭如天府更奇強。
紫紋嬌嫩寰中少，緗核清甜世莫雙。
延壽延年能易體，有緣食者自非常。

佛祖合掌向王母謝訖。王母又著仙姬、仙子，唱的唱，舞的舞。滿會群仙又皆賞讚。正是：

縹緲天香滿座，繽紛仙蕊仙花。
玉京金闕大榮華，異品奇珍無價。
對對與天齊壽，雙雙萬劫增加。
桑田滄海任更差，他自無驚無訝。

王母正著仙姬、仙子歌舞，觥籌交錯，不多時，忽又聞得：

一陣異香來鼻嗅，驚動滿堂星與宿。
天仙佛祖把杯停，各各抬頭迎目候。
霄漢中間現老人，手捧靈芝飛藹繡。
葫蘆藏蓄萬年丹，寶籙名書千紀壽。
洞裡乾坤任自由，壺中日月隨成就。
遨遊四海樂清閒，散淡十洲容輻輳。
曾赴蟠桃醉幾遭，醒時明月還依舊。
長頭大耳短身軀，南極之方稱老壽。

壽星又到。見玉帝禮畢，又見如來，申謝曰：「始聞那妖猴被老君引至兜率宮煅煉，以為必致平安，不期他又反出。幸如來善伏此怪，設宴奉謝，故此聞風而來。更無他物可獻，特具紫芝瑤草、碧藕金丹奉上。」詩曰：

碧藕金丹奉釋迦，如來萬壽若恆沙。
清平永樂三乘錦，康泰長生九品花。

無相門中真法主，色空天上是仙家。
乾坤大地皆稱祖，丈六金身福壽賒。

如來忻然領謝。壽星得座，依然走斝傳觴。只見赤腳大仙又至，向玉帝前頫顖禮畢，又對佛祖謝道：「深感法力，降伏妖猴。無物可以表敬，特具交梨二顆、火棗數枚奉獻。」詩曰：

大仙赤腳棗梨香，敬獻彌陀壽算長。
七寶蓮臺山樣穩，千金花座錦般妝。
壽同天地言非謬，福比洪波話豈狂。
福壽如期真個是，清閒極樂那西方。

如來又稱謝了，叫阿儺、迦葉將各所獻之物，一一收起，方向玉帝前謝宴。眾各酩酊。只見個巡視靈官來報道：「那大聖伸出頭來了。」
佛祖道：「不妨，不妨。」

袖中只取出一張帖子，上有六個金字：「唵嘛呢叭咪吽◆」。遞與阿儺，叫貼在那山頂上。這尊者即領帖子，拿出天門，到那五行山頂上，緊緊的貼在一塊四方石上。那座山即生根合縫，可運用呼吸之氣，手兒爬出，可以搖掙搖掙。阿儺回報道：「已將帖子貼了。」

如來即辭了玉帝眾神，與二尊者出天門之外。又發一個慈悲心，念動真言咒語，將五行山召一尊土地神祇，會同五方揭諦，居住此山監押。但他飢時，與他鐵丸子吃；渴時，與他熔化的銅汁飲。待他災愆◆滿日，自有人救他。正是：

妖猴大膽反天宮，卻被如來伏手降。
渴飲熔銅捱歲月，飢餐鐵彈度時光。
天災苦困遭磨折，人事淒涼喜命長。
若得英雄重展掙◆，他年奉佛上西方。

又詩曰：

伏逞豪強大勢興，降龍伏虎弄乖能。
偷桃偷酒遊天府，受籙承恩在玉京。
惡貫滿盈身受困，善根不絕氣還升。
果然脫得如來手，且待唐朝出聖僧。

畢竟不知向後何年何月方滿災殃，且聽下回分解。

◆**唵嘛呢叭咪吽**——六字大明咒是觀世音菩薩心咒，源於梵文中，此咒含有諸佛無盡的加持與慈悲，是諸佛慈悲和智慧的音聲顯現。

災愆——罪孽招致的災禍。　**展掙**——這裡是掙扎的意思。

第八回

我佛造經傳極樂
觀音奉旨上長安

試問禪關◆，參求◆無數，往往到頭虛老。磨磚作鏡◆，積雪為糧，迷了幾多年少？毛吞大海，芥納須彌◆，金色頭陀◆微笑。悟時超十地◆三乘◆，凝滯了四生◆六道◆。誰聽得，絕想◆崖前，無陰樹下，杜宇一聲春曉。曹溪◆路險，鷲嶺◆雲深，此處故人音杳。千丈冰崖，五葉蓮開◆，古殿簾垂香裊。那時節，識破源流，便見龍王◆三寶。

這一篇詞，名《蘇武慢》。話表我佛如來辭別了玉帝，回至雷音寶剎。

但見那三千諸佛、五百阿羅、八大金剛、無邊菩薩，一個個都執著幢幡寶蓋、異寶仙花，擺列在靈山仙境娑羅雙林之下接迎。

◈**禪關**—比喻悟徹佛教教義必須越過的關口。

參求—參禪求道。

磨磚作鏡—比喻事情不能成功。積雪為糧與之同義，皆為妄用工夫也。

毛吞大海，芥納須彌—毛、芥，比喻極細微之物。須彌，山名，高達三百三十六萬里。這兩句意謂佛法無邊，高山大海可以藏於毛芥之中。

頭陀—去掉塵垢煩惱，因此用以稱僧人。金色頭陀者，大迦葉也，以往昔裝金功德，受報通體金色。　**三乘**—佛教語，一般指小乘、中乘和大乘。亦泛指佛法。

十地—佛教術語。指菩薩修行的十種境界，即歡喜地、離垢地、發光地、焰慧地、極難勝地、現前地、遠行地、不動地、善慧地、法震地。

六道—佛教以地獄、餓鬼、畜生、阿修羅、人間、天上為六道。認為修行入天道，作惡下地獄，始終輪迴、升沉在這六道之中。　**四生**—佛教術語，指胎生、卵生、濕生和化生。

絕想—絕斷一切欲念。

曹溪—水名，源出廣東省曲江縣。上流有寶林寺，是佛教禪宗六祖慧能修行傳法的地方。

鷲嶺—也稱靈山。位於中印度。相傳如來佛在這裡講過《法華經》。鷲嶺乃佛說法之地，借為六祖弘法之鄉。　**龍王**—傳說中統領水族之神。

五葉蓮開—一花開五葉，結果自然成。禪宗自六祖後，五派並弘而成其大。

如來駕住祥雲，對眾道：「我以甚深般若◆，遍觀三界。根本性原，畢竟寂滅。同虛空相，一無所有。殄伏乖猴，是事莫識。名生死始，法相如是。」說罷，放舍利之光，滿空有白虹四十二道，南北通連。大眾見了，皈身禮拜。

少頃間，聚慶雲彩霧，登上品蓮臺◆，端然坐下。那三千諸佛、五百羅漢、八金剛、四菩薩，合掌近前禮畢，問曰：「鬧天宮攪亂蟠桃者，何也？」如來道：「那廝乃花果山產的一妖猴，罪惡滔天，不可名狀。概天◆神將，俱莫能降伏；雖二郎捉獲，老君用火煆煉，亦莫能傷損。

「我去時，正在雷將中間揚威耀武，賣弄精神。被我止住兵戈，問他來歷。他言有神通，會變化，又駕觔斗雲，一去十萬八千里。我與他打了個賭賽，他出不得我手，卻將他一把抓住，指化五行山，封壓他在那裡。玉帝大開金闕瑤宮，請我坐了首席，立安天大會謝我，卻方辭駕而回。」

大眾聽言喜悅，極口稱揚。謝罷，各分班而退，各執乃事，共樂天真。果然是：

瑞靄漫天竺，虹光擁世尊。西方稱第一，無相法王門。常見玄猿獻果，麋鹿銜花；青鸞舞，彩鳳鳴；靈龜捧壽，仙鶴噙芝。安享淨土祇園◆，受用龍宮法界。日日花開，時時果熟。習靜歸真，參禪果正。不滅不生，不增不減。煙霞縹緲隨來往，寒暑無侵不記年。

詩曰：

去來自在任優游，也無恐怖也無愁。
極樂場中俱坦蕩，大千之處沒春秋。

佛祖居於靈山大雷音寶剎之間。一日，喚聚諸佛、阿羅、揭諦、菩薩、

◆**般若**—能證悟空理的智慧。　**品蓮臺**—佛教中所使用的一種座具，形似蓮花。
概天—即諸天。概，大凡、所有。後文概眾，即大眾。
祇園—「祇園精舍」的簡稱。傳說佛在此講過經。

金剛、比丘僧尼等眾曰：「自伏乖猿安天之後，我處不知年月，料凡間有半千年矣。今值孟秋望日，我有一寶盆，盆中具設百樣奇花、千般異果等物，與汝等享此盂蘭盆會，如何？」概眾一個個合掌，禮佛三匝領會。如來卻將寶盆中花果品物，著阿儺捧定，著迦葉布散。大眾感激，各獻詩申謝。

福詩曰：

福星光耀世尊前，福納彌深遠更綿。
福德無疆同地久，福緣有慶與天連。
福田廣種年年盛，福海洪深歲歲堅。
福滿乾坤多福蔭，福增無量永周全。

祿詩曰：

祿重如山彩鳳鳴，祿隨時泰祝長庚。
祿添萬斛身康健，祿享千鍾世太平。
祿俸齊天還永固，祿名似海更澄清。
祿恩遠繼多瞻仰，祿爵無邊萬國榮。

壽詩曰：

壽星獻彩對如來，壽域光華自此開。
壽果滿盤生瑞靄，壽花新採插蓮臺。
壽詩清雅多奇妙，壽曲調音按美才。
壽命延長同日月，壽如山海更悠哉。

眾菩薩獻畢，因請如來明示根本，指解源流。那如來微開善口，敷演大法，宣揚正果，講的是三乘妙典，五蘊◆楞嚴◆。但見那天龍圍繞，花雨繽紛。正是：

禪心朗照千江月，真性清涵萬里天。

如來講罷，對眾言曰：「我觀四大部洲，眾生善惡，各方不一：東勝神

◆五蘊──佛教術語，分別為色蘊、受蘊、想蘊、行蘊、識蘊。楞嚴──佛經名。

洲者，敬天禮地，心爽氣平；北俱蘆洲者，雖好殺生，只因餬口，性拙情疏，無多作踐；我西牛賀洲者，不貪不殺，養氣潛靈，雖無上真，人人固壽；但那南贍部洲者，貪淫樂禍，多殺多爭，正所謂口舌凶場，是非惡海。我今有三藏真經，可以勸人為善。」

諸菩薩聞言，合掌皈依，向佛前問曰：「如來有哪三藏真經？」

如來曰：「我有法一藏，談天；論一藏，說地；經一藏，度鬼。三藏共計三十五部，該一萬五千一百四十四卷，乃是修真之經，正善之門。我待要送上東土，叵耐那方眾生愚蠢，毀謗真言，不識我法門之旨要，怠慢了瑜迦之正宗◆。怎麼得一個有法力的，去東土尋一個善信，教他苦歷千山，詢經萬水，到我處求取真經，永傳東土，勸化眾生，卻乃是個山大的福緣，海深的善慶。誰肯去走一遭來？」

當有觀音菩薩行近蓮臺，禮佛三匝道：「弟子不才，願上東土尋一個取經人來也。」諸眾抬頭觀看，那菩薩：

理圓四德◆，智滿金身。纓絡垂珠翠，香環結寶明。

烏雲巧疊盤龍髻，繡帶輕飄彩鳳翎。
碧玉紐，素羅袍，祥光籠罩；錦絨裙，金落索，瑞氣遮迎。
眉如小月，眼似雙星。玉面天生喜，朱唇一點紅。
淨瓶甘露年年盛，斜插垂楊歲歲青。
解八難◆，度群生，大慈憫：
故鎮太山，居南海，救苦尋聲，萬稱萬應，千聖千靈。
蘭心欣紫竹，蕙性愛香藤。
他是落伽山上慈悲主，潮音洞裡活觀音。

如來見了，心中大喜道：「別個是也去不得。須是觀音尊者，神通廣大，

◆瑜迦之正宗——瑜迦宗，佛教中密宗的總名。這裡泛指佛門、佛法而言。
四德——佛教術語，認為常、樂、我、淨為四德。
八難——佛教用語。指八種難以入道的狀況，即地獄、餓鬼、畜生、邊地之北俱蘆洲、長壽天、聾盲喑啞、世智辯聰、生在佛前佛後。眾生在這八種情況或苦、或樂、或殘廢、或過分聰明和沒機會見佛，都很難修行。

方可去得。」菩薩道：「弟子此去東土，有甚言語吩咐？」

如來道：「這一去，要踏看路道，不許在霄漢中行。須是要半雲半霧，目過山水，謹記程途遠近之數，叮嚀那取經人。但恐善信難行，我與你五件寶貝。」

即命阿儺、迦葉取出錦襴袈裟一領，九環錫杖一根，對菩薩言曰：「這袈裟、錫杖，可與那取經人親用。若肯堅心來此，穿我的袈裟，免墮輪迴；持我的錫杖，不遭毒害。」這菩薩皈依拜領。

如來又取出三個箍兒，遞與菩薩道：「此寶喚做緊箍兒，雖是一樣三個，但只是用各不同。我有『金緊禁』的咒語三篇。假若路上撞見神通廣大的妖魔，你須是勸他學好，跟那取經人做個徒弟。他若不服使喚，可將此箍兒與他戴在頭上，自然見肉生根。各依所用的咒語念一念，眼脹頭痛，腦門皆裂，管教他入我門來。」

那菩薩聞言，踴躍作禮而退。即喚惠岸行者隨行。那惠岸使一條渾鐵棍，重有千斤，只在菩薩左右作一個降魔的大力士。菩薩遂將錦襴袈裟，作一個包裹，令他背了。菩薩將金箍藏了，執了錫杖，逕下靈山。這一去，有分教：佛子◆還來歸本願，金蟬長老◆裹栴檀◆。

那菩薩到山腳下，有玉真觀金頂大仙在觀門首接住，請菩薩獻茶。菩薩不敢久停，曰：「今領如來法旨，上東土尋取經人去。」大仙道：「取經人幾時方到？」菩薩道：「未定，約摸二三年間，或可至此。」遂辭了大仙，半雲半霧，約記程途。有詩為證。詩曰：

萬里相尋自不言，卻云誰得意難全。
求人忽若渾如此，是我平生豈偶然？
傳道有方成妄語，說明無信也虛傳。
願傾肝膽尋相識，料想前頭必有緣。

◆**佛子**—受戒的佛門弟子。指能紹繼佛種的人。　**栴檀**—檀香。栴音沾。
金蟬長老—是釋迦牟尼如來佛的二徒弟，唐三藏由金蟬子轉世，是真靈東土大唐高僧。

師徒二人正走間，忽然見弱水三千，乃是流沙河界。菩薩道：「徒弟呀，此處卻是難行。取經人濁骨凡胎，如何得渡？」惠岸道：「師父，你看河有多遠？」那菩薩停立雲步看時，只見：

東連沙磧，西抵諸番，南達烏戈，北通韃靼。
逕過有八百里遙，上下有千萬里遠。
水流一似地翻身，浪滾卻如山聳背。
洋洋浩浩，漠漠茫茫，十里遙聞萬丈洪。
仙槎難到此，蓮葉莫能浮。衰草斜陽流曲浦，黃雲影日暗長堤。
哪裡得客商來往？何曾有漁叟依棲？平沙無雁落，遠岸有猿啼。
只是紅蓼花蘩知景色，白蘋香細任依依。

菩薩正然點看，只見那河中潑剌一聲響亮，水波裡跳出一個妖魔來，十分醜惡。他生得：

青不青，黑不黑，晦氣色臉；長不長，短不短，赤腳筋軀。

眼光閃爍，好似灶底雙燈；口角丫叉，就如屠家火缽。
獠牙撐劍刃，紅髮亂蓬鬆。一聲叱咤如雷吼，兩腳奔波似滾風。

那怪物手執一根寶杖，走上岸就捉菩薩，卻被惠岸掣渾鐵棒擋住，喝聲：「休走！」那怪物就持寶杖來迎。

兩個在流沙河邊，這一場惡殺，真個驚人：
木叉渾鐵棒，護法顯神通；怪物降妖杖，努力逞英雄。
雙條銀蟒河邊舞，一對神僧岸上沖。
那一個威鎮流沙施本事，這一個力保觀音建大功。
那一個翻波躍浪，這一個吐霧噴風。
翻波躍浪乾坤暗，吐霧噴風日月昏。
那個降妖杖，好便似出山的白虎；

◆雲步——走路形如騰雲。

這個渾鐵棒，卻就如臥道的黃龍。
那個使將來，尋蛇撥草；這個丟開去，撲鷂分松。
只殺得昏漠漠，星辰燦爛；霧騰騰，天地朦朧。
那個久住弱水惟他狠，這個初出靈山第一功。

他兩個來來往往，戰上數十合，不分勝負。那怪物架住了鐵棒道：「你是哪裡和尚，敢來與我抵敵？」木叉道：「我是托塔天王二太子木叉惠岸行者，今保我師父往東土尋取經人去。你是何怪，敢大膽阻路？」那怪方才醒悟道：「我記得你跟南海觀音在紫竹林中修行，你為何來此？」木叉道：「那岸上不是我師父？」

怪物聞言，連聲喏喏，收了寶杖。讓木叉揪了去見觀音，納頭下拜，告道：「菩薩，恕我之罪，待我訴告：我不是妖邪，我是靈霄殿下侍鑾輿的捲簾大將。只因在蟠桃會上失手打碎了玻璃盞，玉帝把我打了八百，貶下界來，變得這般模樣。又教七日一次，將飛劍來穿我胸脅百餘下方回。故此這般苦惱。沒奈何，飢寒難忍，三二日間，出波濤尋一個行人食用。不期今日無知，衝撞了大慈菩薩。」

菩薩道：「你在天有罪，既貶下來，今又這等傷生，正所謂罪上加罪。我今領了佛旨，上東土尋取經人。你何不入我門來，皈依善果，跟那取經人做個徒弟，上西天拜佛求經，我教飛劍不來穿你。那時節功成免罪，復你本職，心下如何？」

那怪道：「我願皈正果。」又向前道：「菩薩，我在此間吃人無數，向來有幾次取經人來，都被我吃了。凡吃的人頭，拋落流沙，竟沉水底。這個水，鵝毛也不能浮。惟有九個取經人的骷髏浮在水面，再不能沉。我以為異物，將索兒穿在一處，閒時拿來頑耍。這去，但恐取經人不得到此，卻不是反誤了我的前程也？」

菩薩曰：「豈有不到之理？你可將骷髏兒掛在頭項下，等候取經人，自有用處。」

怪物道：「既然如此，願領教誨。」菩薩方與他摩頂受戒◆，指沙為姓，就姓了沙；起個法名，叫做個沙悟淨。當時入了沙門，送菩薩過了河，他洗心滌慮，再不傷生，專等取經人。

菩薩與他別了，同木叉逕奔東土。行了多時，又見一座高山，山上有惡氣遮漫，不能步上。正欲駕雲過山，不覺狂風起處，又閃上一個妖魔。他生得又甚凶險，但見他：

捲臟蓮蓬吊搭嘴，耳如蒲扇顯金睛。
獠牙鋒利如鋼銼，長嘴張開似火盆。
金盔緊繫腮邊帶，勒甲絲絛蟒退鱗。
手執釘鈀◆龍探爪，腰挎彎弓月半輪。
糾糾威風欺太歲，昂昂志氣壓天神。

他撞上來，不分好歹，望菩薩舉釘鈀就築。被木叉行者擋住，大喝一聲道：「那潑怪休得無禮！看棒！」妖魔道：「這和尚不知死活！看鈀！」兩個在山底下一衝一撞，賭鬥輸贏，真個好殺：

妖魔凶猛，惠岸威能。
鐵棒分心搗，釘鈀劈面迎。
播土揚塵天地暗，飛砂走石鬼神驚。
九齒鈀，光耀耀，雙環響亮；
一條棒，黑悠悠，兩手飛騰。
這個是天王太子，那個是元帥精靈。
一個在普陀為護法，一個在山洞作妖精。
這場相遇爭高下，不知哪個虧輸哪個贏。

◈**摩頂受戒**——師父用手摸著要求出家者的頭，並為之授戒。**鈀**——武器名。狀似耙，有柄。

他兩個正殺到好處，觀世音在半空中拋下蓮花，隔開鈀杖。怪物見了心驚，便問：「你是哪裡和尚，敢弄甚麼眼前花兒哄我？」

木叉道：「我把你個肉眼凡胎的潑物！我是南海菩薩的徒弟，這是我師父拋來的蓮花，你也不認得哩！」

那怪道：「南海菩薩，可是掃三災◆救八難的觀世音麼？」

木叉道：「不是他是誰？」怪物撒了釘鈀，納頭下禮道：「老兄，菩薩在哪裡？累煩你引見一引見。」

木叉仰面指道：「那不是？」

怪物朝上磕頭，厲聲高叫道：「菩薩，恕罪！恕罪！」

觀音按下雲頭，前來問道：「你是哪裡成精的野豕，何方作怪的老彘◆，敢在此間擋我？」

那怪道：「我不是野豕，亦不是老彘，我本是天河裡天蓬元帥。只因帶酒戲弄嫦娥，玉帝把我打了二千鎚，貶下塵凡。一靈真性，竟來奪舍◆投胎，不期錯了道路，投在個母豬胎裡，變得這般模樣。是我咬殺母豬，可◆死群彘，在此處占了山場，吃人度日。不期撞著菩薩，萬望拔救◆拔救。」

菩薩道：「此山叫做甚麼山？」

怪物道：「叫做福陵山。山中有一洞，叫做雲棧洞。洞裡原有個卵二姐，她見我有些武藝，招我做了家長◆，又喚做倒踏門◆。不上一年，她死了，將一洞的家當，盡歸我受用。在此日久年深，沒有贍身的勾當，只是依本等吃人度日。萬望菩薩恕罪。」

菩薩道：「古人云：『若要有前程，莫做沒前程。』你既上界違法，今又不改凶心，傷生造孽，卻不是二罪俱罰？」

那怪道：「前程！前程！若依你，教我喝風◆？常言道：『依著官法打殺，依著佛法餓殺。』去也！去也！還不如捉個行人，肥膩膩的吃他家娘，

◆**三災**—佛教以刀兵、疾疫、饑饉為三災。　**家長**—此指丈夫。　**拔救**—拯救、解脱痛苦。　**奪舍**—指奪取其他的肉身，進駐自我靈魂的行為。　**可**—方言。這裡用作「嗑」字。咬、噬之意。　**彘**—音至。豬。　**倒踏門**—男人在女家就親。　**喝風**—形容人飢渴而沒有果腹的食物。

管甚麼二罪三罪，千罪萬罪！」

菩薩道：「『人有善願，天必從之。』汝若肯歸依正果，自有養身之處。世有五穀，可以濟飢，為何吃人度日？」

怪物聞言，似夢方覺，向菩薩道：「我欲從正，奈何『獲罪於天，無所禱也』。」

菩薩道：「我領了佛旨，上東土尋取經人。你可跟他做個徒弟，往西天走一遭來，將功折罪，管教你脫離災瘴。」

那怪滿口道：「願隨！願隨！」

菩薩才與他摩頂受戒，指身為姓，就姓了豬；替他起了法名，就叫做豬悟能。遂此領命歸真，持齋把素，斷絕了五葷◆三厭◆，專候那取經人。

菩薩卻與木叉辭了悟能，半興雲霧前來。正走處，只見空中有一條玉龍叫喚。菩薩近前問曰：「你是何龍，在此受罪？」

那龍道：「我是西海龍王敖閏之子，因縱火燒了殿上明珠，我父王表奏天庭，告了忤逆。玉帝把我吊在空中，打了三百，不日遭誅。望菩薩搭救，搭救。」

觀音聞言，即與木叉撞上南天門裡，早有丘、張二天師接著，問道：「何往？」

菩薩道：「貧僧要見玉帝一面。」二天師即忙上奏。玉帝遂下殿迎接。

菩薩上前禮畢道：「貧僧領佛旨上東土尋取經人，路遇孽龍懸吊，特來啟奏，饒他性命，賜與貧僧，教他與取經人做個腳力◈。」

玉帝聞言，即傳旨赦宥，差天將解放，送與菩薩。菩薩謝恩而出。這小龍叩頭謝活命之恩，聽從菩薩使喚。菩薩把他送在深澗之中，只等取經人

◈**五葷**—五種列入葷食的植物。佛教稱大蒜、小蒜、洋蔥、蔥、韭是五葷，列入戒條，不准食用。
三厭—道教認為天上的雁，有夫婦的倫常；地上的狗，有保衛家園的好處；水中的烏魚，有忠敬之心。把不吃這三種東西列為戒條，是謂三厭。
腳力—傳遞文書、搬運貨物、行李的人或牲口。

來，變做白馬，上西方立功。小龍領命潛身，不題。

菩薩帶引木叉行者過了此山，又奔東土。行不多時，忽見金光萬道，瑞氣千條。木叉道：「師父，那放光之處，乃是五行山了，現有如來的壓帖在那裡。」

菩薩道：「此卻是那攪亂蟠桃會、大鬧天宮的齊天大聖，今乃壓在此也。」木叉道：「正是，正是。」

師徒俱上山來，觀看帖子，乃是「唵嘛呢叭咪吽」六字真言。菩薩看罷，嘆惜不已，作詩一首。詩曰：

堪嘆妖猴不奉公，當年狂妄逞英雄。
欺心攪亂蟠桃會，大膽私行兜率宮。
十萬軍中無敵手，九重天上有威風。
自遭我佛如來困，何日舒伸再顯功？

師徒們正說話處，早驚動了那大聖。大聖在山根下高叫道：「是哪個在山上吟詩，揭我的短哩？」菩薩聞言，逕下山來尋看。

只見那石崖之下，有土地、山神、監押大聖的天將，都來拜接了菩薩，引至那大聖面前。看時，他原來壓於石匣之中，口能言，身不能動。

菩薩道：「姓孫的，你認得我麼？」

大聖睜開火眼金睛，點著頭兒高叫道：「我怎麼不認得你，你好的是那南海普陀落伽山救苦救難大慈大悲南無觀世音菩薩。承看顧！承看顧！我在此度日如年，更無一個相知的來看我一看。你從那裡來也？」

菩薩道：「我奉佛旨，上東土尋取經人去，從此經過，特留殘步◈看你。」

大聖道：「如來哄了我，把我壓在此山，五百餘年了，不能展掙。萬望菩薩方便一二，救我老孫一救！」

菩薩道：「你這廝罪業彌深，救你出來，恐你又生禍害，反為不美◈。」

◈**潛身**—藏匿身軀。 **殘步**—途中順路。 不美—不好。

大聖道：「我已知悔了，但願大慈悲指條門路，情願修行。」

這才是：

人心生一念，天地盡皆知。善惡若無報，乾坤必有私。

那菩薩聞得此言，滿心歡喜，對大聖道：「聖經云：『出其言善，則千里之外應之；出其言不善，則千里之外違之。』你既有此心，待我到了東土大唐國尋一個取經的人來，教他救你。你可跟他做個徒弟，秉教伽持◈，入我佛門，再修正果，如何？」

大聖聲聲道：「願去！願去！」

菩薩道：「既有善果，我與你起個法名。」

大聖道：「我已有名了，叫做孫悟空。」

菩薩又喜道：「我前面也有二人歸降，正是『悟』字排行，你今也是『悟』字，卻與他相合，甚好，甚好。這等也不消叮囑，我去也。」

那大聖見性明心歸佛教，這菩薩留情在意訪神僧。

他與木叉離了此處，一直東來，不一日就到了長安大唐國。斂霧收雲，師徒們變做兩個疥癩◆遊僧◆，入長安城裡，早不覺天晚。行至大市街旁，見一座土地廟祠，二人逕入。諕得那土地心慌，鬼兵膽戰，知是菩薩，叩頭接入。那土地又急跑報與城隍、社令，及滿長安各廟神祇，都知是菩薩，參見告道：「菩薩，恕眾神接遲之罪。」菩薩道：「汝等切不可走漏一毫消息。我奉佛旨，特來此處尋訪取經人。借你廟宇，權住幾日，待訪著真僧即回。」眾神各歸本處，把個土地趕在城隍廟裡暫住，他師徒們隱遁真形。

畢竟不知尋出哪個取經人來，且聽下回分解。

◆**疥癩**—由疥癬蟲寄生引起的皮膚病。　**遊僧**—四方雲遊的和尚。
秉教伽持—指執行佛法佛，施加佛力於眾生，以保護扶持之。

第九回

陳光蕊赴任逢災　江流僧復仇報本

話表陝西大國長安城，乃歷代帝王建都之地。自周、秦、漢以來，三州花似錦，八水繞城流，真個是名勝之邦。彼時是大唐太宗皇帝登基，改元貞觀，已登極十三年，歲在己巳，天下太平，八方進貢，四海稱臣。

忽一日，太宗登位，聚集文武眾官，朝拜禮畢，有魏徵丞相出班奏道：「方今天下太平，八方寧靜，應依古法，開立選場，招取賢士，擢用人才，以資化理。」

太宗道：「賢卿所奏有理。」就傳招賢文榜，頒布天下：各府州縣，不拘軍民人等，但有讀書儒流，文義明暢，三場◈精通者，前赴長安應試。

此榜行至海州地方，有一人，姓陳名蕚，表字光蕊，見了此榜，即時回家，對母張氏道：「朝廷頒下黃榜◈，詔開南省，考取賢才，孩兒意欲前去應試。倘得一官半職，顯親揚名，封妻蔭子◈，光耀門閭，乃兒之志也。特此稟告母親前去。」

張氏道：「我兒讀書人，『幼而學，壯而行』，正該如此。但去赴舉◈，路上須要小心，得了官，早早回來。」

光蕊便吩咐家僮收拾行李，即拜辭母親，趲程◈前進。到了長安，正值大開選場，光蕊就進場。考畢，中選。及廷試◈三策◈，唐王御筆親賜狀元，跨

◈**登極**—皇帝即位。　**化理**—教化治理。　**三場**—古代科舉考試須經三次，稱為「三場」。
黃榜—天子所頒的詔書，以黃紙書寫而成，叫做黃榜。　**赴舉**—唐宋時指鄉貢入京參加禮部試。
封妻蔭子—功臣的妻子得到封號，子孫世襲官職和特權。
趲程—趕路。　**廷試**—科舉時代，會試通過的考生，天子在朝廷親試。　**三策**—三篇策論。

馬遊街三日。

不期遊到丞相殷開山門首，有丞相所生一女，名喚溫嬌，又名滿堂嬌，未曾婚配，正高結綵樓，抛打繡球卜婿。

適值陳光蕊在樓下經過，小姐一見光蕊人才出眾，知是新科狀元，心內十分歡喜，就將繡球抛下，恰打著光蕊的烏紗帽。猛聽得一派笙簫細樂，十數個婢妾走下樓來，把光蕊馬頭挽住，迎狀元入相府成婚。那丞相和夫人即時出堂，喚賓人贊禮，將小姐配與光蕊。拜了天地，夫妻交拜畢，又拜了岳丈、岳母。丞相吩咐安排酒席，歡飲一宵。二人同攜素手，共入蘭房。

次日五更三點，太宗駕坐金鑾寶殿，文武眾臣趨朝。

太宗問道：「新科狀元陳光蕊應授何官？」

魏徵丞相奏道：「臣查所屬州郡，有江州缺官，乞我主授他此職。」

太宗就命為江州州主，即令收拾起身，勿誤限期。光蕊謝恩出朝，回到相府，與妻商議，拜辭岳丈、岳母，同妻前赴江州之任。離了長安登途。

正是暮春天氣，和風吹柳綠，細雨點花紅。光蕊便道回家，同妻交拜母親張氏。張氏道：「恭喜我兒，且又娶親回來。」光蕊道：「孩兒叨賴母親福庇，忝◆中狀元，欽賜遊街，經過丞相殷府門前，遇拋打繡球適中，蒙丞相即將小姐招孩兒為婿。朝廷除孩兒為江州州主，今來接取母親，同去赴任。」張氏大喜，收拾行程。在路數日，前至萬花店劉小二家安下。

張氏身體忽然染病，與光蕊道：「我身上不安，且在店中調養兩日再去。」光蕊遵命。至次日早晨，見店門前有一人提著個金色鯉魚叫賣，光蕊即將

◆**綵樓**—結綵的樓臺。　**繡球**—用五色絲綢紮成的球狀物。
卜婿—選擇女婿或夫婿。　**烏紗帽**—古代官吏戴的一種帽子，後來也用以比喻官位。
細樂—使用管弦之類的樂器演奏出的樂音。
賓人—舉行典禮時導行儀節的人。　**蘭房**—對女子居室的美稱。　**忝**—自稱的謙詞。

一貫錢買了。欲待烹與母親吃，只見鯉魚閃閃䁪◆眼。

光蕊驚異道：「聞說魚蛇䁪眼，必不是等閒之物。」

遂問漁人道：「這魚哪裡打來的？」

漁人道：「離府十五里洪江內打來的。」光蕊就把魚送在洪江裡去放了生，回店對母親道知此事。

張氏道：「放生好事，我心甚喜。」

光蕊道：「此店已住三日了，欽限緊急，孩兒意欲明日起身，不知母親身體好否？」

張氏道：「我身子不快，此時路上炎熱，恐添疾病。你可這裡賃間房屋，與我暫住，付些盤纏在此。你兩口兒先上任去，候秋涼卻來接我。」光蕊與妻商議，就租了屋宇，付了盤纏與母親，同妻拜辭前去。

途路艱苦，曉行夜宿，不覺已到洪江渡口。只見梢子◆劉洪、李彪二人，撐船到岸迎接。也是光蕊前生合當有此災難，撞著這冤家。

光蕊令家僮將行李搬上船去，夫妻正齊齊上船，那劉洪睜眼看見殷小姐面如滿月，眼似秋波，櫻桃小口，綠柳蠻腰，真個有沉魚落雁之容，閉月羞花之貌，陡起狼心◆。遂與李彪設計，將船撐至沒人煙處。候至夜靜三更，先將家僮殺死，次將光蕊打死，把屍首都推在水裡去了。小姐見他打死了丈夫，也便將身赴水。

劉洪一把抱住道：「妳若從我，萬事皆休；若不從時，一刀兩斷。」那小姐尋思無計，只得權時◆應承◆，順了劉洪。那賊把船渡到南岸，將船付與李彪自管，他就穿了光蕊衣冠，帶了官憑，同小姐往江州上任去了。

卻說劉洪殺死的家童屍首，順水流去，惟有陳光蕊的屍首，沉在水底不動。有洪江口巡海夜叉見了，星飛報入龍宮，正值龍王陞殿，夜叉報道：

◆**睜**—同「睅」。　**艄子**—艄公，船家。　**狼心**—狼性貪婪凶狠。比喻欲望無窮，性格凶殘。
權時—暫時。　**應承**—應允。

「今洪江口不知甚人把一個讀書士子打死，將屍撇在水底。」

龍王叫將屍抬來，放在面前，仔細一看道：「此人正是救我的恩人，如何被人謀死？常言道：『恩將恩報。』我今日須索救他性命，以報日前之恩。」即寫下牒文一道，差夜叉逕往洪州城隍、土地處投下，要取秀才魂魄來，救他的性命。城隍、土地遂喚小鬼把陳光蕊的魂魄交付與夜叉去。夜叉帶了魂魄到水晶宮，稟見了龍王。

龍王問道：「你這秀才姓甚名誰？何方人氏？因甚到此，被人打死？」光蕊施禮道：「小生陳蕚，表字光蕊，係海州弘農縣人。忝中新科狀元，叨授江州州主，同妻赴任。行至江邊上船，不料艄子劉洪貪謀我妻，將我打死拋屍。乞大王救我一救！」

龍王聞言道：「原來如此。先生，你前者所放金色鯉魚，即我也。你是救我的恩人，你今有難，我豈有不救你之理？」就把光蕊屍身安置一壁，口內含一顆定顏珠，休教損壞了，日後好還魂報仇。

又道：「汝今真魂，權且在我水府中做個都領。」光蕊叩頭拜謝，龍王設宴相待不題。

卻說殷小姐痛恨劉賊，恨不食肉寢皮◆。只因身懷有孕，未知男女，萬不得已，權且勉強相從。轉盼之間，不覺已到江州。吏書◆門皂◆，俱來迎接。所屬官員，公堂設宴相敘。

劉洪道：「學生到此，全賴諸公大力匡持◆。」

屬官答道：「堂尊大魁◆高才，自然視民如子，訟簡刑清。我等合屬有賴，何必過謙？」公宴已罷，眾人各散。

光陰迅速。一日，劉洪公事遠出。小姐在衙思念婆婆、丈夫，在花亭上

◆須索—必須、定要。 **食肉寢皮**—形容痛恨到極點。 **吏書**—官府的文書。 **門皂**—看門的差役。 **匡持**—匡助扶持。 **大魁**—科舉時代的狀元。

感嘆。忽然身體困倦，腹內疼痛，暈悶在地，不覺生下一子。

耳邊有人囑曰：「滿堂嬌，聽吾叮囑：吾乃南極星君，奉觀音菩薩法旨，特送此子與妳。異日聲名遠大，非比等閒。劉賊若回，必害此子，汝可用心保護。汝夫已得龍王相救，日後夫妻相會，子母團圓，雪冤報仇有日也。謹記吾言。快醒！快醒！」言訖而去。

小姐醒來，句句記得，將子抱定，無計可施。忽然劉洪回來，一見此子，便要淹殺。小姐道：「今日天色已晚，容待明日拋去江中。」幸喜次早劉洪忽有緊急公事遠出。

小姐暗思：「此子若待賊人回來，性命休矣！不如及早拋棄江中，聽其生死。倘或皇天見憐，有人救得，收養此子，他日還得相逢。」但恐難以識認，即咬破手指，寫下血書一紙，將父母姓名、跟腳◆原由，備細◆開載◆；又將此子左腳上一個小趾，用口咬下，以為記驗◆。取貼身汗衫◆一件，包裹此子，乘空抱出衙門。幸喜官衙離江不遠。小姐到了江邊，大哭一場。正欲抛棄，忽見江岸岸側飄起一片木板，小姐即朝天拜禱，將此子安在板上，用帶縛住，血書繫在胸前，推放江中，聽其所之。小姐含淚回衙不題。

卻說此子在木板上順水流去，一直流到金山寺腳下停住。那金山寺長老叫做法明和尚，修真悟道，已得無生妙訣。正當打坐參禪，忽聞得小兒啼哭之聲，一時心動，急到江邊觀看，只見涯邊一片木板上，睡著一個嬰兒。長老慌忙救起，見了懷中血書，方知來歷。取個乳名，叫做江流，託人撫養。血書緊緊收藏。光陰似箭，日月如梭。不覺江流年長一十八歲。長老就叫他削髮修行，取法名為玄奘，摩頂受戒，堅心修道。

◆**跟腳**—來歷、底細。　**備細**—詳細情況。　**開載**—逐一記載。
記驗—記識驗證。　**汗衫**—貼身、輕軟、能吸汗的短衣。

一日，暮春天氣，眾人同在松陰之下講經參禪，談說奧妙，那酒肉和尚恰被玄奘難倒。和尚大怒，罵道：「你這業畜◆，姓名也不知，父母也不識，還在此搗甚麼鬼？」

玄奘被他罵出這般言語，入寺跪告師父，眼淚雙流道：「人生於天地之間，稟陰陽而資五行，盡由父生母養，豈有為人在世而無父母者乎？」再三哀告，求問父母姓名。

長老道：「你真個要尋父母，可隨我到方丈◆裡來。」

玄奘就跟到方丈。長老到重梁之上，取下一個小匣兒，打開來，取出血書一紙、汗衫一件，付與玄奘。玄奘將血書拆開讀之，才備細曉得父母姓名，並冤仇事跡。

玄奘讀罷，不覺哭倒在地道：「父母之仇，不能報復，何以為人？十八年來，不識生身父母，至今日方知有母親。此身若非師父撈救撫養，安有今日？容弟子去尋見母親，然後頭頂香盆◆，重建殿宇，報答師父之深恩也。」

師父道：「你要去尋母，可帶這血書與汗衫前去。只做化緣，逕往江州私衙，才得你母親相見。」

玄奘領了師父言語，就做化緣的和尚，逕至江州。適值劉洪有事出外，也是天教他母子相會，玄奘就直至私衙門口抄化◆。

那殷小姐原來夜間得了一夢，夢見月缺再圓，暗想道：「我婆婆不知音信，我丈夫被這賊謀殺；我的兒子拋在江中，倘若有人收養，算來有十八歲矣，或今日天教相會，亦未可知。」

正沉吟間，忽聽私衙前有人念經，連叫「抄化」，小姐又乘便出來問道：「你是何處來的？」

◆**業畜**—作孽的畜生，是罵人的話。 **香盆**—焚香之盆。
方丈—維摩詰居士居住的臥室一丈見方，但容量無限；禪宗取其意，以方丈名住持所居之室。
抄化—乞討、化緣。

玄奘答道：「貧僧乃是金山寺法明長老的徒弟。」

小姐道：「你既是金山寺長老的徒弟……」叫進衙來，將齋飯◆與玄奘吃。仔細看他舉止言談，好似與丈夫一般。

小姐將從婢◆打發開去，問道：「你這小師父，還是自幼出家的？還是中年出家的？姓甚名誰？可有父母否？」

玄奘答道：「我也不是自幼出家，我也不是中年出家，我說起來，冤有天來大，仇有海樣深。我父被人謀死，我母親被賊人占了。我師父法明長老教我在江州衙內尋取母親。」

小姐問道：「你母姓甚？」

玄奘道：「我母姓殷，名喚溫嬌。我父姓陳，名光蕊。我小名叫做江流，法名取為玄奘。」

小姐道：「溫嬌就是我。但你今有何憑據？」

玄奘聽說是他母親，雙膝跪下，哀哀大哭：「我娘若不信，現有血書、汗衫為證。」溫嬌取過一看，果然是真，母子相抱而哭。

就叫：「我兒快去。」

玄奘道：「十八年不識生身父母，今朝才見母親，教孩兒如何割捨？」

小姐道：「我兒，你火速抽身前去。劉賊若回，他必害你性命。我明日假裝一病，只說先年◆曾許捨百雙僧鞋，來你寺中還願。那時節，我有話與你說。」玄奘依言拜別。

卻說小姐自見兒子之後，心內一憂一喜。忽一日推病，茶飯不吃，臥於床上。劉洪歸衙，問其原故。

小姐道：「我幼時曾許下一願，許捨僧鞋一百雙。昨五日之前，夢見個和尚手執利刃，要索僧鞋，便覺身子不快。」

劉洪道：「這些小事，何不早說？」

◆齋飯—僧人化緣而得的飯。　從婢—侍婢。　先年—昔年、從前。

隨升堂，吩咐王左衙、李右衙：江州城內百姓，每家要辦僧鞋一雙，限五日內完納。百姓俱依派完納訖。

小姐對劉洪道：「僧鞋做完，這裡有甚麼寺院，好去還願？」

劉洪道：「這江州有個金山寺、焦山寺，聽妳在哪個寺裡去。」

小姐道：「久聞金山寺好個寺院，我就往金山寺去。」劉洪即喚王、李二衙辦下船隻。小姐帶了心腹人◆，同上了船，艄子將船撐開，就投金山寺去。

卻說玄奘回寺，見法明長老，把前項說了一遍。長老甚喜。次日，只見一個丫鬟先到，說夫人來寺還願。眾僧都出寺迎接。小姐逕進寺門，參了菩薩，大設齋襯◆。喚丫鬟將僧鞋暑襪托於盤內，來到法堂，小姐復拈心香◆禮拜，就教法明長老分俵◆與眾僧去訖。玄奘見眾僧散了，法堂上更無一人，他卻近前跪下。小姐叫他脫了鞋襪看時，那左腳上果然少了一個小趾頭。當時兩個又抱住而哭，拜謝長老養育之恩。

法明道：「汝今母子相會，恐奸賊知之，可速速抽身回去，庶免其禍。」

小姐道：「我兒，我與你一只香環，你逕到洪州西北地方，約有一千五百里之程，那裡有個萬花店，當時留下婆婆張氏在那裡，是你父親生身之母。我再寫一封書與你，逕到唐王皇城之內，金殿左邊，殷開山丞相家，是你母生身之父母。你將我的書遞與外公，叫外公奏上唐王，統領人馬，擒殺此賊，與父報仇，那時才救得老娘的身子出來。我今不敢久停，誠恐賊漢怪我歸遲。」便出寺登舟而去。

玄奘哭回寺中，告過師父，即時拜別，逕往洪州。來到萬花店，問那店主劉小二道：「昔年江州陳客官有一母親住在你店中，如今好麼？」劉小二道：「她原在我店中，後來昏了眼，三四年並無店租還我。如今

◆**心腹人**—親信的人。

齋襯—作功德時，供養僧、道的錢財。　**分俵**—分散、散發。

心香—舊時稱衷心虔誠，就能感通佛道，同焚香一樣。比喻十分真誠的心意。

在南門頭一個破瓦窰裡，每日上街叫化◆度日。那客官一去許久，到如今杳無信息，不知為何。」玄奘聽罷，即時問到南門頭破瓦窰，尋著婆婆。

婆婆道：「你聲音好似我兒陳光蕊。」

玄奘道：「我不是陳光蕊，我是陳光蕊的兒子。溫嬌小姐是我的娘。」

婆婆道：「你爹娘怎麼不來？」

玄奘道：「我爹爹被強盜打死了，我娘被強盜霸占為妻。」

婆婆道：「你怎麼曉得來尋我？」

玄奘道：「是我娘著我來尋婆婆。我娘有書在此，又有香環一只。」

那婆婆接了書並香環，放聲痛哭道：「我兒為功名到此，我只道他背義忘恩，那知他被人謀死。且喜得皇天憐念，不絕我兒之後，今日還有孫子來尋我。」

玄奘問：「婆婆的眼，如何都昏了？」

婆婆道：「我因思量你父親，終日懸望，不見他來，因此上哭得兩眼都昏了。」

玄奘便跪倒向天禱告道：「今玄奘一十八歲，父母之仇不能報復。今日領母命來尋婆婆，天若憐鑒弟子誠意，保我婆婆雙眼復明。」祝罷，就將舌尖與婆婆舔眼。須臾之間，雙眼舔開，仍復如初。

婆婆覷了小和尚道：「你果是我的孫子，恰和我兒子光蕊形容無二。」婆婆又喜又悲。

玄奘就領婆婆出了窰門，還到劉小二店內。將些房錢賃屋一間，與婆婆棲身。又將盤纏◆與婆婆道：「我此去，只月餘就回。」

隨即辭了婆婆，逕往京城。

尋到皇城東街殷丞相府上，與門上人道：「小僧是親戚，來探相公。」門上人稟知丞相，丞相道：「我與和尚並無親眷。」

夫人道：「我昨夜夢見我女兒滿堂嬌來家，莫不是女婿有書信回來

◆叫化──乞討。化音花。　盤纏──日常的費用。

也？」丞相便教請小和尚來到廳上。

小和尚見了丞相與夫人，哭拜在地，就懷中取出一封書來，遞與丞相。丞相拆開，從頭讀罷，放聲痛哭。

夫人問道：「相公，有何事故？」

丞相道：「這和尚是我與妳的外孫。女婿陳光蕊被賊謀死，滿堂嬌被賊強占為妻。」夫人聽罷，亦痛哭不止。

丞相道：「夫人休得煩惱，來朝奏知主上，親自統兵，定要與女婿報仇。」次日，丞相入朝，啟奏唐王曰：「今有臣婿狀元陳光蕊，帶領家小江州赴任，被艄子劉洪打死，占女為妻；假冒臣婿，為官多年。事屬異變，乞陛下立發人馬，剿除賊寇。」

唐王見奏大怒，就發御林軍六萬，著殷丞相督兵前去。丞相領旨出朝，即往教場內點了兵，逕往江州進發。曉行夜宿，星落烏飛，不覺已到江州。殷丞相兵馬，俱在北岸下了營寨，星夜令金牌下戶喚到江州同知、州判二人，丞相對他說知此事，叫他提兵相助，一同過江而去。

天尚未明，就把劉洪衙門圍了。劉洪正在夢中，聽得火炮一響，金鼓齊鳴，眾兵殺進私衙，劉洪措手不及，早被擒住。丞相傳下軍令，將劉洪一干人犯綁赴法場，令眾軍俱在城外安營去了。

丞相直入衙內正廳坐下，請小姐出來相見。小姐欲待要出，羞見父親，就要自縊。

玄奘聞知，急急將母解救，雙膝跪下，對母道：「兒與外公統兵◆至此，與父報仇。今日賊已擒捉，母親何故反要尋死？母親若死，孩兒豈能存乎？」丞相亦進衙勸解。

小姐道：「吾聞『婦人從一而終』。痛夫已被賊人所殺，豈可靦顏從賊？只因遺腹在身，只得忍恥偷生。今幸兒已長大，又見老父提兵報仇，為女兒者，有何面目相見？惟有一死以報丈夫耳！」

◆統兵──統領軍隊。

丞相道：「此非我兒以盛衰改節◈，皆因出乎不得已，何得為恥？」父女相抱而哭，玄奘亦哀哀不止。

丞相拭淚道：「你二人且休煩惱，我今已擒捉仇賊，且去發落去來。」即起身到法場。恰好江州同知亦差哨兵拿獲水賊李彪解到。

丞相大喜，就令軍牢押過劉洪、李彪，每人痛打一百大棍，取了供狀，招了先年不合謀死陳光蕊情由，先將李彪釘在木驢◈上，推去市曹，剮了千刀，梟首示眾訖；把劉洪拿到洪江渡口，先年打死陳光蕊處。

丞相與小姐、玄奘三人親到江邊，望空祭奠，活剜取劉洪心肝，祭了光蕊，燒了祭文一道。

三人望江痛哭，早已驚動水府，有巡海夜叉將祭文呈與龍王。

龍王看罷，就差鱉元帥去請光蕊來到，道：「先生，恭喜！恭喜！今有先生夫人、公子同岳丈俱在江邊祭你，我今送你還魂去也。再有如意珠一顆、走盤珠二顆、絞綃十端◈、明珠玉帶一條奉送。你今日便可夫妻子母相會也。」光蕊再三拜謝。龍王就令夜叉將光蕊身屍送出江口還魂。夜叉領命而去。

卻說殷小姐哭奠丈夫一番，又欲將身赴水而死，慌得玄奘拚命扯住。正在倉皇之際，忽見水面上一個死屍浮來，靠近江岸之旁。小姐忙向前認看，認得是丈夫的屍首，一發嚎啕大哭不已。眾人俱來觀看，只見光蕊舒拳伸腳，身子漸漸展動，忽地爬將起來坐下。眾人不勝驚駭。光蕊睜開眼，早見殷小姐與丈人殷丞相同著小和尚俱在身邊啼哭。

光蕊道：「你們為何在此？」

小姐道：「因汝被賊人打死，後來妾身生下此子，幸遇金山寺長老撫養長大，尋我相會，我教他去尋外公。父親得知，奏聞朝廷，統兵到此，拿住賊人，適才生取心肝，望空祭奠我夫。不知我夫怎生又得還魂？」

◈改節—改變節操。　端—古代布帛的長度單位。通常一端約等於一疋。

木驢—釘有橫木、裝有輪軸的刑具。古時處決犯人時，先將其釘在木驢上，遊街示眾。

光蕊道：「皆因我與妳昔年在萬花店時，買放了那尾金色鯉魚，誰知那鯉魚就是此處龍王。後來逆賊把我推在水中，全虧得他救我。方才又賜我還魂，送我寶物，俱在身上。更不想妳生下這兒子，又得岳丈為我報仇。真是苦盡甘來，莫大之喜！」

眾官聞知，都來賀喜。丞相就令安排酒席，答謝所屬官員。即日軍馬回程。來到萬花店，那丞相傳令安營，光蕊便同玄奘到劉家店尋婆婆。那婆婆當夜得了一夢，夢見枯木開花，屋後喜鵲頻頻喧噪，想道：「莫不是我孫兒來也？」說猶未了，只見店門外，光蕊父子齊到。

小和尚指道：「這不是俺婆婆？」光蕊見了老母，連忙拜倒。母子抱頭痛哭一場，把上項事說了一遍。算還了小二店錢，起程回到京城。進了相府，光蕊同小姐與婆婆、玄奘都來見了夫人。夫人不勝之喜，吩咐家僮，大排筵宴慶賀。

丞相道：「今日此宴，可取名為團圓會。」真正合家歡樂。

次日早朝，唐王登殿。殷丞相出班，將前後事情備細啟奏，並薦光蕊才可大用。唐王准奏，即命陞陳蕚為學士之職，隨朝理政。玄奘立意安禪◆，送在洪福寺內修行。

後來，殷小姐畢竟◆從容自盡。玄奘自到金山寺中報答法明長老。

不知後來事體若何，且聽下回分解。

◆**安禪**—安坐修習禪法。　**畢竟**—終歸、到底。

第一〇回

老龍王拙計犯天條　魏丞相遺書託冥吏

且不題光蕊盡職，玄奘修行。卻說長安城外涇河岸邊，有兩個賢人：一個是漁翁，名喚張稍；一個是樵子，名喚李定。他兩個是不登科◆的進士，能識字的山人。

一日，在長安城裡賣了肩上柴，貨◆了籃中鯉，同入酒館之中，吃了半酣，各攜一瓶，順涇河岸邊，徐步而回。

張稍道：「李兄，我想那爭名的，因名喪體；奪利的，為利亡身；受爵的，抱虎而眠；承恩◆的，袖蛇而走◆。算起來，還不如我們水秀山青，逍遙自在，甘淡薄，隨緣而過。」

李定道：「張兄說得有理。但只是

你那水秀，不如我的山青。」

張稍道：「你山青不如我的水秀。有一《蝶戀花》詞為證。詞曰：

煙波萬里扁舟小，靜依孤篷，西施聲音繞。

滌慮洗心名利少，閒攀蓼穗蒹葭草。

數點沙鷗堪樂道，柳岸蘆灣，妻子同歡笑。

一覺安眠風浪消，無榮無辱無煩惱。」

李定道：「你的水秀，不如我的山青。也有個《蝶戀花》詞為證。詞曰：

雲林一段松花滿，默聽鶯啼，巧舌如調管。

紅瘦綠肥春正暖，倏然夏至光陰轉。

又值秋來容易換，黃花香，堪供玩。

迅速嚴冬如指撚，逍遙四季無人管。」

◈登科──登上科舉考試之榜。　承恩──承受君主的恩德。　貨──出售。
袖蛇而走──比喻處境十分危險，隨時可能遭害。

漁翁道：「你山青不如我水秀，受用些好物。有一《鷓鴣天》為證：

仙鄉雲水足生涯，擺櫓橫舟便是家。
活剖鮮鱗烹綠鱉，旋蒸紫蟹煮紅蝦。
青蘆筍，水荇芽，菱角雞頭更可誇。
嬌藕老蓮芹葉嫩，慈菇茭白鳥英花。」

樵夫道：「你水秀不如我山青，受用些好物。亦有一《鷓鴣天》為證：

崔巍峻嶺接天涯，草舍茅庵是我家。
醃臘雞鵝強蟹鱉，獐犯兔鹿勝魚蝦。
香椿葉，黃楝芽，竹筍山茶更可誇。
紫李紅桃梅杏熟，甜梨酸棗木樨花。」

漁翁道：「你山青真個不如我的水秀。又有《天仙子》一首：

一葉小舟隨所寓，萬疊煙波無恐懼。

垂鈎撒網捉鮮鱗，沒醬膩，偏有味，老妻稚子團圓會。
魚多又貨長安市，換得香醪◆吃個醉。
簑衣當被臥秋江，鼾鼾睡，無憂慮，不戀人間榮與貴。」

樵子道：「你水秀還不如我的山青。也有《天仙子》一首：
茆舍◆數椽山下蓋，松竹梅蘭真可愛。
穿林越嶺覓乾柴，沒人怪，從我賣，或少或多憑世界。
將錢沽酒隨心快，瓦缽磁甌◆殊自在。
酕醄◆醉了臥松陰，無掛礙，無利害，不管人間興與敗。」

漁翁道：「李兄，你山中不如我水上生意快活。有一《西江月》為證：
紅蓼花繁映月，黃蘆葉亂搖風。

◆**雞頭**──芡實的別名。　**茆舍**──即茅舍。　**甌**──喝酒、飲茶的碗杯。
香醪──美酒。醪音牢。　**酕醄**──大醉。

碧天清遠楚江空，牽攪一潭星動。
入網大魚作隊，吞鈎小鱖成叢。
得來烹煮味偏濃，笑傲江湖打鬨◆。」

樵夫道：「張兄，你水上還不如我山中的生意快活。亦有《西江月》為證：

敗葉枯藤滿路，破梢老竹盈山。
女蘿◆乾葛亂牽攀，折取收繩殺擔◆。
蟲蛀空心榆柳，風吹斷頭松柟◆。
採來堆積備冬寒，換酒換錢從俺。」

漁翁道：「你山中雖可比過，還不如我水秀的幽雅。有一《臨江仙》為證：

潮落旋移孤艇去，夜深罷棹歌來。

簑衣殘月甚幽哉，宿鷗驚不起，天際彩雲開。
困臥蘆洲無個事，三竿日上還捱。
隨心儘意自安排，朝臣寒待漏，爭似我寬懷。」

樵夫道：「你水秀的幽雅，還不如我山青更幽雅。亦有《臨江仙》可證：

蒼徑秋高拽斧去，晚涼抬擔回來。
野花插鬢更奇哉，撥雲尋路出，待月叫門開。
稚子山妻欣笑接，草床木枕敧捱。
蒸梨炊黍旋鋪排，甕中新釀熟，真個壯幽懷。」

漁翁道：「這都是我兩個生意，贍身◈的勾當，你卻沒有我閒時節的好處。有詩為證。詩曰：

◈**打鬨**—戲鬧、開玩笑。 **女蘿**—松蘿的別名。 **殺擔**—束緊擔子。
枏—即楠木。枏音南。 **贍身**—養活自己。

閒看蒼天白鶴飛，停舟溪畔掩蒼扉。
倚篷教子搓鈎線，罷棹同妻曬網圍。
性定果然知浪靜，身安自是覺風微。
綠蓑青笠隨時著，勝掛朝中紫綬衣。」

樵夫道：「你那閒時又不如我的閒時好也。亦有詩為證。詩曰：

閒觀縹緲白雲飛，獨坐茅庵掩竹扉。
無事訓兒開卷讀，有時對客把棋圍。
喜來策杖歌芳徑，興到攜琴上翠微。
草履麻絛粗布被，心寬強似著羅衣。」

張稍道：「李定，我兩個真是微吟可相狎，不須檀板共金樽。但散道詞章，不為稀罕。且各聯幾句，看我們漁樵攀話何如？」

李定道：「張兄言之最妙。請兄先吟。」

舟停綠水煙波內，家住深山曠野中。
偏愛溪橋春水漲，最憐岩岫曉雲蒙。
龍門鮮鯉時烹煮，蟲蛀乾柴日燎烘。
釣網多般堪贍老，擔繩二事可容終。
小舟仰臥觀飛雁，草徑斜敧聽唳鴻。
口舌場中無我分，是非海內少吾蹤。
溪邊掛曬繒如錦，石上重磨斧似鋒。
秋月暉暉常獨釣，春山寂寂沒人逢。
魚多換酒同妻飲，柴剩沽壺共子叢。
自唱自斟隨放蕩，長歌長嘆任顛風◈。
呼兄喚弟邀船夥，挈友攜朋聚野翁。

◈羅衣—綺羅衣，絲質的衣服。 相狎—彼此親近、要好。 金樽—指精美的酒器。
檀板—以檀木製成的拍板，為戲曲伴奏與器樂合奏時的節拍器。
攀話—閒談、交談。 顛風—暴風、狂風。

行令◆猜拳頻遞盞，拆牌道字◆漫傳鍾。
烹蝦煮蟹朝朝樂，炒鴨燻◆雞日日豐。
愚婦煎茶情散誕，山妻造飯意從容。
曉來舉杖淘輕浪，日出擔柴過大衢◆。
雨後披蓑擒活鯉，風前弄斧伐枯松。
潛蹤避世裝痴蠢，隱姓埋名作啞聾。

張稍道：「李兄，我才僭先◆起句，今到我兄，也先起一聯，小弟亦當續之。」

風月佯狂山野漢，江湖寄傲老餘丁。
清閒有分隨瀟灑，口舌無聞喜太平。
月夜身眠茅屋穩，天昏體蓋箬簑輕。
忘情結識松梅友，樂意相交鷗鷺盟。
名利心頭無算計，干戈耳畔不聞聲。

隨時一酌香醪酒，度日三餐野菜羹。
兩束柴薪為活計，一竿釣線是營生。
閒呼稚子磨鋼斧，靜喚憨兒補舊繒。
春到愛觀楊柳綠，時融喜看荻蘆青。
夏天避暑修新竹，六月乘涼摘嫩菱。
霜降雞肥常日宰，重陽蟹壯及時烹。
冬來日上還沉睡，數九天高自不寒。
八節山中隨放性，四時湖裡任陶情。
採薪自有仙家興，垂釣全無世俗形。
門外野花香豔豔，船頭綠水浪平平。
身安不說三公位，性定強如十里城。

◆**行令**—行酒令。　**熝**—用小火將食物煨熟。熝音熬。
拆牌道字—一種流行於宋元的文字遊戲。說話者將欲表達的話，以拆字法說出。
大衢—即大街。　**僭先**—越禮占先。

十里城高防閫令◆，三公◆位顯聽宣聲。
樂山樂水真是罕，謝天謝地謝神明。

他二人既各道詞章，又相聯詩句。行到那分路去處，躬身作別。

張稍道：「李兄啊，途中保重，上山仔細看虎。假若有些凶險，正是『明日街頭少故人』！」

李定聞言，大怒道：「你這廝憊懶！好朋友也替得生死，你怎麼咒我？我若遇虎遭害，你必遇浪翻江。」

張稍道：「我永世也不得翻江。」

李定道：「『天有不測風雲，人有暫時禍福。』你怎麼就保得無事？」

張稍道：「李兄，你雖這等說，你還沒捉摸；不若我的生意有捉摸，定不遭此等事。」

李定道：「你那水面上營生，極凶極險，隱隱暗暗，有甚麼捉摸？」

張稍道：「你是不曉得。這長安城裡，西門街上，有一個賣卦◆的先生。

我每日送他一尾金色鯉，他就與我袖傳一課，依方位，百下百著。今日我又去買卦，他教我在涇河灣頭東邊下網，西岸拋鈎，定獲滿載魚蝦而歸。明日上城來，賣錢沽酒，再與老兄相敘。」二人從此敘別。

這正是：「路上說話，草裡有人。」

原來這涇河水府有一個巡水的夜叉，聽見了百下百著之言，急轉水晶宮，慌忙報與龍王道：「禍事了！禍事了！」

龍王問：「有甚禍事？」

夜叉道：「臣巡水去到河邊，只聽得兩個漁樵攀話，相別時，言語甚是利害。那漁翁說：長安城裡，西門街上，有個賣卦先生，算得最準。他每日送他鯉魚一尾，他就袖傳一課，教他百下百著。若依此等算準，卻不將

◆閫令——妻子的命令。用來嘲笑懼內者的話。閫音捆。

三公——人臣中最高的三個官位。　**賣卦**——以卜卦為業的人。

水族盡情打了？何以壯觀水府，何以躍浪翻波，輔助大王威力？」

龍王甚怒，急提了劍，就要上長安城，誅滅這賣卦的。

旁邊閃過龍子、龍孫、蝦臣、蟹士、鰣軍師、鱖少卿、鯉太宰，一齊啟奏道：「大王且息怒。常言道：『過耳之言，不可聽信。』大王此去，必有雲從，必有雨助，恐驚了長安黎庶◆，上天見責。大王隱顯莫測，變化無方，但只變一秀士，到長安城內訪問一番。果有此輩，容加誅滅不遲；若無此輩，可不是妄害他人也？」

龍王依奏，遂棄寶劍，也不興雲雨，出岸上，搖身一變，變做一個白衣秀士，真個：

丰姿英偉，聳壑昂霄◆。步履端詳◆，循規蹈矩。
語言遵孔孟，禮貌體周文。身穿玉色羅襴服，頭戴逍遙一字巾◆。

上路來，拽開雲步，逕到長安城西門大街上。只見一簇人，擠擠雜雜，鬧鬧哄哄。

內有高談闊論的道：「屬龍的本命，屬虎的相沖。寅辰巳亥，雖稱合局，但怕的是日犯歲君◆。」龍王聞言，情知是賣卜之處。走上前，分開眾人，望裡觀看。只見：

四壁珠璣，滿堂綺繡。寶鴨◆香無斷，磁瓶水恁清。兩邊羅列王維畫，座上高懸鬼谷◆形。端溪硯，金煙墨，相襯著霜毫大筆；火珠林◆，郭璞◆數，謹對了臺政新經。六爻熟諳，八卦精通。能知天地理，善曉鬼神情。

◆黎庶—百姓、民眾。　**聳壑昂霄**—比喻表現出眾，卓越不凡。

端詳—端莊安詳的意思。　**一字巾**—古時頭巾之一種。相傳起於宋韓世忠。

歲君—太歲。古人稱木星為太歲，相信沖犯太歲，就有災禍。　**寶鴨**—鴨形的香爐。

鬼谷—人名。姓名與生卒年皆不詳，戰國楚人，為縱橫家之祖，蘇秦、張儀之師，隱居於鬼谷，故稱為「鬼谷先生」。

火珠林—《火珠林》是火珠林卦法的代表作，不知是何朝代何人所著。

郭璞—字景純，東晉著名學者，既是文學家和訓詁學家，又是道學術數大師和遊仙詩的祖師。

一槃◆子午安排定，滿腹星辰布列清。
真個那未來事，過去事，觀如月鏡；幾家興，幾家敗，鑒若神明。
知凶定吉，斷死言生。開談風雨迅，下筆鬼神驚。
招牌有字書名姓，神課先生袁守誠。

此人是誰？原來是當朝欽天監臺正先生袁天罡的叔父，袁守誠是也。那先生果然相貌稀奇，儀容秀麗；名揚大國，術冠長安。龍王入門來，與先生相見。禮畢，請龍王上坐，童子獻茶。先生問曰：「公來問何事？」

龍王曰：「請卜天上陰晴事如何。」

先生即袖傳一課，斷曰：「雲迷山頂，霧罩林梢，若占雨澤，準在明朝。」

龍王曰：「明日甚時下雨？雨有多少尺寸？」

先生道：「明日辰時布雲，巳時發雷，午時下雨，未時雨足，共得水三尺三寸零四十八點。」

龍王笑曰：「此言不可作戲。如是明日有雨，依你斷的時辰、數目，我送課金五十兩奉謝；若無雨，或不按時辰、數目，我與你實說：定要打壞你的門面，扯碎你的招牌，即時趕出長安，不許在此惑眾。」

先生忻然而答：「這個一定任你。請了，請了。明朝雨後來會。」

龍王辭別，出長安，回水府。

大小水神接著，問曰：「大王訪那賣卦的如何？」

龍王道：「有，有，有！但是一個掉嘴口◆討春◆的先生。我問他幾時下雨，他就說明日下雨。問他甚麼時辰，甚麼雨數，他就說辰時布雲，巳時發雷，午時下雨，未時雨足，得水三尺三寸零四十八點。我與他打了個賭賽：若果如他言，送他謝金五十兩；如略差些，就打破他門面，趕他起身，不許在長安惑眾。」

眾水族笑曰：「大王是八河都總管，司雨大龍神，有雨無雨，惟大王知

◆槃——盤子。同「盤」。　掉嘴口——花言巧語。　討春——舊時江湖上切口，稱卜卦算命為討春。

之。他怎敢這等胡言？那賣卦的定是輸了！定是輸了！」

此時龍子、龍孫與那魚卿、蟹士正歡笑談此事未畢，只聽得半空中叫：「涇河龍王接旨。」眾抬頭上看，是一個金衣力士，手擎玉帝敕旨，逕投水府而來。慌得龍王整衣端肅，焚香接了旨。金衣力士回空而去。

龍王謝恩，拆封看時，上寫著：

敕命八河總，驅雷掣電行；明朝施雨澤，普濟長安城。

旨意上時辰、數目，與那先生判斷者毫髮不差。

諕得那龍王魂飛魄散。少頃甦醒，對眾水族曰：「塵世上有此靈人，真個是能通天徹地，卻不輸與他啊！」鰣軍師奏云：「大王放心。要贏他有何難處？臣有小計，管教滅那廝的口嘴。」

龍王問計，軍師道：「行雨差了時辰，少些點數，就是那廝斷卦不準，怕不贏他？那時捽碎招牌，趕他跑路，果何難也？」龍王依他所奏，果不擔憂。

至次日，點札◆風伯◆、雷公、雲童、電母，直至長安城九霄空上。他挨到那巳時方布雲，午時發雷，未時落雨，申時雨止，卻只得三尺零四十點，改了他一個時辰，尅◆了他三寸八點。雨後發放眾將班師。他又按落雲頭，還變做白衣秀士，到那西門裡大街上，撞入袁守誠卦鋪，不容分說，就把他招牌、筆、硯等一齊捽碎。那先生坐在椅上，公然不動。

這龍王又掄起門板便打，罵道：「這妄言禍福的妖人，煽惑眾心的潑漢！你卦又不靈，言又狂謬。說今日下雨的時辰、點數俱不相對。你還危然高坐，趁早去，饒你死罪！」

守誠猶公然不懼分毫，仰面朝天冷笑道：「我不怕！我不怕！我無死罪，只怕你倒有個死罪哩！別人好瞞，只是難瞞我也。我認得你，你不是秀士，乃是涇河龍王。你違了玉帝敕旨，改了時辰，尅了點數，犯了天條。你在那剮龍臺上，恐難免一刀，你還在此罵我？」

◆**點札**—調派、指揮。　**風伯**—風神。　**尅**—此為尅扣，剝削的意思。

龍王見說，心驚膽戰，毛骨悚然。急丟了門板，整衣伏禮，向先生跪下道：「先生休怪。前言戲之耳，豈知弄假成真，果然違犯天條，奈何？望先生救我一救！不然，我死也不放你。」

守誠曰：「我救你不得，只是指條生路與你投生便了。」

龍王曰：「願求指教。」

先生曰：「你明日午時三刻，該赴人曹◆官魏徵處聽斬。你果要性命，須當急急去告當今唐太宗皇帝方好。那魏徵是唐王駕下的丞相，若是討他個人情，方保無事。」

龍王聞言，拜辭含淚而去。不覺紅日西沉，太陰星上。但見：

煙凝山紫歸鴉倦，遠路行人投旅店。
渡頭新雁宿汀沙，銀河現，催更籌，孤村燈火光無焰。
風裊爐煙清道院，蝴蝶夢中人不見。
月移花影上欄杆，星光亂，漏聲換，不覺深沉夜已半。

這涇河龍王也不回水府，只在空中。等到子時前後，收了雲頭，斂了霧角，逕來皇宮門首。此時唐王正夢出宮門之外，步月花陰。忽然龍王變做人相，上前跪拜，口叫：「陛下，救我！救我！」太宗云：「你是何人？朕當救你。」龍王云：「陛下是真龍，臣是業龍◆。臣因犯了天條◆，該陛下賢臣人曹官魏徵處斬，故來拜求，望陛下救我一救。」太宗曰：「既是魏徵處斬，朕可以救你，你放心前去。」龍王歡喜，叩謝而去。

卻說那太宗夢醒後，念念在心。早已至五鼓三點，太宗設朝，聚集兩班文武官員。但見那：

煙籠鳳闕，香靄龍樓。光搖丹扆◆動，雲拂翠華流。

◆**業龍**—就是蛇。蛇也叫小龍。 **天條**—天界的法律。
人曹—指主管人間事物的人官。 **丹扆**—朱紅色的屏風。扆音以。

君臣相契同堯舜，禮樂威嚴近漢周。
侍臣燈，宮女扇，雙雙映彩；孔雀屏，麒麟殿，處處光浮。
山呼萬歲，華祝千秋。靜鞭◆三下響，衣冠拜冕旒◆。
宮花燦爛天香襲，堤柳輕柔御樂謳。
珍珠簾，翡翠簾，金鈎高控；龍鳳扇，山河扇，寶輦停留。
文官英秀，武將抖擻。御道分高下，丹墀列品流。
金章紫綬乘三象，地久天長萬萬秋。

眾官朝賀已畢，各各分班。唐王閃鳳目龍睛，一一從頭觀看，只見那文官內是房玄齡、杜如晦、徐世勣、許敬宗、王珪等，武官內是馬三寶、段志賢、殷開山、程咬金、劉洪紀、胡敬德、秦叔寶等，一個個威儀端肅，卻不見魏徵丞相。

唐王召徐世勣上殿道：「朕夜間得一怪夢：夢見一人，迎面拜謁，口稱是涇河龍王，犯了天條，該人曹官魏徵處斬，拜告寡人救他，朕已許諾。

今日班前獨不見魏徵，何也？」

世勣對曰：「此夢告準，須喚魏徵來朝，陛下不要放他出門，過此一日，可救夢中之龍。」唐王大喜，即傳旨，著當駕官宣魏徵入朝。

卻說魏徵丞相在府，夜觀乾象，正爇寶香，只聞得九霄鶴唳，卻是天差仙使，捧玉帝金旨一道，著他午時三刻，夢斬涇河老龍。這丞相謝了天恩，齋戒沐浴，在府中試慧劍，運元神，故此不曾入朝。一見當駕官齎旨來宣，惶懼無任；又不敢違遲君命，只得急急整衣束帶，同旨入朝，在御前叩頭請罪。

唐王道：「赦卿無罪。」那時諸臣尚未退朝，至此，卻命捲簾散朝。獨留魏徵，宣上金鑾，召入便殿，先議論安邦之策，定國之謀。

◆**靜鞭**—舊日朝會的儀仗。以綢纏繞編成的軟鞭，揮打時，發出陣陣響聲，使人肅靜。

冕旒—冕，禮帽。旒，禮帽前後端垂下的穿玉絲繩。冕旒是古代最尊貴的一種禮帽，平頂。天子的禮帽有十二旒，諸侯以下遞減。

將近巳末午初時候，卻命宮人：「取過大棋來，朕與賢卿對弈一局。」眾嬪妃隨取棋枰，鋪設御案。魏徵謝了恩，即與唐王對弈，一遞一著，擺開陣勢。正合《爛柯經》云：

博弈之道，貴乎嚴謹。

高者在腹，下者在邊，中者在角，此棋家之常法。

法曰：「寧輸一子，不失一先。」擊左則視右，攻後則瞻前。

有先而後，有後而先。兩生勿斷，皆活勿連。

闊不可太疏，密不可太促。

與其戀子以求生，不若棄之而取勝；

與其無事而獨行，不若固之而自補。

彼眾我寡，先謀其生；我眾彼寡，務張其勢。

善勝者不爭，善陣者不戰；善戰者不敗，善敗者不亂。

夫棋始以正合，終以奇勝。

凡敵無事而自補者，有侵絕之意；棄小而不救者，有圖大之心；

隨手而下者，無謀之人；不思而應者，取敗之道。《詩》云：「惴惴小心，如臨於谷。」此之謂也。

詩曰：

棋盤為地子為天，色按陰陽造化全。
下到玄微通變處，笑誇當日爛柯仙。

君臣兩個對弈，此棋正下到午時三刻，一盤殘局未終，魏徵忽然俯伏在案邊，鼾鼾盹睡。太宗笑曰：「賢卿真是匡扶社稷之心勞，創立江山之力倦，所以不覺盹睡。」太宗任他睡著，更不呼喚。不多時，魏徵醒來，俯伏在地道：「臣該萬

◆**棋枰**——畫有許多格子，可在上排列棋子的板子。通常以紙、木板等製成。
爛柯——唐朝詩人孟郊有一首〈爛柯山石橋〉：「樵客返歸路，斧柯爛從風，惟餘石橋在，猶自凌丹紅。」「爛柯」成為了圍棋經久流傳的別稱。

死！臣該萬死！卻才倦困，不知所為，望陛下赦臣慢君之罪。」

太宗道：「卿有何慢罪？且起來，拂退殘棋，與卿重新更著。」

魏徵謝了恩，卻才拈子在手，忽聽得朝門外大呼小叫。原來是秦叔寶、徐茂公等，將著一個血淋淋的龍頭，擲在帝前，啟奏道：「陛下，海淺河枯曾有見，這般異事卻無聞。」

太宗與魏徵起身道：「此物何來？」

叔寶、茂公道：「千步廊南，十字街上，雲端裡落下這顆龍頭，微臣不敢不奏。」

唐王驚問魏徵：「此是何說？」

魏徵轉身叩頭道：「是臣才一夢斬的。」

唐王聞言，大驚道：「賢卿盹睡之時，又不曾見動身動手，又無刀劍，如何卻斬此龍？」

魏徵奏道：「主公，臣的身在君前，夢離陛下。身在君前對殘局，合眼朦朧；夢離陛下乘瑞雲，出神抖擻。那條龍在剮龍臺上，被天兵將綁縛其中。是臣道：『你犯天條，合當死罪。我奉天命，斬汝殘生。』龍聞哀苦，臣抖精神。龍聞哀苦，伏爪收鱗甘受死；臣抖精神，撩衣進步舉霜鋒。扢扠◆一聲刀過處，龍頭因此落虛空。」

太宗聞言，心中悲喜不一。喜者，誇獎魏徵好臣，朝中有此豪傑，愁甚江山不穩？悲者，謂夢中曾許救龍，不期竟致遭誅。只得強打精神，傳旨著叔寶將龍頭懸掛市曹，曉諭長安黎庶。一壁廂賞了魏徵，眾官散訖。

當晚回宮，心中只是憂悶。想那夢中之龍，哭啼啼哀告求生，豈知無常，難免此患。思念多時，漸覺神魂倦怠，身體不安。當夜二更時分，只聽得宮門外有號泣之聲，太宗愈加驚恐。

◆扢扠—象聲詞。扢扠音股插。

正朦朧睡間，又見那涇河龍王手提著一顆血淋淋的首級，高叫：「唐太宗，還我命來！還我命來！你昨夜滿口許諾救我，怎麼天明時反宣人曹官來斬我？你出來！你出來！我與你到閻君處折辨◆折辨！」他扯住太宗，再三嚷鬧不放。太宗箝口◆難言，只掙得汗流遍體。正在那難分難解之時，只見正南上香雲繚繞，彩霧飄飄，有一個女真人上前，將楊柳枝用手一擺，那沒頭的龍悲悲啼啼，逕往西北而去。

原來這是觀音菩薩領佛旨，上東土尋取經人，住此長安城都土地廟裡，夜聞鬼泣神號，特來喝退業龍，救脫皇帝。那龍逕到陰司地獄具告不題。

卻說太宗甦醒回來，只叫：「有鬼！有鬼！」慌得那三宮皇后、六院嬪妃，與近侍太監，戰兢兢，一夜無眠。不覺五更三點，那滿朝文武多官，都在朝門外候朝。等到天明，猶不見臨朝，諕得一個個驚懼躊躇。

及日上三竿，方有旨意出來道：「朕心不快，眾官免朝。」不覺倏五七日，眾官憂惶，都正要撞門見駕問安，只見太后有旨，召醫官入宮用藥。

眾人在朝門等候討信。少時，醫官出來，眾問何疾。醫官道：「皇上脈氣不正，虛而又數，狂言見鬼。又診得十動一代，五臟無氣，恐不諱只在七日之內矣。」眾官聞言，大驚失色。

正愴惶間，又聽得太后有旨宣徐茂公、護國公、尉遲恭見駕。三公奉旨，急入到分宮樓下。拜畢，太宗正色強言道：「賢卿，寡人十九歲領兵，南征北伐，東擋西除，苦歷數載，更不曾見半點邪祟，今日卻反見鬼。」尉遲恭道：「創立江山，殺人無數，何怕鬼乎？」太宗道：「卿是不信。朕這寢宮門外，入夜就拋磚弄瓦，鬼魅呼號，著然◆難處。白日猶可，昏夜難禁。」叔寶道：「陛下寬心，今晚臣與敬德把守宮門，看有甚麼鬼祟。」太宗准奏。茂公謝恩而出。當日天晚，各取披掛，他兩個介冑◆整齊，執金瓜、鉞

◆折辨—分辯、解釋。　箝口—閉口不說話。　著然—實在、簡直。　介冑—披甲戴盔。

斧，在宮門外把守。好將軍！你看他怎生打扮：

頭戴金盔光爍爍，身披鎧甲龍鱗。
護心寶鏡晃祥雲，獅蠻收緊扣，繡帶彩霞新。
這一個鳳眼朝天星斗怕，那一個環睛映電月光浮。
他本是英雄豪傑舊勳臣，只落得千年稱戶尉，萬古作門神。

二將軍侍立門旁，一夜天曉，更不曾見一點邪祟。是夜，太宗在宮，安寢無事。曉來宣二將軍，重重賞勞道：「朕自得疾，數日不能得睡，今夜仗二將軍威勢甚安。卿且請出安息安息，待晚間再一護衛。」二將謝恩而出。遂此二三夜把守俱安。只是御膳減損，病轉覺重。太宗又不忍二將辛苦，又宣叔寶、敬德與杜、房諸公入宮，吩咐道：「這兩日朕雖得安，卻只難為秦、胡二將軍徹夜辛苦。朕欲召巧手丹青，傳二將軍真容，貼於門上，免得勞他。如何？」眾臣即依旨，選兩個會寫真的，著胡、秦二公依前披掛，照樣畫了，貼在門上。夜間也即無事。

如此二三日，又聽得後宰門乒乓乒乓，磚瓦亂響。曉來即宣眾臣曰：「連日前門幸喜無事，今夜後門又響，卻不又驚殺寡人也。」

茂公進前奏道：「前門不安，是敬德、叔寶護衛；後門不安，該著魏徵護衛。」太宗准奏，又宣魏徵今夜把守後門。徵領旨，當夜結束整齊，提著那誅龍的寶劍，侍立在後宰門前，真個的好英雄也。他怎生打扮：

熟絹青巾抹額◈，錦袍玉帶垂腰。
兜風氅袖采霜飄，壓賽壘荼神貌。
腳踏烏靴坐折，手持利刃凶驍。
圓睜兩眼四邊瞧，哪個邪神敢到？

◈戶尉—正門上所貼有守護作用的神畫像。　抹額—繫綁在額頭上的布巾。

一夜通明，也無鬼魅。雖是前後門無事，只是身體漸重。一日，太后又傳旨，召眾臣商議殯殮後事。太宗又宣徐茂公，吩咐國家大事，叮囑倣劉蜀主託孤之意。言畢，沐浴更衣，待時而已。

旁閃魏徵，手扯龍衣，奏道：「陛下寬心，臣有一事，管保陛下長生。」

太宗道：「病勢已入膏肓，命將危矣，如何保得？」

徵云：「臣有書一封，進與陛下，捎去到陰司，付酆都判官崔珏。」

太宗道：「崔珏是誰？」

徵云：「崔珏乃是太上先皇帝駕前之臣，先受茲州令，後升禮部侍郎。在日與臣八拜為交，相知甚厚。他如今已死，現在陰司做掌生死文簿的酆都判官，夢中常與臣相會。此去若將此書付與他，他念微臣薄分，必然放陛下回來。管教魂魄還陽世，定取龍顏轉帝都。」

太宗聞言，接在手中，籠入袖裡，遂瞑目而亡。那三宮六院、皇后嬪妃、侍長儲君及兩班文武，俱舉哀戴孝。又在白虎殿上，停著梓宮◆不題。

畢竟不知太宗如何還魂，且聽下回分解。

◆梓宮——皇帝的棺木。以梓木做成。

第一一回

遊地府太宗還魂
進瓜果劉全續配

詩曰：

百歲光陰似水流，一生事業等浮漚。
昨朝面上桃花色，今日頭邊雪片浮。
白蟻陣殘方是幻，子規聲切早回頭。
古來陰騭能延壽，善不求憐天自周。

卻說太宗渺渺茫茫，魂靈逕出五鳳樓前，只見那御林軍馬，請大駕出朝採獵。太宗忻然從之，縹緲而去。行了多時，人馬俱無。獨自一個，散步荒郊草野之間。

正驚惶難尋道路，只見那一邊，有一人高聲大叫道：「大唐皇帝，往這裡來！往這裡來！」太宗聞言，抬頭觀看，只見那人：

頭頂烏紗，腰圍犀角。
頭頂烏紗飄軟帶，腰圍犀角顯金廂。
手擎牙笏◈凝祥靄，身著羅袍隱瑞光。
腳踏一雙粉底靴，登雲促霧；
懷揣一本生死簿，注定存亡。
鬢髮蓬鬆飄耳上，鬍鬚飛舞繞腮旁。
昔日曾為唐國相，如今掌案侍閻王。

太宗行到那邊，只見他跪拜路旁，口稱：「陛下，赦臣失誤遠迎之罪。」太宗問曰：「你是何人？因甚事前來接拜？」

◈浮漚—比喻生命短暫或世事無常。漚音歐。
陰騭—語出《書經．洪範》：「惟天陰騭下民，相協厥居。」為默定的意思。後引申為默默行善的德行。騭音至。 採獵—狩獵。 牙笏—象牙製的笏板，古代臣子上朝時所用。笏音護。

那人道：「微臣半月前在森羅殿◈上，見涇河鬼龍告陛下許救反誅之故，第一殿秦廣大王即差鬼使催請陛下，要三曹對案◈。臣已知之，故來此間候接。不期今日來遲，望乞恕罪，恕罪。」

太宗道：「你姓甚名誰？是何官職？」

那人道：「微臣存日，在陽曹侍先君駕前，為茲州令，後拜禮部侍郎，姓崔名珏。今在陰司，得受酆都掌案判官。」

太宗大喜，即近前，御手忙攙道：「先生遠勞。朕駕前魏徵有書◈一封，正寄與先生，卻好相遇。」判官謝恩，問書在何處。太宗即向袖中取出遞與。崔珏拜接了，拆封而看。其書曰：

辱愛弟魏徵，頓首◈書拜大都案契兄◈崔老先生臺下：

憶昔交遊，音容如在。倏爾數載，不聞清教。

常只是遇節令，設蔬品奉祭，未卜享否？

又承不棄，夢中臨示，始知我兄長大人高遷。

奈何陰陽兩隔，天各一方，不能面覿。

今因我太宗文皇帝倏然而故，料是對案三曹，必然得與兄長相會。萬祈俯念生日交情，方便一二，放我陛下回陽，殊為愛也。容再修謝。不盡。

那判官看了書，滿心歡喜道：「魏人曹前日夢斬老龍一事，臣已早知，甚是誇獎不盡。又蒙他早晚看顧臣的子孫，今日既有書來，陛下寬心，微臣管送陛下還陽，重登玉闕。」太宗稱謝了。

二人正說間，只見那邊有一對青衣童子執幢幡◆、寶蓋◆，高叫道：「閻王有請，有請。」太宗遂與崔判官並二童子舉步前進。

◆**森羅殿**—相傳為陰曹地府閻羅所居住的殿。
三曹對案—審案時，原告、被告與證人三方同時到場，進行對質。
頓首—古代書信中，尊崇對方的敬語。　**契兄**—結拜兄弟。　**書**—這裡是指信件。
幢幡—佛教道場用來裝飾的長形旗幟。幢幡音床翻。　**寶蓋**—用珍寶裝飾的華蓋。

忽見一座城，城門上掛著一面大牌，上寫著「幽冥地府鬼門關」七個大金字。那青衣將幢幡搖動，引太宗逕入城中，順街而走。只見那街旁邊有先主李淵、先兄建成、故弟元吉，上前道：「世民來了！世民來了！」那建成、元吉就來揪打索命。太宗躲閃不及，被他扯住。幸有崔判官喚一青面獠牙鬼使，喝退了建成、元吉，太宗方得脫身而去。行不數里，見一座碧瓦樓臺，真個壯麗。但見：

飄飄萬疊彩霞堆，隱隱千條紅霧現。
耿耿簷飛怪獸頭，輝輝五疊鴛鴦片。
門鑽幾路赤金釘，檻設一橫白玉段。
牕牖◆近光放曉煙，簾櫳晃亮穿紅電。
樓臺高聳接青霄，廊廡平排連寶院。
獸鼎香雲襲御衣，絳紗燈火明宮扇。
左邊猛烈擺牛頭◆，右下崢嶸羅馬面◆。
接亡送鬼轉金牌，引魄招魂垂素練。

喚做陰司總會門，下方閻老森羅殿。

太宗正在外面觀看，只見那壁廂環珮叮噹，仙香奇異，外有兩對提燭，後面卻是十代閻王降階而至，是那十代閻君：秦廣王、楚江王、宋帝王、五官王、閻羅王、平等王、泰山王、都市王、卞城王、轉輪王。十王出在森羅寶殿，控背◈躬身，迎迓太宗。太宗謙下，不敢前行。十王道：「陛下是陽間人王，我等是陰間鬼王，分所當然，何須過讓？」太宗道：「朕得罪麾下，豈敢論陰陽人鬼之道？」遜之不已。太宗前行，逕入森羅殿上，與十王禮畢，分賓主坐定。

約有片時，秦廣王拱手而進言曰：「涇河鬼龍告陛下許救而反殺之，何也？」

◈**牕牖**—窗戶。牕牖音窗有。　**牛頭馬面**—神話傳說地獄中的鬼卒。　**控背**—躬身敬禮。

太宗道：「朕曾夜夢老龍求救，實是允他無事。不期他犯罪當刑，該我那人曹官魏徵處斬。朕宣魏徵在殿著棋，不知他一夢而斬。這是那人曹官出沒神機，又是那龍王犯罪當死，豈是朕之過也？」

十王聞言，伏禮道：「自那龍未生之前，南斗星死簿上已注定該遭殺於人曹之手，我等早已知之。但只是他在此折辨，定要陛下來此，三曹對案。是我等將他送入輪藏，轉生去了。今又有勞陛下降臨，望乞恕我催促之罪。」言畢，命掌生死簿判官急取簿子來，看陛下陽壽天祿該有幾何。

崔判官急轉司房，將天下萬國國王天祿總簿，先逐一檢閱，只見南贍部洲大唐太宗皇帝注定貞觀一十三年。崔判官吃了一驚，急取濃墨大筆，將「一」字上添了兩畫，卻將簿子呈上。十王從頭一看，見太宗名下注定三十三年，閻王驚問：「陛下登基多少年了？」

太宗道：「朕即位，今一十三年了。」

閻王道：「陛下寬心勿慮，還有二十年陽壽。此一來已是對案明白，請返本還陽。」太宗聞言，躬身稱謝。十閻王差崔判官、朱太尉二人，送太宗還魂。

太宗出森羅殿，又起手問十王道：「朕宮中老少安否如何？」

十王道：「俱安，但恐御妹壽似不永。」

太宗又再拜啟謝：「朕回陽世，無物可酬謝，惟答瓜果而已。」

十王喜曰：「我處頗有東瓜、西瓜，只少南瓜。」

太宗道：「朕回去即送來，即送來。」從此遂相揖而別。

那太尉執一首引魂幡◆，在前引路。崔判官隨後保著太宗，逕出幽司。

太宗舉目而看，不是舊路，問判官曰：「此路差矣？」

判官道：「不差。陰司裡是這般，有去路，無來路。如今送陛下自『轉輪

◆**南斗星死簿**—指由玉帝掌控的天上神仙生死名單。　**天祿**—天所授與的祿位。指帝位。

輪藏—將藏經樓中所使用之書架，設置機輪便於旋轉，稱為輪藏。

轉生—佛教指原先的生命結束，再投生成另一個新的生命體。　**返本**—返回原來的地方。

引魂幡—喪葬時用以招引鬼魂的旗子。

藏』出身，一則請陛下遊觀地府，一則教陛下轉托超生。」

太宗只得隨他兩個引路前來。逕行數里，忽見一座高山，陰雲垂地，黑霧迷空。太宗道：「崔先生，那廂是甚麼山？」

判官道：「乃幽冥背陰山。」太宗悚懼道：「朕如何去得？」

判官道：「陛下寬心，有臣等引領。」太宗戰戰兢兢，相隨二人，上得山岩，抬頭觀看，只見：

形多凸凹，勢更崎嶇。峻如蜀嶺，高似廬巖。
非陽世之名山，實陰司之險地。
荊棘叢叢藏鬼怪，石崖磷磷◆隱邪魔。
耳畔不聞獸鳥噪，眼前惟見鬼妖行。
陰風颯颯，黑霧漫漫。
陰風颯颯，是神兵口內哨來煙；
黑霧漫漫，是鬼祟暗中噴出氣。
一望高低無景色，相看左右盡猖亡◆。

那裡山也有，峰也有，嶺也有，洞也有，澗也有；
只是山不生草，峰不插天，嶺不行客，洞不納雲，澗不流水。
岸前皆魍魎◆，嶺下盡神魔，洞中收野鬼，澗底隱邪魂。
山前山後，牛頭馬面亂喧呼；
半掩半藏，餓鬼窮魂時對泣。
催命的判官，急急忙忙傳信票◆；
追魂的太尉，吆吆喝喝趲◆公文。
急腳子◆，旋風滾滾；勾司人◆，黑霧紛紛。

太宗全靠著那判官保護，過了陰山。前進又歷了許多衙門，一處處俱是悲聲振耳，惡怪驚心。太宗又道：「此是何處？」

◆**磷磷**—清晰可見的樣子。　**猖亡**—蒼茫。　**魍魎**—山川中的木石精靈。
信票—一種作為憑據證明的票券。　**趲**—逼趕、催促。趲音攢。
急腳子—比喻急性子的人。　**勾司人**—傳說中陰間的勾魂使者。

判官道：「此是陰山背後一十八層地獄。」太宗道：「是哪十八層？」

判官道：「你聽我說：吊筋獄、幽枉獄、火坑獄，寂寂寥寥，煩煩惱惱，盡皆是生前作下千般業，死後通來受罪名。酆都獄◆、拔舌獄◆、剝皮獄，哭哭啼啼，悽悽慘慘，只因不忠不孝傷天理，佛口蛇心墮此門。磨捱獄、碓搗獄◆、車崩獄◆，皮開肉綻，抹嘴咨牙，乃是瞞心昧己不公道，巧語花言暗損人。

「寒冰獄◆、脫殼獄、抽腸獄，垢面蓬頭，愁眉皺眼，都是大斗小秤欺痴蠢，致使災屯累自身。油鍋獄、黑暗獄◆、刀山獄◆，戰戰兢兢，悲悲切切，皆因強暴欺良善，藏頭縮頸苦伶仃。

「血池獄、阿鼻獄◆、秤杆獄，脫皮露骨，折臂斷筋，也只為謀財害命，宰畜屠生，墮落千年難解釋，沉淪永世不翻身。一個個緊縛牢拴，繩纏索綁。差些赤髮鬼、黑臉鬼，長槍短劍；牛頭鬼、馬面鬼，鐵簡銅鎚；只打得皺眉苦面血淋淋，叫地叫天無救應。

「正是：人生卻莫把心欺，神鬼昭彰◆放過誰？善惡到頭終有報，只爭來早與來遲。」太宗聽說，心中驚慘。

進前又走不多時，見一夥鬼卒各執幢幡，路旁跪下道：「橋梁使者來接。」判官喝令起去，上前引著太宗，從金橋而過。

太宗又見那一邊有一座銀橋，橋上行幾個忠孝賢良之輩，公平正大之人，亦有幢幡接引；那壁廂又有一橋，寒風滾滾，血浪滔滔，號泣之聲不絕。

◈**酆都獄**—罪魂被綁在陰山下木樁上，土石夾雜洪水傾瀉而下，罪魂隨即被土石流砸得粉碎，身首異處。

拔舌獄—小鬼掰開來人的嘴，用鐵鉗夾住舌頭，生生拔下，非一下拔下，而是拉長慢拽。

碓搗獄—把鬼魂放在石臼里用杵舂。碓音對。 **寒冰獄**—令其脫光衣服，裸體上冰山。

車崩獄—又稱火輪地獄，設於焦谷之底。一日之中，有不期火輪之車，以銅獸為身，精鋼為輪，狂飆飛馳，朝罪犯衝撞。每一輛車各站厲鬼一名，以鋼矛猛戳，犯人哀號四竄，遍野只留下殘肢斷體，在毒火中燃燒。少頃一陣陰風吹過，殘肢斷體又復原狀，再受火崩車輾之苦，一日不計其次。 **黑暗獄**—黑暗如漆，永遠不見光明。

刀山獄—脫光衣物，令其赤身裸體爬上刀山。 **昭彰**—彰顯、明示。

阿鼻獄—即痛苦無有間斷的地獄。為佛教傳說中八大地獄中最下、最苦之處。

太宗問道：「那座橋是何名色？」

判官道：「陛下，那叫做奈河橋◆。若到陽間，切須傳記。那橋下都是些奔流浩浩之水，險峻窄窄之路。儼如疋練◆搭長江，卻似火坑浮上界。陰氣逼人寒透骨，腥風撲鼻味鑽心。波翻浪滾，往來並沒渡人船；赤腳蓬頭，出入盡皆作業鬼。橋長數里，闊只三戲◆，高有百尺，深卻千重。上無扶手欄杆，下有搶人惡怪。枷杻◆纏身，打上奈河險路。你看那橋邊神將甚凶頑，河內孽魂真苦惱。枒杈樹上，掛的是青紅黃紫色絲衣；壁斗崖前，蹲的是毀罵公婆淫潑婦。銅蛇鐵狗任爭餐，永墮奈河無出路。」

詩曰：

時聞鬼哭與神號，血水渾波萬丈高。

無數牛頭並馬面，猙獰把守奈河橋。

正說間，那幾個橋梁使者早已回去了。太宗心又驚惶，點頭暗嘆，默默悲傷。相隨著判官、太尉，早過了奈河惡水，血盆苦界。

前又到枉死城，只聽哄哄人嚷，分明說：「李世民來了！李世民來了！」

太宗聽叫，心驚膽戰。

見一夥拖腰折臂、有足無頭的鬼魅，上前攔住；都叫道：「還我命來！還我命來！」

慌得那太宗藏藏躲躲，只叫：「崔先生救我！崔先生救我！」

判官道：「陛下，那些人都是那六十四處煙塵、七十二處草寇眾王子、眾頭目的鬼魂，盡是枉死的冤業，無收無管，不得超生，又無錢鈔盤纏，都是孤寒餓鬼。陛下得些錢鈔與他，我才救得哩。」

太宗道：「寡人空身到此，卻哪裡得有錢鈔？」

◆**奈河橋**—是鬼魂歷經十殿閻羅後準備投胎的必經之地，有孟婆給予每個鬼魂一碗湯以遺忘前世記憶，好輪迴到下一世。

疋練—一匹白布。**㪍**—用拇指與食指或中指伸展量物。㪍音雜。

枷杻—木枷與手械。帶於囚犯頸項、手腕的刑具。枷杻音家丑。

判官道：「陛下，陽間有一人，金銀若干，在我這陰司裡寄放。陛下可出名立一約，小判可作保，且借他一庫，給散這些餓鬼，方得過去。」太宗問曰：「此人是誰？」判官道：「他是河南開封府人氏，姓相名良，他有十三庫金銀在此。陛下若借用過他的，到陽間還他便了。」太宗甚喜，情願出名借用。遂立了文書與判官，借他金銀一庫，著太尉盡行給散。判官復吩咐道：「這些金銀，汝等可均分用度，放你大唐爺爺過去，他的陽壽還早哩。我領了十王鈞語◆，送他還魂，教他到陽間做一個水陸大會◆，度汝等超生，再休生事。」一眾鬼聞言，得了金銀，俱唯唯而退。判官令太尉搖動引魂幡，領太宗出離了枉死城中，奔上平陽大路，飄飄蕩蕩而去。

前進多時，卻來到六道輪迴◆之所。又見那騰雲的，身披霞帔；受籙的，腰掛金魚◆。僧尼道俗，走獸飛禽，魑魅◆魍魎，滔滔都奔走那輪迴之下，各進其道。唐王問曰：「此意何如？」

判官道：「陛下明心見性◆，是必記了，傳與陽間人知。這喚做『六道輪迴』：行善的，升化仙道；盡忠的，超生貴道；行孝的，再生福道；公平的，還生人道；積德的，轉生富道；惡毒的，沉淪鬼道。」

唐王聽說，點頭嘆曰：

善哉真善哉，作善果無災。善心常切切，善道大開開。
莫教興惡念，是必少刁乖◆。休言不報應，神鬼有安排。

判官送唐王直至那超生貴道門，拜呼唐王道：「陛下啊，此間乃出頭之

◆**鈞語**─法語、咒語。
水陸大會─即水陸道場。時間少則七天，多則四十九天，法會期間以誦經、設齋、禮佛、拜懺為主。以使六道眾生脫離苦海。水陸是概括六道眾生的生存環境，故稱為「水陸道場」。
六道輪迴─一切尚未證得解脫的眾生，由於業力的關係，永遠在天道、人道、阿修羅道、餓鬼道、畜生道、地獄道六種範圍內轉化不休。
金魚─古代官員的佩飾。唐制三品以上、元代四品以上官員佩帶金魚飾。
魑魅─鬼怪。　**明心見性**─洞明心性的本源。　**刁乖**─奸滑。

處，小判告回，著朱太尉再送一程。」

唐王謝道：「有勞先生遠踄。」

判官道：「陛下到陽間，千萬做個水陸大會，超度那無主的冤魂，切勿忘了。若是陰司裡無報怨之聲，陽世間方得享太平之慶。凡百不善之處，俱可一一改過。普諭世人為善，管教你後代綿長，江山永固。」

唐王一一准奏，辭了崔判官，隨著朱太尉，同入門來。那太尉見門裡有一匹海騮馬，鞍轡齊備，急請唐王上馬，太尉左右扶持。馬行如箭，早到了渭水河邊。只見那水面上有一對金色鯉魚，在河裡翻波跳鬥。唐王見了心喜，兜馬貪看不捨。

太尉道：「陛下，趲動些，趁早趕時辰進城去也。」

那唐王只管貪看，不肯前行。被太尉撮著腳，高呼道：「還不走，等甚？」撲地一聲，望那渭河推下馬去。卻就脫了陰司，逕回陽世。

卻說那唐朝駕下有徐茂功、秦叔寶、胡敬德、段志賢、馬三寶、程咬金、高士廉、徐世勣、房玄齡、杜如晦、蕭瑀、傅奕、張道源、張士衡、王珪等兩班文武，俱保著那東宮太子與皇后、嬪妃、宮娥、侍長，都在那白虎殿上舉哀。一壁廂議傳哀詔，要曉諭天下，欲扶太子登基。

時有魏徵在旁道：「列位且住。不可！不可！假若驚動州縣，恐生不測。且再按候一日，我主必還魂也。」

下邊閃上許敬宗道：「魏丞相言之甚謬。自古云：『潑水難收，人逝不返。』你怎麼還說這等虛言，惑亂人心，是何道理？」

魏徵道：「不瞞許先生說，下官自幼得授仙術，推算最明，管取陛下不死。」

正講處，只聽得棺中連聲大叫道：「淹殺我耶！淹殺我耶！」諕得個文官武將心慌，皇后嬪妃膽戰。一個個：

◆**跗**──蹈、涉。跗音步。　**鞍韂**──鞍與韂，皆馬上裝置，以便騎者。韂音懺。

面如秋後黃桑葉，腰似春前嫩柳條。
儲君腳軟，難扶喪杖盡哀儀；侍長魂飛，怎戴梁冠遵孝禮。
嬪妃打跌，綵女攲斜。
嬪妃打跌，卻如狂風吹倒敗芙蓉；綵女攲斜，好似驟雨沖歪嬌菡萏。
眾臣悚懼，骨軟筋麻。戰戰兢兢，痴痴瘂瘂。
把一座白虎殿卻像斷梁橋，鬧喪臺就如倒塌寺。

此時眾宮人走得精光，哪個敢近靈扶柩。多虧了正直的徐茂功、理烈的魏丞相、有膽量的秦瓊、忒猛撞的敬德，上前來扶著棺材，叫道：「陛下有甚麼放不下心處，說與我等，不要弄鬼，驚駭了眷族。」魏徵道：「不是弄鬼，此乃陛下還魂也。快取器械來。」打開棺蓋，果見太宗坐在裡面，還叫：「淹死我了！是誰救撈？」茂公等上前扶起道：「陛下甦醒，莫怕，臣等都在此護駕哩。」唐王方才開眼道：「朕適才好苦，躲過陰司惡鬼難，又遭水面喪身災。」

眾臣道：「陛下寬心勿懼，有甚水災來？」

唐王道：「朕騎著馬，正行至渭水河邊，見雙頭魚戲。被朱太尉欺心，將朕推下馬來，跌落河中，幾乎淹死。」

魏徵道：「陛下鬼氣尚未解。」急著太醫院進安神定魄湯藥，又安排粥膳。連服一二次，方才返本還原，知得人事。一計唐王死去，已三晝夜，復回陽間為君。有詩為證：

萬古江山幾變更，歷來數代敗和成。
周秦漢晉多奇事，誰似唐王死復生？

當日天色已晚，眾臣請王歸寢，各各散訖。次早，脫卻孝衣，換了彩服，一個個紅袍烏帽，一個個紫綬金章，在那朝門外等候宣召。卻說太宗自服了安神定魄之劑，連進了數次粥湯，被眾臣扶入寢室，一夜穩睡，保

◆打跌——摔倒。　攲斜——歪斜。

養精神，直至天明方起，抖擻威儀，你看他怎生打扮：

戴一頂沖天冠，穿一領赭黃袍。

繫一條藍田碧玉帶，踏一對創業無憂履。

貌堂堂，賽過當朝；威烈烈，重興今日。

好一個清平有道的大唐王，起死回生的李陛下。

唐王上金鑾寶殿，聚集兩班文武，山呼◆已畢，依品分班。

只聽得傳旨道：「有事出班來奏，無事退朝。」

那東廂閃過徐茂功、魏徵、王珪、杜如晦、房玄齡、袁天罡、李淳風、許敬宗等；西廂閃過殷開山、劉洪基、馬三寶、段志賢、程咬金、秦叔寶、胡敬德、薛仁貴等，一齊上前，在白玉階前俯伏啟奏道：「陛下前朝一夢，如何許久方覺？」

太宗道：「日前接得魏徵書，朕覺神魂出殿，只見羽林軍請朕出獵。正行時，人馬無蹤，又見那先君父王與先兄弟爭嚷。正難解處，見一人烏帽皂袍，乃是判官崔珏，喝退先兄弟。朕將魏徵書傳遞與他。正看時，又見青衣者執幢幡，引朕入內，到森羅殿上，與十代閻王敘坐。他說那涇河龍誣告我許救轉殺之事，是朕將前言陳具一遍。

「他說已三曹對過案了，急命取生死文簿，檢看我的陽壽。時有崔判官傳上簿子，閻王看了，道寡人有三十三年天祿，才過得一十三年，還該我二十年陽壽，即著朱太尉、崔判官送朕回來。

「朕與十王作別，允了送他瓜果謝恩。自出了森羅殿，見那陰司裡不忠不孝、非禮非義、作踐五穀、明欺暗騙、大斗小秤、姦盜詐偽、淫邪欺罔之徒，受那些磨燒舂銼之苦，煎熬吊剝之刑，有千千萬萬，看之不足。又過著枉死城中，有無數的冤魂，盡都是六十四處煙塵的草寇、七十二處叛賊的魂靈，擋住了朕之來路。

「幸虧崔判官作保，借得河南相老兒的金銀一庫，買轉鬼魂，方得前行。

◆山呼─漢武帝登嵩山，群臣三呼萬歲，稱為「山呼」。後以此作為臣民祝頌天子之詞。

崔判官教朕回陽世，千萬作一場水陸大會，超度那無主的孤魂，將此言叮嚀分別。出了那六道輪迴之下，有朱太尉請朕上馬，飛也相似，行到渭水河邊，我看見那水面上有雙頭魚戲，正歡喜處，他將我撮著腳，推下水中，朕方得還魂也。」眾臣聞此言，無不稱賀。遂此編行傳報天下，各府縣官員上表稱慶不題。

卻說太宗又傳旨赦天下罪人，又查獄中重犯。時有審官將刑部絞斬罪人，查有四百餘名呈上。太宗放赦回家，拜辭父母兄弟，託產與親戚子姪，明年今日赴曹，仍領應得之罪。眾犯謝恩而退。又出恤孤榜文。又查宮中老幼綵女共有三千人，出旨配軍。自此，內外俱善。有詩為證。詩曰：

大國唐王恩德洪，道過堯舜萬民豐。
死囚四百皆離獄，怨女三千放出宮。
天下多官稱上壽，朝中眾宰賀元龍。

善心一念天應佑，福蔭應傳十七宗。

太宗既放宮女，出死囚已畢，又出御製榜文，遍傳天下。榜曰：

乾坤浩大，日月照鑒分明；宇宙寬洪，天地不容奸黨。使心用術，果報只在今生；善布淺求，獲福休言後世。千般巧計，不如本分為人；萬種強徒，怎似隨緣節儉。心行慈善，何須努力看經；意欲損人，空讀如來一藏！

自此時，蓋天下無一人不行善者。一壁廂又出招賢榜，招人進瓜果到陰司裡去；一壁廂將寶藏庫金銀一庫，差鄂國公、胡敬德上河南開封府，訪相良還債。榜張數日，有一赴命進瓜果的賢者，本是均州人，姓劉名全，家有萬貫之資。只因妻李翠蓮在門首拔金釵齋僧，劉全罵了她幾句，說她不遵婦道，擅出閨門。李氏忍氣不過，自縊而死，撇下一雙兒女年幼，晝夜悲啼。

劉全又不忍見，無奈，遂捨了性命，棄了家緣◆，撇了兒女，情願以死進瓜，將皇榜揭了，來見唐王。王傳旨意，教他去金亭館裡，頭頂一對南瓜，袖帶黃錢◆，口噙藥物。

那劉全果服毒而死，一點魂靈，頂著瓜果，早到鬼門關上。把門的鬼使喝道：「你是甚人，敢來此處？」

劉全道：「我奉大唐太宗皇帝欽差，特進瓜果與十代閻王受用的。」那鬼使欣然接引。

劉全逕至森羅寶殿，見了閻王，將瓜果進上道：「奉唐王旨意，遠進瓜果，以謝十王寬宥之恩。」

閻王大喜道：「好一個有信有德的太宗皇帝！」遂此收了瓜果。便問那進瓜的人姓名，哪方人氏。

劉全道：「小人是均州城民籍。姓劉名全。因妻李氏縊死，撇下兒女，無人看管，小人情願捨家棄子，捐軀報國，特與我王進貢瓜果，謝眾大王厚恩。」十王聞言，即命查勘劉全妻李氏。

那鬼使速取來在森羅殿下，與劉全夫妻相會。訴罷前言，回謝十王恩宥。那閻王卻檢生死簿子看時，他夫妻們都有登仙之壽，急差鬼使送回。鬼使啟上道：「李翠蓮歸陰日久，屍首無存，魂將何附？」閻王道：「唐御妹李玉英今該促死◆，你可借她屍首，教她還魂去也。」那鬼使領命，即將劉全夫妻二人還魂，同出陰司而去。

畢竟不知夫妻二人如何還魂，且聽下回分解。

◆家緣—家業、財產。　黃錢—祭祀時所焚化的黃紙，上鑿銅錢模樣，或貼有銅錢形的紙片。
促死—立刻死去。

第一二回

唐王秉誠修大會
觀音顯聖化金蟬

卻說鬼使同劉全夫妻二人出了陰司，那陰風遶遶◆，逕到了長安大國，將劉全的魂靈推入金亭館裡，將翠蓮的靈魂帶進皇宮內院。只見那玉英宮主正在花陰下，徐步綠苔而行，被鬼使撲個滿懷，推倒在地，活捉了她魂，卻將翠蓮的魂靈推入玉英身內。鬼使回轉陰司不題。

卻說宮院中的大小侍婢見玉英跌死，急走金鑾殿，報與三宮皇后道：「宮主娘娘跌死也！」皇后大驚，隨報太宗。

太宗聞言，點頭嘆曰：「此事信有之

也。朕曾問十代閻君：『老幼安乎？』他道：『俱安，但恐御妹壽促。』果中其言。」合宮人都來悲切，盡到花陰下看時，只見那宮主微微有氣。

唐王道：「莫哭！莫哭！休驚了她。」

遂上前將御手扶起頭來，叫道：「御妹甦醒甦醒。」

那宮主忽的翻身，叫：「丈夫慢行，等我一等！」

太宗道：「御妹，是我等在此。」

宮主抬頭睜眼觀看道：「你是誰人，敢來扯我？」

太宗道：「是妳皇兄、皇嫂。」

宮主道：「我哪裡得個甚麼皇兄、皇嫂？我娘家姓李，我的乳名喚做李翠蓮，我丈夫姓劉名全，兩口兒都是均州人氏。因為我三個月前拔金釵在門首齋僧，我丈夫怪我擅出內門，不遵婦道，罵了我幾句，是我氣塞胸膛，將白綾帶懸梁縊死，撇下一雙兒女，晝夜悲啼。今因我丈夫被唐王欽

◆遶遶—圍繞。遶音繞。

差，赴陰司進瓜果，閻王憐憫，放我夫妻回來。他在前走，因我來遲，趕不上他，我絆了一跌。你等無禮！不知姓名，怎敢扯我？」太宗聞言，與眾宮人道：「想是御妹跌昏了，胡說哩。」傳旨教太醫院進湯藥，將玉英扶入宮中。

唐王當殿，忽有當駕官奏道：「萬歲，今有進瓜果人劉全還魂，在朝門外等旨。」唐王大驚，急傳旨，將劉全召進，俯伏丹墀。太宗問道：「進瓜果之事何如？」劉全道：「臣頂瓜果，逕至鬼門關，引上森羅殿，見了那十代閻君，將瓜果奉上，備言我王殷勤致謝之意。閻君甚喜，多多拜上我王道：『真是個有信有德的太宗皇帝！』」唐王道：「你在陰司見些甚麼來？」劉全道：「臣不曾遠行，沒見甚的，只聞得閻王問臣鄉貫、姓名。臣將棄家捨子，因妻縊死，願來進瓜之事，說了一遍。他急差鬼使，引過我妻，就在森羅殿下相會。一壁廂又檢看死生文簿，說我夫妻都有登仙之壽，便差鬼使送回。臣在前走，我妻後行，幸得還魂。但不知妻投何所。」唐王驚問道：「那閻王可曾說你妻甚麼？」

劉全道：「閻王不曾說甚麼，只聽得鬼使說：『李翠蓮歸陰日久，屍首無存。』閻王道：『唐御妹李玉英今該促死，教翠蓮即借玉英屍還魂去罷。』臣不知『唐御妹』是甚地方，家居何處，我還未曾得去找尋哩。」

唐王聞奏，滿心歡喜，當對多官道：「朕別閻君，曾問宮中之事。他言：『老幼俱安，但恐御妹壽促。』卻才御妹玉英花陰下跌死，朕急扶看，須臾甦醒，口叫：『丈夫慢行，等我一等！』朕只道是她跌昏了胡言。又問她詳細，她說的話，與劉全一般。」

魏徵奏道：「御妹偶爾壽促，少甦醒即說此言，此是劉全妻借屍還魂之事。此事也有，可請宮主出來，看她有甚話說。」

唐王道：「朕才命太醫院去進藥，不知何如。」便教妃嬪入宮去請。

那宮主在裡面亂嚷道：「我吃甚麼藥？這裡哪是我家？我家是清涼瓦屋，不像這個害黃病◆的房子，花狸狐哨◆的門扇，放我出去！放我出去！」

正嚷處，只見四五個女官、兩三個太監扶著她，直至殿上。

唐王道：「妳可認得妳丈夫麼？」

玉英道：「說哪裡話，我兩個從小兒的結髮夫妻，與他生男育女，怎的不認得？」唐王叫內官攙她下去。

那宮主下了寶殿，直至白玉階前，見了劉全，一把扯住道：「丈夫，你往哪裡去，就不等我一等？我跌了一跤，被那些沒道理的人圍住我嚷，這是怎的說？」那劉全聽她說的話是妻之言，觀其人非妻之面，不敢相認。

唐王道：「這正是山崩地裂有人見，捉生替死卻難逢！」

好一個有道的君王，即將御妹的妝奩、衣物、首飾，盡賞賜了劉全，就如陪嫁一般。又賜與他永免差徭◆的御旨，著他帶領御妹回去。他夫妻兩個便在階前謝了恩，歡歡喜喜還鄉。有詩為證：

人生人死是前緣，短短長長各有年。
劉全進瓜回陽世，借屍還魂李翠蓮。

他兩個辭了君王，逕來均州城裡，見舊家業、兒女俱好，兩口兒宣揚善果不題。

卻說那尉遲恭將金銀一庫，上河南開封府訪看，相良原來賣水為活，同妻張氏在門首販賣烏盆瓦器營生，但賺得些錢兒，只以盤纏為足，其多少齋僧布施，買金銀紙錠，記庫焚燒，故有此善果臻身。陽世間是一條好善的窮漢，那世裡卻是個積玉堆金的長者。尉遲恭將金銀送上他門，諕得那相公、相婆魂飛魄散。又兼有本府官員，茅舍外車馬駢集◆。

◆**害黃病**──形容黃琉璃瓦的宮殿，像得黃疸病一樣。　**駢集**──聚集並列。
花狸狐哨──指裝潢、衣服過分炫耀。有時也用以形容顏色華美紛雜。　**差徭**──徭役。

那老兩口子如痴如啞，跪在地下，只是磕頭禮拜。尉遲恭道：「老人家請起。我雖是個欽差官，卻齎著我王的金銀送來還你。」

他戰兢兢的答道：「小的沒有甚麼金銀放債，如何敢受這不明之財？」

尉遲恭道：「我也訪得你是個窮漢，只是你齋僧布施，盡其所用，就買辦金銀紙錠，燒記陰司，陰司裡有你積下的錢鈔。是我太宗皇帝死去三日，還魂復生，曾在那陰司裡借了你一庫金銀，今此照數送還與你。你可一一收下，我等好去回旨。」

那相良兩口兒只是朝天禮拜，哪裡敢受。道：「小的若受了這些金銀，就死得快了。雖然是燒紙記庫，此乃冥冥之事；況萬歲爺爺那世裡借了金銀，有何憑據？我決不敢受。」

尉遲恭道：「陛下說，借你的東西，有崔判官作保可證。你收下罷。」

相良道：「就死也是不敢受的。」

尉遲恭見他苦苦推辭，只得具本差人啟奏。太宗見了本，知相良不受金銀，道：「此誠為善良長者。」

即傳旨教胡敬德將金銀與他修理寺院，起蓋生祠◆，請僧作善，就當還他一般。旨意到日，敬德望闕謝恩宣旨，眾皆知之。遂將金銀買到城裡軍民無礙的地基一段，周圍有五十畝寬闊，在上興工，起蓋寺院，名「敕建相國寺」，左有相公、相婆的生祠，鐫碑刻石，上寫著「尉遲恭監造」，即今大相國寺是也。

工完回奏，太宗甚喜。卻又聚集多官，出榜招僧，修建水陸大會，超度冥府孤魂。榜行天下，著各處官員推選有道的高僧，上長安做會。哪消個月之期，天下多僧俱到。唐王傳旨，著太史丞傅奕選舉高僧，修建佛事。傅奕聞旨，即上疏止浮圖◆，以言無佛。表曰：

西域之法，無君臣父子，以三塗六道◆，蒙誘愚蠢。

◆放債—借錢與人收取利息。　生祠—對還活著的人立祠奉祀，以表示內心的感戴和欽敬之意。

浮圖—梵文Buddha的音譯。現代多譯為「佛」。

追既往之罪，窺將來之福，口誦梵言，以圖偷免。

且生死壽夭，本諸自然；刑德威福，繫之人主。

今聞俗徒矯托，皆云由佛。

自五帝三王，未有佛法，君明臣忠，年祚長久。

至漢明帝始立胡神，然惟西域桑門，自傳其教。

實乃夷犯中國，不足為信。

太宗聞言，遂將此表擲付群臣議之。時有宰相蕭瑀，出班俯顖奏曰：「佛法興自屢朝，弘善遏惡，冥助國家，理無廢棄。佛，聖人也。非聖者無法，請寘嚴刑。」傅奕與蕭瑀論辯，言：「禮本於事親事君，而佛背親出家，以匹夫抗天子，以繼禮悖所親。蕭瑀不生於空桑，乃遵無父之教，正所謂非孝者無親。」蕭瑀但合掌曰：「地獄之設，正為是人。」太宗召太僕卿張道源、中書令張士衡，問佛事營福，其應何如。

二臣對曰：「佛在清淨仁恕，果正佛空。周武帝以三教分次；大慧禪師有贊幽遠，歷眾供養而無不顯；五祖投胎，達摩現像。自古以來，皆云三教至尊而不可毀，不可廢。伏乞陛下聖鑒明裁。」

太宗甚喜道：「卿之言合理。再有所陳者，罪之。」

遂著魏徵與蕭瑀、張道源邀請諸佛，選舉一名有大德行者作壇主，設建道場。眾皆頓首謝恩而退。自此時出了法律：但有毀僧謗佛者，斷其臂。

次日三位朝臣，聚眾僧，在那山川壇裡，逐一從頭查選，內中選得一名有德行的高僧。你道他是誰人？

靈通本諱號金蟬，只為無心聽佛講。

◆三塗六道—印度宇宙觀中將眾生存在的世界分成五或六道，即天、人、阿修羅、畜生、餓鬼、地獄。而將畜生、餓鬼、地獄三種處境悲慘的狀況，稱為「三塗」。

桑門—佛教用語。為沙門的舊譯。在印度泛指出家修苦行、禁欲，或因宗教的緣故過乞食生活的人。後用為出家修道者的代稱。

轉托塵凡苦受磨，降生世俗遭羅網。
投胎落地就逢凶，未出之前臨惡黨。
父是海州陳狀元，外公總管當朝長。
出身命犯落江星，順水隨波逐浪泱。
海島金山有大緣，遷安和尚將他養。
年方十八認親娘，特赴京都求外長。
總管開山調大軍，江州剿寇誅凶黨。
狀元光蕊脫天羅，子父相逢堪賀獎。
復謁當今受主恩，凌煙閣上賢名響。
恩官不受願為僧，洪福沙門將道訪。
小字江流古佛兒，法名喚做陳玄奘。

當日對眾舉出玄奘法師。這個人自幼為僧，出娘胎，就持齋受戒◆。他外公現是當朝一路總管殷開山。他父親陳光蕊中狀元，官拜文淵殿大學士。一心不愛榮華，只喜修持寂滅。查得他根源又好，德行又高；千經萬典，無所不通；佛號仙音，無般不會。當時三位引至御前，揚塵舞蹈。拜罷奏曰：「臣瑀等蒙聖旨，選得高僧一名陳玄奘。」太宗聞其名，沉思良久道：「可是學士陳光蕊之兒玄奘否？」江流兒叩頭曰：「臣正是。」太宗喜道：「果然舉之不錯，誠為有德行有禪心的和尚。朕賜你左僧綱◆，右僧綱，天下大闡都僧綱◆之職。」玄奘頓首謝恩，受了大闡官爵。又賜五彩織金袈裟一件、毘盧帽◆一頂。教他用心再拜明僧，排次闍黎◆班首，書辦旨意，前赴化生寺，擇定吉日良時，開演經法。

玄奘再拜領旨而出，遂到化生寺裡，聚集多僧，打造禪榻，裝修功德，整理音樂。選得大小明僧共計一千二百名，分派上中下三堂。諸所佛前，

◆**持齋受戒**—不吃葷食，遵守戒律。　**僧綱**—管理和尚的官。　**都僧綱**—管理僧綱的總僧官。
毘盧帽—放焰口時主座和尚所戴的一種繡有毘盧佛像的帽子。泛稱僧帽。
闍黎—佛教指能教授弟子法式，糾正弟子行為，並為其模範的人。闍音舌。

物件皆齊，頭頭有次。選到本年九月初三日黃道良辰，開啟做七七四十九日水陸大會。即具表申奏。太宗及文武國戚皇親，俱至期赴會，拈香聽講。有詩為證。詩曰：

龍集貞觀正十三，王宣大眾把經談。
道場開演無量法，雲霧光乘大願龕。
御敕垂恩修上剎◆，金蟬脫殼化西涵。
普施善果超沉沒，秉教宣揚前後三。

貞觀十三年，歲次己巳，九月甲戌，初三日，癸卯良辰，陳玄奘大闡法師聚集一千二百名高僧，都在長安城化生寺開演諸品◆妙經。那皇帝早朝已畢，率文武多官，乘鳳輦龍車，出離金鑾寶殿，逕上寺來拈香。怎見那鑾駕◆?真個是：

一天瑞氣，萬道祥光。仁風輕淡蕩，化日◆麗非常。
千官環珮分前後，五衛旌旗列兩旁。

執金瓜，擎斧鉞，雙雙對對；絳紗燭，御爐香，靄靄堂堂。
龍飛鳳舞，鶚薦鷹揚。聖明天子正，忠義大臣良。
介福◆千年過舜禹，昇平萬代賽堯湯。
又見那曲柄傘，袞龍袍，輝光相射；玉連環，彩鳳扇，瑞靄飄揚。
珠冠玉帶，紫綬金章。護駕軍千隊，扶輿將兩行。
這皇帝沐浴虔誠尊敬佛，皈依善果喜拈香。

唐王大駕早到寺前，吩咐住了音樂響器。下了車輦，引著多官，拜佛拈香。三匝已畢，抬頭觀看，果然好座道場。但見：

幢幡飄舞，寶蓋飛輝。
幢幡飄舞，凝空道道彩霞搖；寶蓋飛輝，映日翩翩紅電徹。
世尊金像貌臻臻◆，羅漢玉容威烈烈。

◆上剎——對寺院的尊稱。 **諸品**——各種、多種。 **鑾駕**——帝王的座車。 **化日**——光天，指帝德如陽光普照之天。 **介福**——大福。 **臻臻**——整齊。

瓶插仙花，爐焚檀降。

瓶插仙花，錦樹輝輝漫寶剎；爐焚檀降，香雲靄靄透清霄。
時新果品砌朱盤，奇樣糖酥堆彩案。
高僧羅列誦真經，願拔孤魂離苦難。

太宗文武俱各拈香，拜了佛祖金身，參了羅漢。又見那大闡都僧綱陳玄奘法師引眾僧羅拜唐王。禮畢，分班各安禪位。法師獻上濟孤榜文與太宗看。榜曰：

至德渺茫，禪宗寂滅。清淨靈通，周流三界。
千變萬化，統攝陰陽。體用真常，無窮極矣。
觀彼孤魂，深宜哀愍。
此奉太宗聖命：選集諸僧，參禪講法。
大開方便門庭，廣運慈悲舟楫，普濟苦海群生，脫免沉痾六趣◆。
引歸真路，普玩鴻濛◆；動止無為，混成純素。

仗此良因，邀賞清都絳闕；乘吾勝會，脫離地獄凡籠。早登極樂任逍遙，來往西方隨自在。

詩曰：

一爐永壽香，幾卷超生籙。無邊妙法宣，無際天恩沐。冤孽盡消除，孤魂皆出獄。願保我邦家，清平萬咸福。

太宗看了，滿心歡喜，對眾僧道：「汝等秉立丹衷◈，切休怠慢佛事。待後功成完備，各各福有所歸，朕當重賞，決不空勞。」那一千二百僧，一齊頓首稱謝。當日三齋已畢，唐王駕回。待七日正會，復請拈香。時天色將晚，各官俱退。怎見得好晚？你看那：

◈**鴻濛**—自然的元氣。 **丹衷**—赤誠的心。
六趣—佛教用語。輪迴眾生依其生存狀態分成天、人、阿修羅、地獄、惡鬼、畜生六種，合稱為「六趣」。

萬里長空淡落暉，歸鴉數點下棲遲。
滿城燈火人煙靜，正是禪僧入定時。

一宿晚景題過。次早，法師又升坐，聚眾誦經不題。

卻說南海普陀山觀世音菩薩，自領了如來佛旨，在長安城訪察取經的善人，日久未逢真實有德行者。忽聞得太宗宣揚善果，選舉高僧，開建大會。又見得法師壇主，乃是江流兒和尚，正是極樂中降來的佛子，又是他原引送投胎的長老。

菩薩十分歡喜，就將佛賜的寶貝捧上長街，與木叉貨賣。你道他是何寶貝？有一件錦襴異寶袈裟、九環錫杖。還有那金緊禁三個箍兒，密密藏收，以俟後用。只將袈裟、錫杖出賣。長安城裡，有那選不中的愚僧，倒有幾貫村鈔◆。見菩薩變化個疥癩形容，身穿破衲，赤腳光頭，將袈裟捧定，豔豔生光，他上前問道：「那癩和尚，你的袈裟要賣多少價錢？」

菩薩道：「袈裟價值五千兩，錫杖價值二千兩。」

那愚僧笑道：「這兩個癩和尚是瘋子！是傻子！這兩件粗物，就賣得七千兩銀子？只是除非穿上身長生不老，就得成佛作祖，也值不得這許多！拿了去！賣不成！」

那菩薩更不爭吵，與木叉往前又走。行夠多時，來到東華門前，正撞著宰相蕭瑀散朝而回，眾頭踏◆喝開街道。那菩薩公然不避，當街上拿著袈裟，逕迎著宰相。

宰相勒馬觀看，見袈裟豔豔生光，著手下人問那賣袈裟的要價幾何，菩薩道：「袈裟要五千兩，錫杖要二千兩。」

蕭瑀道：「有何好處，值這般高價？」

菩薩道：「袈裟有好處，有不好處；有要錢處，有不要錢處。」

◆**有幾貫村鈔**—即今人所謂「有幾個臭錢」。　**頭踏**—舊時官員出巡時前導的儀仗隊。

蕭瑀道：「何為好？何為不好？」

菩薩道：「著了我袈裟，不入沉淪，不墮地獄，不遭惡毒之難，不遇虎狼之災，便是好處；若貪淫樂禍的愚僧，不齋不戒的和尚，毀經謗佛的凡夫，難見我袈裟之面，這便是不好處。」

又問道：「何為要錢，不要錢？」

菩薩道：「不遵佛法，不敬三寶，強買袈裟、錫杖，定要賣他七千兩，這便是要錢；若敬重三寶，見善隨喜，皈依我佛，承受得起，我將袈裟、錫杖情願送他，與我結個善緣，這便是不要錢。」

蕭瑀聞言，倍添春色，知他是個好人。即便下馬，與菩薩以禮相見，口稱：「大法長老，恕我蕭瑀之罪。我大唐皇帝十分好善，滿朝的文武無不奉行。即今起建水陸大會，這袈裟正好與大都闡陳玄奘法師穿用。我和你入朝見駕去來。」

菩薩欣然從之，拽轉步，逕進東華門裡。黃門官轉奏，蒙旨宣至寶殿。

見蕭瑀引著兩個疥癩僧人，立於階下，唐王問曰：「蕭瑀來奏何事？」蕭瑀俯伏階前道：「臣出了東華門前，偶遇二僧，乃賣袈裟與錫杖者。臣思法師玄奘可著此服，故領僧人啟見。」

太宗大喜，便問那袈裟價值幾何。菩薩與木叉侍立階下，更不行禮，因問袈裟之價，答道：「袈裟五千兩，錫杖二千兩。」

太宗道：「那袈裟有何好處，就值許多？」菩薩道：

這袈裟，龍披一縷，免大鵬吞噬之災；鶴掛一絲，得超凡入聖之妙。

但坐處，有萬神朝禮；凡舉動，有七佛隨身。

這袈裟，是冰蠶造練抽絲，巧匠翻騰為線，

仙娥織就，神女機成，方方簇幅繡花縫。片片相幫堆錦簆◆。

玲瓏散碎鬥妝花，色亮飄光噴寶豔。

穿上滿身紅霧繞，脫來一段彩雲飛。

◆春色──比喻臉上的喜氣。 簆──音扣。織具。

三天門外透元光，五岳山前生寶氣。
重重嵌就西番蓮，灼灼懸珠星斗象。
四角上有夜明珠，攢頂間一顆祖母綠。
雖無全照原本體，也有生光八寶攢。

這袈裟，閒時摺疊，遇聖才穿。
閒時摺疊，千層包裹透虹霓；遇聖才穿，驚動諸天神鬼怕。
上邊有如意珠、摩尼珠、辟塵珠、定風珠；
又有那紅瑪瑙、紫珊瑚、夜明珠、舍利子。
偷月沁白，與日爭紅。
條條仙氣盈空，朵朵祥光捧聖。
條條仙氣盈空，照徹了天關；朵朵祥光捧聖，影遍了世界。
照山川，驚虎豹；影海島，動魚龍。
沿邊兩道銷金鎖，叩領連環白玉琮。

詩曰：

三寶巍巍道可尊，四生六道盡評論。
明心解養人天法，見性能傳智慧燈。
護體莊嚴金世界，身心清淨玉壺冰。
自從佛製袈裟後，萬劫誰能敢斷僧？

唐王在那寶殿上聞言，十分歡喜。又問：「那和尚，九環杖有甚好處？」菩薩道：「我這錫杖，是那銅鑲鐵造九連環，九節仙籐永駐顏。入手厭看青骨瘦，下山輕帶白雲還。摩訶五祖遊天闕，羅卜尋娘◆破地關。不染紅塵些子穢，喜伴神僧上玉山。」

唐王聞言，即命展開袈裟，從頭細看，果然是件好物。道：「大法長老，

◆羅卜尋娘——羅卜即目連。釋迦牟尼佛神通第一的弟子目犍連，以神通能力到達餓鬼道，見母親身受餓鬼之苦，最終借十方眾僧威神之力使母親解脫。

實不瞞你。朕今大開善教，廣種福田◆，現在那化生寺聚集多僧，敷演經法。內中有一個大有德行者，法名玄奘。朕買你這兩件寶物，賜他受用。你端的◆要價幾何？」菩薩聞言，與木叉合掌皈依，道聲佛號，躬身上啟道：「既有德行，貧僧情願送他，決不要錢。」說罷，抽身便走。

唐王急著蕭瑀扯住，欠身立於殿上，問曰：「你原說袈裟五千兩，錫杖二千兩，你見朕要買，就不要錢，敢是說朕心倚恃君位，強要你的物件？更無此理。朕照你原價奉償，卻不可推避。」

菩薩起手道：「貧僧有願在前，原說果有敬重三寶，見善隨喜，皈依我佛，不要錢，願送與他。今見陛下明德止善，敬我佛門；況又高僧有德有行，宣揚大法，理當奉上，決不要錢。貧僧願留下此物告回。」

唐王見他這等勤懇◆，甚喜。隨命光祿寺，大排素宴酬謝。菩薩又堅辭不受，暢然◆而去，依舊望都土地廟中隱避不題。

卻說太宗設午朝，著魏徵齎旨，宣玄奘入朝。那法師正聚眾登壇，諷經誦偈◈，一聞有旨，隨下壇整衣，與魏徵同往見駕。

太宗道：「求證善事，有勞法師，無物酬謝。早間蕭瑀迎著二僧，願送錦欄異寶袈裟一件，九環錫杖一條。今特召法師領去受用。」玄奘叩頭謝恩。

太宗道：「法師如不棄，可穿上與朕看看。」

長老遂將袈裟抖開，披在身上，手持錫杖，侍立階前。君臣個個忻然。

誠為如來佛子。你看他：

凜凜威顏多雅秀，佛衣可體◈如裁就。
暉光豔豔滿乾坤，結彩紛紛凝宇宙。
朗朗明珠上下排，層層金線穿前後。
兜羅四面錦沿邊，萬樣稀奇鋪綺繡。

◈**福田**—佛教用語。敬三寶之德為「敬田」，報君父之恩為「恩田」，憐貧者為「悲田」，此三種稱為「福田」，言其能獲福也。
端的—究竟。　**勤懇**—誠摯懇切的樣子。　**暢然**—歡欣的樣子。
諷經誦偈—對經文、偈頌諷詠吟誦。　**可體**—衣服正合身材。

八寶妝花縛鈕絲，金環束領攀絨扣。
佛天大小列高低，星象尊卑分左右。
玄奘法師大有緣，現前此物堪承受。
渾如極樂活阿羅◆，賽過西方真覺秀◆。
錫杖叮噹鬥九環，毘盧帽映多豐厚。
誠為佛子不虛傳，勝似菩提無詐謬。

當時文武階前喝采，太宗喜之不勝。即著法師穿了袈裟，持了寶杖；又賜兩隊儀從，著多官送出朝門，教他上大街行道，往寺裡去，就如中狀元誇官◆的一般。這去玄奘再拜謝恩，在那大街上，烈烈轟轟，搖搖擺擺。你看那長安城裡，行商坐賈、公子王孫、墨客文人、大男小女，無不爭看誇獎，俱道：「好個法師！真是個活羅漢下降，活菩薩臨凡。」

玄奘直至寺裡，僧人下榻來迎。一見他披此袈裟，執此錫杖，都道是地藏王來了，各各歸依，侍於左右。玄奘上殿，炷香禮佛。又對眾感述聖恩已畢，各歸禪座。又不覺紅輪西墜。正是那：

日落煙迷草樹，帝都鐘鼓初鳴。
叮叮三響斷人行，前後街前寂靜。
上剎輝煌燈火，孤村冷落無聲。
禪僧入定理殘經。正好煉魔養性。

光陰撚指，卻當七日正會。玄奘又具表，請唐王拈香。此時善聲遍滿天下。太宗即排駕，率文武多官、后妃國戚，早赴寺裡。那一城人，無論大小尊卑，俱詣寺聽講。

當有菩薩與木叉道：「今日是水陸正會，以一七繼七七，可矣了。我和

◆**真覺秀**—是為成佛的不同層次的羅漢。

阿羅—佛教的果位，意為殺賊、應供、不生。在早期佛教，阿羅漢是究竟的解境界，與佛果無別，但大乘佛教興起後，將阿羅漢貶低，視為小乘的最高果位而已，其上還有菩薩和佛陀的果位。 **誇官**—舊時中狀元者遊街三日，稱為「誇官」。

你雜在眾人叢中，一則看他那會何如，二則看金蟬子可有福穿我的寶貝，三則也聽他講的是那一門經法。」兩人隨投寺裡。

正是有緣得遇舊相識，般若還歸本道場。入到寺裡觀看，真個是天朝大國，果勝裟婆。賽過祇園舍衛，也不亞上剎招提。那一派仙音響亮，佛號喧譁。這菩薩直至多寶臺邊，果然是明智金蟬之相。詩曰：

萬象澄明絕點埃，大典玄奘坐高臺。
超生孤魂暗中到，聽法高流市上來。
施物應機心路遠，出生隨意藏門開。
對看講出無量法，老幼人人放喜懷。

又詩曰：

因遊法界講堂中，逢見相知不俗同。
盡說目前千萬事，又談塵劫許多功。
法雲容曳舒群岳，教網張羅滿太空。

檢點人生歸善念，紛紛天雨落花紅。

那法師在臺上念一會《受生度亡經》，談一會《安邦天寶篆》，又宣一會《勸修功卷》。這菩薩近前來，拍著寶臺，厲聲高叫道：「那和尚，你只會談小乘教法，可會談大乘麼？」

玄奘聞言，心中大喜，翻身跳下臺來，對菩薩起手道：「老師父，弟子失瞻，多罪。現前的蓋眾僧人，都講的是小乘教法，卻不知大乘教法如何。」

菩薩道：「你這小乘教法，度不得亡者超升，只可渾俗和光◆而已。我有大乘佛法三藏◆，能超亡者升天，能度難人脫苦，能修無量壽身，能作無來無去。」

◆裟婆—指我們所在的這個苦難的世界。　招提—四方的意思。後來衍為佛寺的代稱。
渾俗和光—同於塵俗。
三藏—佛教經典的總稱。包括經藏、律藏、論藏。經藏是指以佛說法的形式創作的典籍；律藏雖同是以佛說的形式，但內容都和戒律有關；論藏是佛弟子或後世論師闡釋經義的作品。

正講處，有那司香巡堂官急奏唐王道：「法師正講談妙法，被兩個疥癩遊僧扯下來亂說胡話。」王令擒來。只見許多人將二僧推擁進後法堂，見了太宗，那僧人手也不起，拜也不拜，仰面道：「陛下問我何事？」

唐王卻認得他，道：「你是前日送袈裟的和尚？」菩薩道：「正是。」

太宗道：「你既來此處聽講，只該吃些齋便了，為何與我法師亂講，擾亂經堂，誤我佛事？」

菩薩道：「你那法師講的是小乘教法，度不得亡者升天。我有大乘佛法三藏，可以度亡脫苦，壽身無壞。」

太宗正色喜問道：「你那大乘佛法在於何處？」菩薩道：「在大西天天竺國大雷音寺我佛如來處，能解百冤之結，能消無妄之災。」

太宗道：「你可記得麼？」菩薩道：「我記得。」

太宗大喜道：「教法師引去，請上臺開講。」

那菩薩帶了木叉，飛上高臺，遂踏祥雲，直至九霄，現出救苦原身，托了淨瓶楊柳。左邊是木叉惠岸，執著棍，抖擻精神。喜的個唐王朝天禮拜，眾文武跪地焚香。滿寺中僧尼道俗、士人工賈，無一人不拜禱道：「好菩薩！好菩薩！」有讚為證。但見那：

瑞靄散繽紛，祥光護法身。九霄華漢裡，現出女真人。
那菩薩，頭上戴一頂金葉紐、翠花鋪、放金光、生瑞氣的垂珠纓絡；
身上穿一領淡淡色、淺淺妝、盤金龍、飛彩鳳的結素藍袍；
胸前掛一面對月明、舞清風、雜寶珠、攢翠玉的砌香環珮；
腰間繫一條冰蠶絲、織金邊、登彩雲、促瑤海的錦繡絨裙；
面前又領一個飛東洋、遊普世、感恩行孝、黃毛紅嘴白鸚哥。
手內托著一個施恩濟世的寶瓶，
瓶內插著一枝灑青霄、撒大惡、掃開殘霧垂楊柳。
玉環穿繡扣，金蓮足下深。
三天許出入，這才是救苦救難觀世音。

喜的個唐太宗，忘了江山；愛的那文武官，失卻朝禮；蓋眾多人都念「南無觀世音菩薩」。太宗即傳旨，教巧手丹青描下菩薩真像。旨意一聲，選出個圖神寫聖、遠見高明的吳道子。此人即後圖功臣於凌煙閣者。當時展開妙筆，圖寫真形。那菩薩祥雲漸遠，霎時間不見了金光。只見那半空中滴溜溜落下一張簡帖，上有幾句頌子，寫得明白。頌曰：

禮上大唐君，西方有妙文。程途十萬八千里，大乘進殷勤。
此經回上國，能超鬼出群。若有肯去者，求正果金身。

太宗見了頌子，即命眾僧：「且收勝會，待我差人取得大乘經來，再秉丹誠，重修善果。」眾官無不遵依。當時在寺中問曰：「誰肯領朕旨意，上西天拜佛求經？」問不了，旁邊閃過法師，帝前施禮道：「貧僧不才，願效犬馬之勞，與陛下求取真經，祈保我王江山永固。」唐王大喜，上前將御手扶起道：「法師果能盡此忠賢，不怕程途遙遠，跋涉山川，朕情願與你拜為兄弟。」玄奘頓首謝恩。唐王果是十分賢德，就去那寺裡佛前，與玄奘拜了四拜，口稱「御弟聖僧」。

玄奘感謝不盡道：「陛下，貧僧有何德何能，敢蒙天恩眷顧如此？我這一去，定要捐軀努力，直至西天；如不到西天，不得真經，即死也不敢回國，永墮沉淪地獄。」隨在佛前拈香，以此為誓。

唐王甚喜，即命回鑾，待選良利日辰，發牒◆出行，遂此駕回各散。

玄奘亦回洪福寺裡。那本寺多僧與幾個徒弟，早聞取經之事，都來相見，因問：「發誓願上西天，實否？」

玄奘道：「是實。」他徒弟道：「師父啊，嘗聞人言，西天路遠，更多虎豹妖魔。只怕有去無回，難保身命。」

玄奘道：「我已發了弘誓大願◆，不取真經，永墮沉淪地獄。大抵是受王

◆**頌子**—偈頌。佛經中的唱頌詞。　**牒**—這裡指官方文書或證件。
弘誓大願—指發大誓，許大願。表示決心做某件事。

恩寵，不得不盡忠以報國耳。我此去真是渺渺茫茫，吉凶難定。」又道：「徒弟們，我去之後，或三二年，或五七年，但看那山門裡松枝頭向東，我即回來；不然，斷不回矣。」眾徒將此言切切而記。

次早，太宗設朝，聚集文武，寫了取經文牒，用了通行寶印。有欽天監奏曰：「今日是人專吉星，堪宜出行遠路。」唐王大喜。又見黃門官奏道：「御弟法師朝門外候旨。」隨即宣上寶殿道：「御弟，今日是出行吉日。這是通關文牒。朕又有一個紫金鉢盂，送你途中化齋而用。再選兩個長行的從者，又欽賜你馬一匹，送為遠行腳力。你可就此行程。」玄奘大喜，即便謝了恩，領了物事，更無留滯之意。唐王排駕，與多官同送至關外。只見那洪福寺僧與諸徒將玄奘的冬夏衣服，俱送在關外相等。唐王見了，先教收拾行囊、馬匹，然後著官人執壺酌酒。太宗舉爵，又問曰：「御弟雅號甚稱？」

玄奘道：「貧僧出家人，未敢稱號。」

太宗道：「當時菩薩說，西天有經三藏。御弟可指經取號，號作三藏何如？」玄奘又謝恩，接了御酒道：「陛下，酒乃僧家頭一戒，貧僧自為人，不會飲酒。」太宗道：「今日之行，比他事不同，此乃素酒，只飲此一杯，以盡朕奉餞之意。」

三藏不敢不受，接了酒，方待要飲，只見太宗低頭，將御指拾一撮塵土，彈入酒中。三藏不解其意，太宗笑道：「御弟啊，這一去，到西天，幾時可回？」三藏道：「只在三年，逕回上國。」

太宗道：「日久年深，山遙路遠，御弟可進此酒：寧戀本鄉一捻土，莫愛他鄉萬兩金。」三藏方悟捻土之意，復謝恩飲盡，辭謝出關而去。唐王駕回。

畢竟不知此去何如，且聽下回分解。

第一三回

陷虎穴金星解厄
雙叉嶺伯欽留僧

詩曰：

大有唐王降敕封，欽差玄奘問禪宗。
堅心磨琢尋龍穴，著意修持上鷲峰。
邊界遠遊多少國，雲山前度萬千重。
自今別駕投西去，秉教伽持悟大空。

卻說三藏自貞觀十三年九月望前三日，蒙唐王與多官送出長安關外。一二日馬不停蹄，早至法門寺。本寺住持上房長老，帶領眾僧有五百餘人，兩邊羅列，接至裡面，相見獻茶。茶罷進齋，齋後不覺天晚。正是那：

影動星河近，月明無點塵。
雁聲鳴遠漢，砧韻◆響西鄰。

歸鳥棲枯樹，禪僧講梵音。
蒲團一榻上，坐到夜將分。

眾僧們燈下議論佛門定旨，上西天◆取經的原由。有的說水遠山高，有的說路多虎豹；有的說峻嶺陡崖難度，有的說毒魔惡怪難降。三藏箝口不言，但以手指自心，點頭幾度。

眾僧們莫解其意，合掌請問道：「法師指心點頭者，何也？」

三藏答曰：「心生，種種魔生；心滅，種種魔滅。我弟子曾在化生寺對佛說下弘誓大願，不由我不盡此心。這一去，定要到西天，見佛求經，使我們法輪回轉◆，願聖主皇圖永固。」

眾僧聞得此言，人人稱羨，個個宣揚，都叫一聲「忠心赤膽大闡法師」。誇讚不盡，請師入榻安寐。

◆砧韻—指搗衣聲。 西天—印度位在中國西南方，故稱印度為「西天」。
法輪回轉—演說佛之教法，稱為轉法輪。

早又是竹敲殘月落，雞唱曉雲生。那眾僧起來，收拾茶水、早齋。玄奘遂穿了袈裟，上正殿，佛前禮拜道：「弟子陳玄奘，前往西天取經，但肉眼愚迷，不識活佛真形。今願立誓：路中逢廟燒香，遇佛拜佛，遇塔掃塔。但願我佛慈悲，早現丈六金身◆，賜真經，留傳東土◆。」祝罷，回方丈進齋。

齋畢，那二從者整頓了鞍馬，促趲◆行程。三藏出了山門，辭別眾僧。眾僧不忍分別，直送有十里之遙，噙淚而返。三藏遂直西前進。正是那季秋◆天氣，但見：

數村木落蘆花碎，幾樹楓楊紅葉墜。
路途煙雨故人稀，黃菊麗，山骨細，水寒荷破人憔悴。
白蘋紅蓼霜天雪，落霞孤鶩長空墜。
依稀黯淡野雲飛，玄鳥◆去，賓鴻◆至，嘹嘹嚦嚦◆聲宵碎。

師徒們行了數日，到了鞏州城，早有鞏州合屬官吏人等迎接入城中。安歇一夜，次早出城前去。一路飢餐渴飲，夜住曉行，兩三日，又至河州衛。此乃是大唐的山河邊界。

早有鎮邊的總兵◆與本處僧道，聞得是欽差御弟法師上西方見佛，無不恭敬。接至裡面供給了，著僧綱請往福原寺安歇。

本寺僧人，一一參見，安排晚齋。齋畢，吩咐二從者飽喂◆馬匹，天不明就行。及雞方鳴，隨喚從者，卻又驚動寺僧，整治茶湯齋供。齋罷，出離邊界。

這長老◆心忙，太起早了。原來此時秋深時節，雞鳴得早，只好有四更天

◆**丈六金身**—傳燈錄曰：「西方有佛，其形丈六而黃金色。」丈六金身乃佛的三身之一，指變化身中的小身。因其高約一丈六尺，呈真金色，故名。

東土—東方的國土區域，即書中的大唐。　**促攢**—催促急行。

季秋—秋季的第三個月，即農曆九月。　**玄鳥**—燕子。　**賓鴻**—鴻雁。

嘹嘹嚦嚦—形容聲音響亮而淒清。　**總兵**—高級武官，奉令統軍鎮守。

喂—餵養。通「餵」。　**長老**—此指玄奘。

氣。一行三人，連馬四口，迎著清霜，看著明月，行有數十里遠近，見一山嶺，只得撥草尋路，說不盡崎嶇難走，又恐怕錯了路徑。正疑思之間，忽然失足，三人連馬都跌落坑坎之中。

三藏心慌，從者膽戰。卻才悚懼，又聞得裡面哮吼高呼，叫：「拿將來！拿將來！」只見狂風滾滾，擁出五、六十個妖邪，將三藏、從者揪了上去。這法師戰戰兢兢的偷眼觀看，上面坐的那魔王十分凶惡。真個是：

雄威身凜凜，猛氣貌堂堂。電目飛光艷，雷聲振四方。
鋸牙舒口外，鑿齒露腮旁。錦繡圍身體，文斑裹脊梁。
鋼鬚稀見肉，鉤爪利如霜。東海黃公懼，南山白額王。

諕得個三藏魂飛魄散，二從者骨軟筋麻。魔王喝令綁了，眾妖一齊將三人用繩索綁縛。

正要安排吞食，只聽得外面喧譁，有人來報：「熊山君與特處士二位來也。」三藏聞言，抬頭觀看，前走的是一條黑漢。你道他是怎生模樣：

雄豪多膽量，輕健夯◆身軀。涉水惟凶力，跑林逞怒威。
向來符吉夢，今獨露英姿。綠樹能攀折，知寒善諭時。
准靈惟顯處，故此號山君◆。

又見那後邊來的是一條胖漢。你道怎生模樣：
嵯峨雙角冠，端肅聳肩背。性服青衣穩，蹄步多遲滯。
宗名父作牯◆，原號母稱牸◆。能為田者功，因名特處士。

這兩個搖搖擺擺，走入裡面，慌得那魔王奔出迎接。
熊山君道：「寅將軍◆一向得意，可賀！可賀！」

◆**東海黃公**—據《西京雜記》記載，東海人黃公，年輕時練過法術，能夠制伏蛇虎。後年邁體衰，飲酒過度，不能復行其術，結果被虎吃了。　**寅將軍**—指虎精。
夯—蠢笨。夯音杭平聲。　**山君**—老虎。古時以虎為山獸之長，故稱為「山君」。
牯—割去生殖器之公牛。牯音古。　**牸**—母牛。牸音字。　**特處士**—指牛精。

特處士道：「寅將軍丰姿勝常，真可喜！真可喜！」魔王道：「二公連日如何？」山君道：「惟守素◆耳。」處士道：「惟隨時◆耳。」三個敘罷，各坐談笑。

只見那從者綁得痛切悲啼。那黑漢道：「此三者何來？」魔王道：「自送上門來者。」處士笑云：「可能待客否？」魔王道：「奉承！奉承！」山君道：「不可盡用，食其二，留其一可也。」魔王領諾，即呼左右，將二從者剖腹剜心，剁碎其屍。將首級與心肝奉獻二客，將四肢自食，其餘骨肉分給各妖。只聽得嘓啅◆之聲，真似虎啖羊羔，霎時食盡。把一個長老幾乎諕死。這才是初出長安第一場苦難。

正愴慌之間，漸漸的東方發白。那二怪至天曉方散，俱道：「今日厚擾，容日竭誠奉酬。」

方一擁而退。不一時，紅日高升，三藏昏昏沉沉，也辨不得東西南北。正在那不得命處，忽然見一老叟，手持拄杖而來。走上前，用手一拂，繩索皆斷。

對面吹了一口氣，三藏方甦，跪拜於地道：「多謝老公公，搭救貧僧性命。」

老叟答禮道：「你起來。你可曾疏失了甚麼東西？」

三藏道：「貧僧的從人已是被怪食了。只不知行李、馬匹在於何處？」

老叟用杖指道：「那廂不是一匹馬、兩個包袱？」三藏回頭看時，果是他的物件，並不曾失落，心才略放下些。

問老叟曰：「老公公，此處是甚所在？公公何由在此？」

老叟道：「此是雙叉嶺，乃虎狼巢穴處。你為何墮此？」

◆守素—保持素志。　隨時—順應時勢。
嘓啅—狀聲詞。形容吞嚥食物的聲音。啅音卓輕聲。

三藏道：「貧僧雞鳴時，出河州衛界，不料起得早了，冒霜撥露，忽失落此地。見一魔王，凶頑太甚，將貧僧與二從者綁了。又見一條黑漢，稱是熊山君；一條胖漢，稱是特處士；走進來，稱那魔王是寅將軍。他三個把我二從者吃了，天光才散。不想我是哪裡有這大緣大分，感得老公公來此救我。」

老叟道：「處士者，是個野牛精；山君者，是個熊羆精；寅將軍者，是個老虎精。左右妖邪，盡都是山精樹鬼、怪獸蒼狼。只因你的本性元明，所以吃不得你。你跟我來，引你上路。」

三藏不勝感激，將包袱捎在馬上，牽著韁繩，相隨老叟逕出了坑坎之中，走上大路。卻將馬拴在道旁草頭上，轉身拜謝那公公，那公公遂化作一陣清風，跨一隻朱頂白鶴，騰空而去。只見風飄飄遺下一張簡帖，書上四句頌子。頌子云：

吾乃西天太白星，特來搭救汝生靈。

前行自有神徒助，莫為艱難報怨經。

三藏看了，對天禮拜道：「多謝金星，度脫此難。」拜畢，牽了馬匹，獨自個孤孤悽悽，往前苦進。這嶺上，真個是：

寒颯颯雨林風，響潺潺澗下水。
香馥馥野花開，密叢叢亂石磊。
鬧嚷嚷鹿與猿，一隊隊獐和麂。
喧雜雜鳥聲多，靜悄悄人事靡。
那長老，戰兢兢心不寧；這馬兒，力怯怯蹄難舉。

三藏捨身拚命，上了那峻嶺之間。行經半日，更不見個人煙村舍。一則腹中飢了，二則路又不平。

◆羆——一種大熊。能爬樹、游泳，具強大力氣。羆音皮。 生靈——生命。

正在危急之際，只見前面有兩隻猛虎咆哮，後邊有幾條長蛇盤繞。左有毒蟲，右有怪獸。三藏孤身無策，只得放下身心，聽天所命。又無奈那馬腰軟蹄彎，即便跪下，伏倒在地，打又打不起，牽又牽不動。苦得個法師襯身無地，真個有萬分悽楚，已自分必死，莫可奈何。

卻說他雖有災迍，卻有救應。正在那不得命處，忽然見毒蟲奔走，妖獸飛逃，猛虎潛蹤，長蛇隱跡。三藏抬頭看時，只見一人，手執鋼叉，腰懸弓箭，自那山坡前轉出，果然是一條好漢。你看他：

頭上戴一頂艾葉花斑豹皮帽，
身上穿一領羊絨織錦叵羅衣，
腰間束一條獅蠻帶，腳下屣一對麂皮靴。
環眼圓睛如弔客，圈鬚亂擾似河奎。
懸一囊毒藥弓矢，拿一桿點鋼大叉。
雷聲震破山蟲膽，勇猛驚殘野雉魂。

三藏見他來得漸近，跪在路旁，合掌高叫道：「大王◆救命！大王救命！」那條漢到邊前，放下鋼叉，用手攙起道：「長老休怕。我不是歹人，我是這山中的獵戶，姓劉名伯欽，綽號鎮山太保◆。我才自來，要尋兩隻山蟲◆食用。不期遇著你，多有衝撞。」

三藏道：「貧僧是大唐駕下欽差，往西天拜佛求經的和尚。適間來到此處，遇著些狼虎蛇蟲，四邊圍繞，不能前進。忽見太保來，眾獸皆走，救了貧僧性命，多謝，多謝。」

伯欽道：「我在這裡住人，專倚打些狼虎為生，捉些蛇蟲過活，故此眾獸怕我走了。你既是唐朝來的，與我都是鄉里。此間還是大唐的地界，我也是唐朝的百姓，我和你同食皇王的水土，誠然是一國之人。你休怕，跟我來，到我舍下歇馬，明朝我送你上路。」

◆**襯身**—存身。　**災迍**—禍害、災難。迍音諄。　**救應**—援助接應。
弔客—凶神。主掌疾病哀泣之事。　**河奎**—月中的凶神。
大王—俗稱盜匪的首領。　**山蟲**—指老虎。　**太保**—對綠林人物的尊稱。

三藏聞言，滿心歡喜，謝了伯欽，牽馬隨行。過了山坡，又聽得呼呼風響。伯欽道：「長老休走，坐在此間。風響處，是個山貓◆來了，等我拿他家去管待你。」

三藏見說，又膽戰心驚，不敢舉步。那太保執了鋼叉，拽開步，迎將上去。只見一隻斑斕虎，對面撞見，他看見伯欽，急回頭就走。這太保霹靂一聲，咄◆道：「那業畜哪裡走！」那虎見趕得急，轉身掄爪撲來。這太保三股叉舉手迎敵。諕得個三藏軟癱在草地。這和尚自出娘肚皮，哪曾見這樣凶險的勾當？太保與那虎在那山坡下，人虎相持，果是一場好鬥。但見：

怒氣紛紛，狂風滾滾。
怒氣紛紛，太保衝冠多膂力；狂風滾滾，斑彪◆逞勢噴紅塵。
那一個張牙舞爪，這一個轉步回身。
三股叉擎天晃日，千花尾擾霧雲飛。
這一個當胸亂刺，那一個劈面來吞。

閃過的再生人道，撞著的定見閻君。

只聽得那斑彪哮吼，太保聲哏◆。

斑彪哮吼，振裂山川驚鳥獸；太保聲哏，喝開天府現星辰。

那一個金睛怒出，這一個壯膽生嗔◆。

可愛鎮山劉太保，堪誇據地獸之君。

人虎貪生爭勝負，些兒有慢喪三魂◆。

他兩個鬥了有一個時辰，只見那虎爪慢腰鬆，被太保舉叉平胸刺倒。可憐啊，鋼叉尖穿透心肝，霎時間血流滿地。揪著耳朵，拖上路來。好男子，氣不連喘，面不改色，對三藏道：「造化！造化！這隻山貓，夠長老食用一日。」

◆**山貓**—指老虎。　**咄**—斥責、怒罵。咄音惰。　**斑彪**—有斑紋的老虎。

哏—狠、凶惡。哏音很平聲。　**生嗔**—生氣、發怒。

三魂—三魂是指天魂、地魂、人魂，人身去世，三魂歸三線路，直到再度輪迴，三魂才會重聚。

三藏誇讚不盡道：「太保真山神也！」

伯欽道：「有何本事，敢勞過獎？這個是長老的洪福。去來，趕早兒剝了皮，煮些肉，管待你也。」

他一隻手執著叉，一隻手拖著虎，在前引路。三藏牽著馬，隨後而行。迤邐行過山坡，忽見一座山莊。那門前真個是：

參天古樹，漫路荒藤。萬壑風塵冷，千崖氣象奇。
一徑野花香襲體，數竿幽竹綠依依。
草門樓，籬笆院，堪描堪畫；石板橋，白土壁，真樂真稀。
秋容蕭索，爽氣孤高。道旁黃葉落，嶺上白雲飄。
疏林內山禽聒聒◆，莊門外細犬嘹嘹。

伯欽到了門首，將死虎擲下，叫：「小的們何在？」

只見走出三四個家僮，都是怪形惡相之類，上前拖拖拉拉，把隻虎扛將進去。伯欽吩咐教趕早剝了皮，安排將來待客。復回頭迎接三藏進內，彼此相見，三藏又拜謝伯欽厚恩憐憫救命。

伯欽道：「同鄉之人，何勞致謝。」坐定茶罷，有一老嫗領著一個媳婦，對三藏進禮。

伯欽道：「此是家母、小妻。」三藏道：「請令堂上坐，貧僧奉拜。」

老嫗道：「長老遠客，各請自珍，不勞拜罷。」

伯欽道：「母親啊，他是唐王駕下，差往西天見佛求經者。適間在嶺頭上遇著孩兒，孩兒念一國之人，請他來家歇馬，明日送他上路。」

老嫗聞言，十分懽喜◆道：「好，好，好。就是請他，不得這般恰好。明日你父親周忌◆，就浼◆長老做些好事，念卷經文，到後日送他去罷。」

這劉伯欽雖是一個殺虎手，鎮山的太保，他卻有些孝順之心。聞得母言，就要安排香紙，留住三藏。

◆聒聒—形容喧噪的聲音。　**懽喜**—高興。懽音歡。

周忌—人死滿一年的忌日。　**浼**—請託、請求。浼音美。

說話間，不覺的天色將晚。小的們排開桌凳，拿幾盤爛熟虎肉，熱騰騰的放在上面。伯欽請三藏權用，再另辦飯。

三藏合掌當胸道：「善哉！貧僧不瞞太保說，自出娘胎，就做和尚，更不曉得吃葷。」

伯欽聞得此說，沉吟了半晌道：「長老，寒家歷代以來，不曉得吃素。就是有些竹筍，採些木耳，尋些乾菜，做些豆腐，也都是獐鹿虎豹的油煎，卻無甚素處。有兩眼鍋灶，也都是油膩透了。這等奈何？反是我請長老的不是。」

三藏道：「太保不必多心，請自受用。我貧僧就是三五日不吃飯，也可忍餓，只是不敢破了齋戒。」

伯欽道：「倘或餓死，卻如之何？」

三藏道：「感得太保天恩，搭救出虎狼叢裡，就是餓死，也強如餵虎。」

伯欽的母親聞說，叫道：「孩兒不要與長老閒講，我自有素物，可以管待。」

伯欽道：「素物何來？」母親道：「你莫管我，我自有素的。」叫媳婦將小鍋取下，著火燒了油膩，刷了又刷，洗了又洗，卻仍安在灶上。先燒半鍋滾水，別用。卻又將些山地榆葉子，著水煎作茶湯。然後將些黃粱粟米，煮起飯來。又把些乾菜煮熟。盛了兩碗，拿出來鋪在桌上。老母對著三藏道：「長老請齋。這是老身與兒婦，親自動手整理的些極潔極淨的茶飯。」三藏下來謝了，方才上坐。

那伯欽另設一處，鋪排些沒鹽沒醬的老虎肉、香獐肉、蟒蛇肉、狐狸肉、兔肉，點剁鹿肉乾巴◆，滿盤滿碗的陪著三藏吃齋。方坐下，心欲舉箸，只見三藏合掌誦經，諕得個伯欽不敢動箸，急起身立在旁邊。三藏念不數句，卻教請齋。伯欽道：「你是個念短頭經◆的和尚？」

◆寒家—對自家的謙稱。　乾巴—失去水分而乾涸。此指鹿肉乾。
短頭經—佛經只念數句就停止，用以譏諷人隨便敷衍了事。

三藏道：「此非是經，乃是一卷揭齋之咒◆。」

伯欽道：「你們出家人，偏有許多計較，吃飯便也念誦念誦。」

吃了齋飯，收了盤碗，漸漸天晚。伯欽引著三藏出中宅，到後邊走走。穿過夾道◆，有一座草亭。推開門，入到裡面，只見那四壁上掛幾張強弓硬弩，插幾壺箭；過梁◆上搭兩塊血腥的虎皮；牆根頭插著許多槍刀叉棒；正中間設兩張坐器。伯欽請三藏坐坐。三藏見這般凶險腌臢◆，不敢久坐，遂出了草亭。又往後再行，是一座大園子，卻看不盡那叢叢菊蕊堆黃，樹樹楓楊掛赤。又見呼的一聲，跑出十來隻肥鹿，一大陣黃獐，見了人，呢呢痴痴◆，更不恐懼。

三藏道：「這獐鹿想是太保養家了的？」

伯欽道：「似你那長安城中人家，有錢的集財寶，有莊的集聚稻糧。我們這打獵的，只得聚養些野獸，備天陰耳。」他兩個說話閒行，不覺黃昏，復轉前宅安歇。

次早，那合家老小都起來，就整素齋，管待長老，請開啟念經。這長老淨了手，同太保家堂前拈了香，拜了家堂◆。三藏方敲響木魚，先念了淨口業的真言◆，又念了淨身心的神咒，然後開《度亡經》一卷。誦畢，伯欽又請寫薦亡◆疏一道，再開念《金剛經》、《觀音經》。一一朗音高誦。誦畢，吃了午齋，又念《法華經》、《彌陀經》，各誦幾卷，又念一卷《孔雀經》，及談苾蒭洗業◆的故事，早又天晚。獻過了種種香火，化了眾神紙馬◆，燒了薦亡文疏。佛事已畢，又各安寢。

◆**揭齋之咒**—吃齋飯前的祈福祝禱。 **夾道**—兩壁間的狹道。
過梁—放在門、窗或預留洞口等上的一根橫梁。 **腌臢**—不乾淨。腌臢音骯髒。
呢呢痴痴—形容柔順無猜的神態。 **家堂**—家中奉祀祖先的廳堂。
淨口業的真言—指清淨口業的咒。 **薦亡**—指為死者念經或做佛事，使其亡靈早日脫難超升。
苾蒭洗業—說的是孤獨園東北一座塔下，一個貧苦獨居的修行人受佛濟世治病的故事。苾蒭，佛的弟子。業，此處指宿業。苾蒭音必芻。
眾神紙馬—用紙印畫的神像，祭畢即焚化。

卻說那伯欽的父親之靈，超薦得脫沉淪，鬼魂兒早來到自家宅內，托一夢與合宅長幼道：「我在陰司裡苦難難脫，日久不得超生。今幸得聖僧念了經卷，消了我的罪業，閻王差人送我上中華富地，長者人家托生去了。你們可好生謝送長老，不要怠慢，不要怠慢。我去也。」這才是：

萬法莊嚴端有意，薦亡離苦出沉淪。

那合家兒夢醒，又早太陽東上。

伯欽的娘子道：「太保，我今夜夢見公公來家，說他在陰司苦難難脫，日久不得超生。今幸得聖僧念了經卷，消了他的罪業，閻王差人送他上中華富地，長者人家托生去，教我們好生謝那長老，不得怠慢他。說罷，逕出門，徉徜◆去了。我們叫他不應，留他不住。醒來卻是一夢。」伯欽道：「我也是那等一夢，與妳一般。我們起去對母親說去。」他兩口子正欲去說，只見老母叫道：「伯欽孩兒，你來，我與你說話。」二人至前，老母坐在床上道：「兒啊，我今夜得了個喜夢，夢見你父親來家，說多虧了長老超度，已消了罪業，上中華富地，長者家去托生。」夫妻們俱呵呵大笑道：「我與媳婦皆有此夢，正來告稟，不期母親呼喚，也是此夢。」

遂叫一家大小起來，安排謝意，替他收拾馬匹，都至前拜謝道：「多謝長老超薦我亡父脫難超生，報答不盡。」

三藏道：「貧僧有何能處，敢勞致謝。」

伯欽把三口兒的夢話對三藏陳訴一遍，三藏也喜。早供給了素齋，又具白銀一兩為謝。三藏分文不受。一家兒又懇懇拜央，三藏畢竟分文未受。但道：「是你肯發慈悲送我一程，足感至愛。」

伯欽與母妻無奈，急做了些粗麵燒餅乾糧，叫伯欽遠送。三藏歡喜收納。太保領了母命，又喚兩三個家童，各帶捕獵的器械，同上大路。看不

◈徉徜──悠閒自在的樣子。徉徜音楊常。

盡那山中野景，嶺上風光。

行經半日，只見對面處有一座大山，真個是高接青霄，崔巍險峻。三藏不一時到了邊前。那太保登此山如行平地，正走到半山之中，伯欽回身，立於路下道：「長老，請自前進，我卻告回。」

三藏聞言，滾鞍下馬道：「千萬敢勞太保再送一程。」

伯欽道：「長老不知。此山喚做兩界山，東半邊屬我大唐所管，西半邊乃是韃靼的地界。那廂狼虎不伏我降，我卻也不能過界，你自去罷。」三藏心驚，掄開手，牽衣執袂，滴淚難分。

正在那叮嚀拜別之際，只聽得山腳下叫喊如雷道：「我師父來也！我師父來也！」諕得個三藏痴呆，伯欽打掙。

畢竟不知是甚人叫喊，且聽下回分解。

◈崔巍—高峻的樣子。打掙—應付。
韃靼—唐代蒙古種族之一。是契丹的西北族，散居在中國西北、蒙古、中亞等地。

第一四回

心猿歸正
六賊◆無蹤

詩曰：

佛即心兮心即佛，心佛從來皆要物。
若知無物又無心，便是真心法身佛。
法身佛，沒模樣，一顆圓光涵萬象。
無體之體即真體，無相之相即實相。
非色非空非不空，不來不向不回向。
無異無同無有無，難捨難取難聽望。
內外靈光到處同，一佛國在一沙中。
一粒沙含大千界，一個身心萬法同。
知之須會無心訣，不染不滯為淨業。
善惡千端無所為，便是南無釋迦葉。

卻說那劉伯欽與唐三藏驚驚慌慌，又聞得叫聲：「師父來也！」

眾家僮道：「這叫的必是那山腳下石匣中老猿。」

太保道：「是他！是他！」三藏問：「是甚麼老猿？」

太保道：「這山舊名五行山，因我大唐王征西定國，改名兩界山。先年間曾聞得老人家說：『王莽篡漢之時，天降此山，下壓著一個神猴，不怕寒暑，不吃飲食，自有土神監押，教他飢餐鐵丸，渴飲銅汁。自昔到今，凍餓不死。』這叫必定是他。長老莫怕，我們下山去看來。」三藏只得依從，牽馬下山。

行不數里，只見那石匣之間果有一猴，露著頭，伸著手，亂招手道：「師父，你怎麼此時才來？來得好！來得好！救我出來，我保你上西天去也。」這長老近前細看，你道他是怎生模樣：

尖嘴縮腮，金睛火眼。頭上堆苔蘚，耳中生薜蘿。

◆六賊──色、聲、香、味、觸、法此六種為身心所攀緣的對象。因為這六者是產生煩惱的根源，會劫奪一切善法，所以用賊來比喻。

鬢邊少髮多青草，頷下無鬚有綠莎。
眉間土，鼻凹泥，十分狼狽；指頭粗，手掌厚，塵垢餘多。
還喜得眼睛轉動，喉舌聲和。語言雖利便，身體莫能那◆。
正是五百年前孫大聖，今朝難滿脫天羅。

劉太保誠然膽大，走上前來，與他拔去了鬢邊草、頷下莎，問道：「你有甚麼說話？」
那猴道：「我沒話說，教那個師父上來，我問他一問。」
三藏道：「你問我甚麼？」
那猴道：「你可是東土大王差往西天取經去的麼？」
三藏道：「我正是，你問怎麼？」
那猴道：「我是五百年前大鬧天宮的齊天大聖，只因犯了誑上之罪，被佛祖壓於此處。前者有個觀音菩薩，領佛旨意，上東土尋取經人。我教他救我一救，他勸我再莫行凶，歸依佛法，盡殷勤保護取經人，往西方拜佛，功成後自有好處。故此晝夜提心，晨昏吊膽，只等師父來救我脫身。我願保你取經，與你做個徒弟。」

三藏聞言，滿心歡喜道：「你雖有此善心，又蒙菩薩教誨，願入沙門，只是我又沒斧鑿，如何救得你出？」

那猴道：「不用斧鑿，你但肯救我，我自出來也。」

三藏道：「我自救你，你怎得出來？」

那猴道：「這山頂上有我佛如來的金字壓帖，你只上山去將帖兒揭起，我就出來了。」

三藏依言，回頭央浼劉伯欽道：「太保啊，我與你上山走一遭。」

伯欽道：「不知真假何如？」那猴高叫道：「是真，決不敢虛謬！」

伯欽只得呼喚家童，牽了馬匹。他卻扶著三藏，復上高山。攀藤附葛，

◆那——這裡同挪。移動的意思。

只行到那極巔之處，果然見金光萬道，瑞氣千條，有塊四方大石，石上貼著一封皮，卻是「唵嘛呢叭咪吽」六個金字。

三藏近前跪下，朝石頭看著金字，拜了幾拜，望西禱祝道：「弟子陳玄奘，特奉旨意求經。果有徒弟之分，揭得金字，救出神猴，同證靈山；若無徒弟之分，此輩是個凶頑怪物，哄賺弟子，不成吉慶，便揭不得起。」祝罷又拜。拜畢，上前將六個金字輕輕揭下。只聞得一陣香風，劈手把壓帖兒刮在空中，叫道：「吾乃監押大聖者。今日他的難滿，吾等回見如來，繳此封皮去也！」嚇得個三藏與伯欽一行人望空禮拜。

逕下高山，又至石匣邊，對那猴道：「揭了壓帖矣，你出來罷。」

那猴歡喜，叫道：「師父，你請走開些，我好出來，莫驚了你。」

伯欽聽說，領著三藏，一行人回東即走。走了五七里遠近，又聽得那猴高叫道：「再走！再走！」三藏又行了許遠，下了山，只聞得一聲響亮，真個是地裂山崩。眾人盡皆悚懼。

只見那猴早到了三藏的馬前，赤淋淋◆跪下，道聲：「師父，我出來也！」對三藏拜了四拜，急起身，與伯欽唱個大喏道：「有勞大哥送我師父，又承大哥替我臉上薅◆草。」謝畢，就去收拾行李，扣背馬匹。那馬見了他，腰軟蹄矬，戰兢兢的立站不住。蓋因那猴原是弼馬溫，在天上看養龍馬的，有些法則，故此凡馬見他害怕。

三藏見他意思，實有好心，真個像沙門◆中的人物，便叫：「徒弟啊，你姓甚麼？」猴王道：「我姓孫。」

三藏道：「我與你起個法名，卻好呼喚。」

猴王道：「不勞師父盛意，我原有個法名，叫做孫悟空。」

三藏歡喜道：「也正合我們的宗派。你這個模樣，就像那小頭陀一般，

◆哄賺—以好聽的話來欺騙。　赤淋淋—赤身露體，無衣著貌。
薅—拔除雜草。薅音蒿。　沙門—梵文。意譯為道士、道人。

我與你起個混名◆，稱為行者◆，好麼？」

悟空道：「好！好！好！」自此時又稱為孫行者。

那伯欽見孫行者一心收拾要行，卻轉身對三藏唱個喏道：「長老，你幸此間收得個好徒，甚喜，甚喜。此人果然去得。我卻告回。」

三藏躬身作禮相謝道：「多有拖步◆，感激不勝。回府多多致意令堂老夫人、令荊夫人，貧僧在府多擾，容回時踵謝◆。」

伯欽回禮，遂此兩下分別。

卻說那孫行者請三藏上馬，他在前邊背著行李，赤條條，拐步而行。不多時，過了兩界山，忽然見一隻猛虎，咆哮剪尾◆而來。三藏在馬上驚心。

行者在路旁歡喜道：「師父莫怕他，他是送衣服與我的。」

放下行李，耳朵裡拔出一個針兒，迎著風，晃一晃，原來是個碗來粗細一條鐵棒。他拿在手中，笑道：「這寶貝，五百餘年不曾用著他，今日拿出來掙件衣服兒穿穿。」

你看他拽開步，迎著猛虎，道聲：「業畜！哪裡去！」那隻虎蹲著身，伏在塵埃，動也不敢動動。卻被他照頭一棒，就打得腦漿迸萬點桃紅，牙齒噴幾珠玉塊。諕得那陳玄奘滾鞍落馬，咬指道聲：「天哪！天哪！劉太保前日打的斑爛虎，還與他鬥了半日；今日孫悟空不用爭持，把這虎一棒打得稀爛，正是強中更有強中手！」

行者拖將虎來道：「師父略坐一坐，等我脫下他的衣服來，穿了走路。」三藏道：「他哪裡有甚衣服？」行者道：「師父莫管我，我自有處置。」好猴王，把毫毛拔下一根，吹口仙氣，叫：「變！」變做一把牛耳尖刀，

◆**混名**—綽號、外號。　**行者**—尚未剃除鬚髮，而過著出家生活的佛教徒。
拖步—謝人奔走效力的話。　**踵謝**—親自登門道謝。　**剪尾**—形容動物揮動尾巴迅速奔跑。

從那虎腹上挑開皮，往下一剝，剝下個囫圇皮來。剁去了爪甲，割下頭來，割個四四方方一塊虎皮。提起來，量了一量道：「闊了些兒，一幅可作兩幅。」拿過刀來，又裁為兩幅。收起一幅，把一幅圍在腰間。路旁揪了一條葛藤，緊緊束定，遮了下體道：「師父，且去！且去！到了人家，借些針線，再縫不遲。」他把條鐵棒，捻一捻，依舊像個針兒，收在耳裡。背著行李，請師父上馬。

兩個前進，長老在馬上問道：「悟空，你才打虎的鐵棒，如何不見？」行者笑道：「師父，你不曉得。我這棍，本是東洋大海龍宮裡得來的，喚做天河鎮底神珍鐵，又喚做如意金箍棒。當年大反天宮，甚是虧他，隨身變化，要大就大，要小就小。剛才變做一個繡花針兒模樣，收在耳內矣。但用時，方可取出。」三藏聞言暗喜。又問道：「方才那虎見了你，怎麼就不動動？讓你自在◆打他，何說？」

悟空道：「不瞞師父說，莫道是隻虎，就是一條龍，見了我也不敢無禮。我老孫頗有降龍伏虎的手段，翻江攪海的神通；見貌辨色，聆音察理；大之則量於宇宙，小之則攝於毫毛；變化無端，隱顯莫測。剝這個虎皮，何為稀罕？若到那疑難處，看展本事麼！」

三藏聞得此言，愈加放懷無慮，策馬前行。師徒兩個走著路，說著話，不覺得太陽西墜。但見：

焰焰斜暉返照，天涯海角歸雲。
千山鳥雀噪聲頻，覓宿投林成陣。
野獸雙雙對對，回窩族族群群。
一鉤新月破黃昏，萬點明星光暈。

行者道：「師父走動些，天色晚了。那壁廂樹木森森，想必是人家莊院，

◆自在—任意、隨意。

我們趕早投宿去來。」三藏果策馬而行，逕奔人家，到了莊院前下馬。

行者撇了行李，走上前，叫聲：「開門！開門！」那裡面有一老者扶筇◆而出，唿喇的開了門。

看見行者這般惡相，腰繫著一塊虎皮，好似個雷公模樣，諕得腳軟身麻，口出譫語◆道：「鬼來了！鬼來了！」

三藏近前攙住，叫道：「老施主休怕。他是我貧僧的徒弟，不是鬼怪。」

老者抬頭，見了三藏的面貌清奇，方才立定，問道：「你是哪寺裡來的和尚，帶這惡人上我門來？」

三藏道：「我貧僧是唐朝來的，往西天拜佛求經。適路過此間，天晚，特造檀府借宿一宵，明早不犯◆天光就行。萬望方便一二。」

老者道：「你雖是個唐人，那個惡的卻非唐人。」

悟空厲聲高呼道：「你這個老兒全沒眼色！唐人是我師父，我是他徒弟。我也不是甚糖人、蜜人，我是齊天大聖！你們這裡人家，也有認得我的，我也曾見你來。」

那老者道：「你在哪裡見我？」

悟空道：「你小時不曾在我面前扒柴？不曾在我臉上挑菜？」

老者道：「這廝胡說！你在哪裡住？我在哪裡住？我來你面前扒柴、挑菜？」

悟空道：「我兒子便胡說。你是認不得我了，我本是這兩界山石匣中的大聖，你再認認看。」

老者方才省悟道：「你倒有些像他。但你是怎麼得出來的？」悟空將菩薩勸善，令他等待唐僧揭帖脫身之事，對那老者細說了一遍。

老者卻才下拜，將唐僧請到裡面，即喚老妻與兒女都來相見，具言前事，個個忻喜。又命看茶。

茶罷，問悟空道：「大聖啊，你也有年紀了？」

◆筇——竹子，可做手杖。筇音窮。

譫語——病中神智不清時的胡言亂語。譫音沾。　不犯——不等、不到。

悟空道：「你今年幾歲了？」老者道：「我痴長一百三十歲了。」

行者道：「還是我重子重孫哩！我那生身的年紀，我不記得是幾時；但只在這山腳下，已五百餘年了。」

老者道：「是有，是有。我曾記得祖公公說，此山乃從天降下，就壓了一個神猴。只到如今，你才脫體◆。我那小時見你時，你頭上有草，臉上有泥，還不怕你；如今臉上無了泥，頭上無了草，卻像瘦了些，腰間又苫◆了一塊大虎皮，與鬼怪能差多少？」一家兒聽得這般話說，都呵呵大笑。

這老兒頗賢，即令安排齋飯。

飯後，悟空道：「你家姓甚？」老者道：「舍下姓陳。」

三藏聞言，即下來起手道：「老施主與貧僧是華宗◆。」

行者道：「師父，你是唐姓，怎的和他是華宗？」

三藏道：「我俗家也姓陳，乃是唐朝海州弘農郡聚賢莊人氏。我的法名叫做陳玄奘。只因我大唐太宗皇帝賜我做御弟三藏，指唐為姓，故名唐僧也。」那老者見說同姓，又十分歡喜。

行者道：「老陳，左右打攪你家，我有五百多年不洗澡了，你可去燒些湯來，與我師徒們洗浴洗浴，一發臨行謝你。」那老兒即令燒湯拿盆，掌上燈火。師徒浴罷，坐在燈前。

行者道：「老陳，還有一事累你：有針線借我用用。」

那老兒道：「有，有，有。」即教媽媽取針線來，遞與行者。行者又有眼色◆，見師父洗浴，脫下一件白布短小直裰未穿，他即扯過來披在身上。卻將那虎皮脫下，聯接一處。

打一個馬面樣的褶子◆，圍在腰間，勒了藤條，走到師父面前道：「老孫今日這等打扮，比昨日如何？」

◆**脫體**—民間神話指脫去凡體。後人泛用為脫離身體。
苫—覆蓋。苫音山。 **華宗**—比喻同族或同姓的人。
有眼色—善於觀察，知道如何應對進退。 **馬面樣的褶子**—又名「馬面褶裙」。

三藏道：「好！好！好！這等樣，才像個行者。」三藏道：「徒弟，你不嫌殘舊，那件直裰兒，你就穿了罷。」悟空唱個喏道：「承賜！承賜！」他又去尋些草料餵了馬。此時各各事畢，師徒與那老兒亦各歸寢。

次早，悟空起來，請師父走路。三藏著衣，教行者收拾鋪蓋行李。正欲告辭，只見那老兒早具臉湯，又具齋飯。齋罷，方才起身。三藏上馬，行者引路。不覺飢餐渴飲，夜宿曉行。又值初冬時候，但見那：

霜凋紅葉千林瘦，嶺上幾株松柏秀。
未開梅蕊散香幽，暖短晝，小春候，菊殘荷盡山茶茂。
寒橋古樹爭枝鬥，曲澗涓涓泉水溜。
淡雲欲雪滿天浮，朔風驟，牽衣袖，向晚寒威人怎受？

師徒們正走多時，忽見路旁唿哨一聲，闖出六個人來，各執長槍短劍，利刃強弓，大咤一聲道：「那和尚哪裡走！趕早留下馬匹，放下行李，饒你性命過去！」

諕得那三藏魂飛魄散，跌下馬來，不能言語。行者用手扶起道：「師父放心，沒些兒事，這都是送衣服送盤纏與我們的。」

三藏道：「悟空，你想有些耳閉◆？他說教我們留馬匹、行李，你倒問他要甚麼衣服、盤纏？」

行者道：「你管守著衣服、行李、馬匹，待老孫與他爭持一場，看是何如。」三藏道：「好手不敵雙拳，雙拳不如四手。他那裡六條大漢，你這般小小的一個人兒，怎麼敢與他爭持？」

行者的膽量原大，哪容分說，走上前來，叉手當胸，對那六個人施禮道：「列位有甚麼原故，阻我貧僧的去路？」

那人道：「我等是剪徑◆的大王，行好心的山主。大名久播，你量不知。

◆耳閉——因聽覺障礙而聽不到聲音。　剪徑——攔路搶劫。

早早的留下東西，放你過去；若道半個『不』字，教你碎屍粉骨！」

行者道：「我也是祖傳的大王，積年◆的山主，卻不曾聞得列位有甚大名。」

那人道：「你是不知，我說與你聽：一個喚做眼看喜，一個喚做耳聽怒，一個喚做鼻嗅愛，一個喚做舌嘗思，一個喚做意見欲，一個喚做身本憂。」

悟空笑道：「原來是六個毛賊！你卻不認得我這出家人是你的主人公，你倒來擋路。把那打劫的珍寶拿出來，我與你作七分兒均分，饒了你罷！」

那賊聞言，喜的喜，怒的怒，愛的愛，思的思，欲的欲，憂的憂，一齊上前亂嚷道：「這和尚無禮！你的東西全然沒有，轉來和我等要分東西！」他掄槍舞劍，一擁前來，照行者劈頭亂砍，乒乒乓乓，砍有七、八十下。悟空停立中間，只當不知。

那賊道：「好和尚，真個的頭硬。」

行者笑道：「將就看得過罷了！你們也打得手困了，卻該老孫取出個針兒來耍耍。」

那賊道：「這和尚是一個行針灸的郎中變的。我們又無病症，說甚麼動針的話？」

行者伸手去耳朵裡拔出一根繡花針兒，迎風一晃，卻是一條鐵棒，足有碗來粗細。拿在手中道：「不要走！也讓老孫打一棍兒試試手！」諕得這六個賊四散逃走。被他拽開步，團團趕上，一個個盡皆打死。剝了他的衣服，奪了他的盤纏，笑吟吟走將來道：「師父請行，那賊已被老孫剿◈了。」

三藏道：「你十分撞禍◈！他雖是剪徑的強徒，就是拿到官司，也不該死罪；你縱有手段，只可退他去便了，怎麼就都打死？這卻是無故傷人的性命，如何做得和尚？出家人掃地恐傷螻蟻命，愛惜飛蛾紗罩燈，你怎麼不分皂白，一頓打死？全無一點慈悲好善之心。早還是山野中無人查考，若

◈**積年**——多年。　**剿**——滅絕、消滅。　**撞禍**——闖禍、惹禍。

到城市，倘有人一時衝撞了你，你也行凶，執著棍子亂打傷人，我可做得白客，怎能脫身？」

悟空道：「師父，我若不打死他，他卻要打死你哩。」

三藏道：「我這出家人寧死，決不敢行凶。我就死，也只是一身，你卻殺了他六人，如何理說？此事若告到官，就是你老子做官，也說不過去。」

行者道：「不瞞師父說，我老孫五百年前，據花果山稱王為怪的時節，也不知打死多少人。假似你說這般到官，倒也得些狀告是，我就做不到『齊天大聖』了。」

三藏道：「只因你沒收沒管，暴橫人間，欺天誑上，才受這五百年前之難。今既入了沙門，若是還像當時行凶，一味傷生，去不得西天，做不得和尚！忒惡！忒惡！」

原來這猴子一生受不得人氣。他見三藏只管緒緒絮絮，按不住心頭火發道：「你既是這等，說我做不得和尚，上不得西天，不必恁般絮聒惡我，我回去便了！」那三藏卻不曾答應。他就使一個性子，將身一縱，說一聲：「老孫去也！」三藏急抬頭，早已不見。只聞得呼的一聲，回東而去。撇得那長老孤孤零零，點頭自嘆，悲怨不已道：「這廝這等不受教誨，我但說他幾句，他怎麼就無形無影的逕回去了？罷！罷！罷！也是我命裡不該招徒弟，進人口。如今欲尋他無處尋，欲叫他叫不應，去來！去來！」正是：

捨身拚命歸西去，莫倚旁人自主張。

那長老只得收拾行李，捎在馬上，也不騎馬，一隻手拄著錫杖，一隻手揪著轡繩，凄凄涼涼，往西前進。行不多時，只見山路前面有一個年高的老

◆**白客**—清白無辜的人。 **忒惡**—太壞。忒音特。 **恁般**—這樣。
絮聒—囉唆、嘮叨。 **是**—淮安方言，語尾詞。

母，捧一件綿衣，綿衣上有一頂花帽。三藏見她來得至近，慌忙牽馬，立於右側讓行。

那老母問道：「你是哪裡來的長老，孤孤悽悽◆獨行於此？」

三藏道：「弟子乃東土大唐奉旨往西天拜活佛求真經者。」

老母道：「西方佛乃大雷音寺天竺國界，此去有十萬八千里路。你這等單人獨馬，又無個伴侶，又無個徒弟，你如何去得？」

三藏道：「弟子日前收得一個徒弟，他性潑凶頑，是我說了他幾句，他不受教，遂渺然而去也。」

老母道：「我有這一領綿布直裰、一頂嵌金花帽，原是我兒子用的，他只做了三日和尚，不幸命短身亡。我才去他寺裡哭了一場，辭了他師父，將這兩件衣、帽拿來，做個憶念。長老啊，你既有徒弟，我把這衣帽送了你罷。」

三藏道：「承老母盛賜，但只是我徒弟已走了，不敢領受。」

老母道：「他哪廂去了？」三藏道：「我聽得呼的一聲，他回東去了。」

老母道：「東邊不遠，就是我家，想必往我家去了。我那裡還有一篇咒兒，喚做『定心真言』，又名做『緊箍兒咒』。你可暗暗的念熟，牢記心頭，再莫泄漏一人知道。我去趕上他，叫他還來跟你，你卻將此衣帽與他穿戴。他若不服你使喚，你就默念此咒，他再不敢行凶，也再不敢去了。」三藏聞言，低頭拜謝。那老母化一道金光，回東而去。三藏情知是觀音菩薩授此真言，急忙撮土焚香，望東懇懇禮拜。拜罷，收了衣帽，藏在包袱中間。卻坐於路旁，誦習那定心真言，來回念了幾遍，念得爛熟，牢記心胸不題。

卻說那悟空別了師父，一觔斗雲，逕轉東洋大海。按住雲頭，分開水道，逕至水晶宮前。早驚動龍王出來迎接，接至宮裡坐下。禮畢，龍王道：「近聞得大聖難滿，失賀！想必是重整仙山，復歸古洞

◆孤孤恓恓—孤單無助的樣子。

矣？」悟空道：「我也有此心性，只是又做了和尚了。」

龍王道：「做甚和尚？」行者道：「我虧了南海菩薩勸善，教我正果，隨東土唐僧上西方拜佛，皈依沙門，又喚為行者了。」

龍王道：「這等真是可賀！可賀！這才叫做改邪歸正，懲創善心。既如此，怎麼不西去，復東回何也？」

行者笑道：「那是唐僧不識人性。有幾個毛賊剪徑，是我將他打死，唐僧就絮絮叨叨，說了我若干的不是。你想老孫可是受得悶氣的？是我撇了他，欲回本山，故此先來望你一望，求鍾茶吃。」

龍王道：「承降！承降！」當時龍子、龍孫即捧香茶來獻。

茶畢，行者回頭一看，見後壁上掛著一幅「圯橋進履◆」的畫兒。

行者道：「這是甚麼景致？」

龍王道：「大聖在先，此事在後，故你不認得。這叫做『圯橋三進履』。」

行者道：「怎的是『三進履』？」

龍王道：「此仙乃是黃石公，此子乃是漢世張良，石公坐在圯橋上，忽然失履於橋下，遂喚張良取來。此子即忙取來，跪獻於前。如此三度，張良略無一毫倨傲怠慢之心，石公遂愛他勤謹，夜授天書，著他扶漢。後果然運籌帷幄之中，決勝千里之外。太平後，棄職歸山，從赤松子◈遊，悟成仙道。大聖，你若不保唐僧，不盡勤勞，不受教誨，到底是個妖仙，休想得成正果。」悟空聞言，沉吟半晌不語。

龍王道：「大聖自當裁處，不可圖自在，誤了前程。」

悟空道：「莫多話，老孫還去保他便了。」

龍王忻喜道：「既如此，不敢久留，請大聖早發慈悲，莫要疏久了你師父。」

◈**圯橋進履**——張良為黃石公拾鞋、穿鞋，終得以成大事的故事。典出《史記‧卷五五‧留侯世家》。後比喻屈己尊老，求取教益。

赤松子——本是神農時人，為雨師，他服食水玉，教給神農，能夠在烈火中任火燒烤。赤松子常常去崑崙山上，在西王母的石室裡歇息，隨風雨自由上下。炎帝的小女兒曾跟隨他，亦成仙飛升而去。

行者見他催促請行，急縱身，出離海藏，駕著雲，別了龍王。正走，卻遇著南海菩薩。菩薩道：「孫悟空，你怎麼不受教誨，不保唐僧，來此處何幹？」慌得個行者在雲端裡施禮道：「向蒙菩薩善言，果有唐朝僧到，揭了壓帖，救了我命，跟他做了徒弟。他卻怪我凶頑，我才閃了他一閃，如今就去保他也。」菩薩道：「趕早去，莫錯過了念頭。」言畢各回。

這行者須臾間看見唐僧在路旁悶坐。他上前道：「師父，怎麼不走路？還在此做甚？」三藏抬頭道：「你往哪裡去來？教我行又不敢行，動又不敢動，只管在此等你。」行者道：「我往東洋大海老龍王家討茶吃吃。」三藏道：「徒弟啊，出家人不要說謊。你離了我沒多一個時辰，就說到龍王家吃茶？」

行者笑道：「不瞞師父說，我會駕觔斗雲，一個觔斗有十萬八千里路，故此得即去即來。」

三藏道：「我略略的言語重了些兒，你就怪我，使個性子丟了我去。像你這有本事的，討得茶吃；像我這去不得的，只管在此忍餓。你也過意不去呀！」

行者道：「師父，你若餓了，我便去與你化些齋吃。」

三藏道：「不用化齋，我那包袱裡還有些乾糧，是劉太保母親送的。你去拿鉢盂尋些水來，等我吃些兒走路罷。」

行者去解開包袱，在那包裹中間見有幾個粗麵燒餅，拿出來遞與師父。又見那光豔豔的一領綿布直裰、一頂嵌金花帽。

行者道：「這衣帽是東土帶來的？」

三藏就順口兒答應道：「是我小時穿戴的。這帽子若戴了，不用教經，就會念經；這衣服若穿了，不用演禮◆，就會行禮。」

行者道：「好師父，把與我穿戴了罷。」

三藏道：「只怕長短不一，你若穿得，就穿了罷。」行者遂脫下舊白布直裰，將綿布直裰穿上，也就是比量著身體裁的一般，把帽兒戴上。三藏見他戴上帽子，就不吃乾糧，卻默默的念那緊箍咒一遍。

行者叫道：「頭痛！頭痛！」

那師父不住的又念了幾遍，把個行者痛得打滾，抓破了嵌金的花帽。三藏又恐怕扯斷金箍，住了口不念。不念時，他就不痛了。伸手去頭上摸摸，似一條金線兒模樣，緊緊的勒在上面，取不下，揪不斷，已此生了根了。他就耳裡取出針兒來，插入箍裡，往外亂捎。三藏又恐怕他捎斷了，口中又念起來。他依舊生痛，痛得豎蜻蜓◆，翻觔斗，耳紅面赤，眼脹身麻。那師父見他這等，又不忍不捨，復住了口。他的頭又不痛了。

行者道：「我這頭，原來是師父咒我的？」

三藏道：「我念的是《緊箍經》，何曾咒你？」

行者道：「你再念念看。」

三藏真個又念。行者真個又痛，只教：「莫念！莫念！念動我就痛了！這是怎麼說？」

三藏道：「你今番可聽我教誨了？」

行者道：「聽教了。」「你再可無禮了？」行者道：「不敢了。」

他口裡雖然答應，心上還懷不善，把那針兒晃一晃，碗來粗細，望唐僧就欲下手。慌得長老口中又念了兩三遍。這猴子跌倒在地，丟了鐵棒，不能舉手，只教：「師父，我曉得了。再莫念！再莫念！」

三藏道：「你怎麼欺心◆，就敢打我？」

行者道：「我不曾敢打。我問師父，你這法兒是誰教你的？」

三藏道：「是適間一個老母傳授我的。」

◆**演禮**—演練禮儀。 **豎蜻蜓**—頭腳倒豎，用雙手支撐全身。即倒立。 **欺心**—使壞心眼。

行者大怒道：「不消講了，這個老母，坐定是那個觀世音。她怎麼那等害我？等我上南海打她去。」

三藏道：「此法既是她授與我，她必然先曉得了。你若尋她，她念起來，你卻不是死了？」

行者見說得有理，真個不敢動身，只得回心，跪下哀告道：「師父，這是她奈何◆我的法兒，教我隨你西去。我也不去惹她，你也莫當常言，只管念誦。我願保你，再無退悔之意了。」

三藏道：「既如此，服侍我上馬去也。」那行者才死心塌地，抖擻精神，束一束綿布直裰，扣背馬匹，收拾行李，奔西而進。

畢竟這一去，後面又有甚話說，且聽下回分解。

◆奈何——懲治、對付。

第一五回

蛇盤山諸神暗佑
鷹愁澗意馬收韁

卻說行者服侍唐僧西進，行經數日，正是那臘月寒天，朔風凜凜，滑凍凌凌◆。走的是些懸崖峭壁崎嶇路，疊嶺層巒險峻山。

三藏在馬上，遙聞唿喇喇水聲聒耳，回頭叫：「悟空，是哪裡水響？」

行者道：「我記得此處叫做蛇盤山鷹愁澗，想必是澗裡水響。」說不了◆，馬到澗邊，三藏勒韁觀看。但見：

涓涓寒脈穿雲過，湛湛清波映日紅。
聲搖夜雨聞幽谷，彩發朝霞眩太空。
千仞浪飛噴碎玉，一泓水響吼清風。
流歸萬頃煙波去，鷗鷺相忘沒釣逢。

師徒兩個正然◆看處，只見那澗當中響一聲，鑽出一條龍來，推波掀浪，攛出崖山，就搶長老。慌得個行者丟了行李，把師父抱下馬來，回頭便走。那條龍就趕不上，把他的白馬連鞍轡一口吞下肚去，依然伏水潛蹤。行者把師父送在那高阜◆上坐了，卻來牽馬挑擔，只存得一擔行李，不見了馬匹。

他將行李擔送到師父面前道：「師父，那孽龍也不見蹤影，只是驚走我的馬了。」

三藏道：「徒弟啊，卻怎生尋得馬著麼？」

行者道：「放心，放心，等我去看來。」

他打個唿哨，跳在空中，火眼金睛，用手搭涼篷◆，四下裡觀看，更不見

◆**凌凌**—寒冷的樣子。 **說不了**—話還沒有說完。 **正然**—正在。
高阜—高的土山。 **用手搭涼篷**—將手放在額上，眺望遠處。

馬的蹤跡。按落雲頭，報道：「師父，我們的馬斷乎是那龍吃了，四下裡再看不見。」

三藏道：「徒弟呀，那廝能有多大口，卻將那匹大馬連鞍轡都吃了？想是驚張溜韁，走在那山凹之中。你再仔細看看。」

行者道：「你也不知我的本事。我這雙眼，白日裡常看一千里路的吉凶。像那千里之內，蜻蜓兒展翅，我也看見，何期那匹大馬，我就不見？」

三藏道：「既是他吃了，我如何前進！可憐啊，這千山萬水，怎生走得！」說著話，淚如雨落。

行者見他哭將起來，他哪裡忍得住暴躁，發聲喊道：「師父莫要這等膿包◆形麼，你坐著！坐著！等老孫去尋著那廝，教他還我馬匹便了。」

三藏卻才扯住道：「徒弟啊，你哪裡去尋他？只怕他暗地裡攛將出來，卻不又連我都害了？那時節人馬兩亡，怎生是好？」

行者聞得這話，越加嗔怒，就叫喊如雷道：「你忒不濟◆！不濟！又要馬騎，又不放我去，似這般看著行李，坐到老罷！」

哏哏的吆喝，正難息怒，只聽得空中有人言語，叫道：「孫大聖莫惱，唐御弟休哭。我等是觀音菩薩差來的一路神祇◈，特來暗中保取經者。」那長老聞言，慌忙禮拜。

行者道：「你等是哪幾個，可報名來，我好點卯。」

眾神道：「我等是六丁六甲、五方揭諦、四值功曹、一十八位護教伽藍，各各輪流值日聽候。」

行者道：「今日先從誰起？」

眾揭諦道：「丁甲、功曹、伽藍輪次。我五方揭諦，惟金頭揭諦晝夜不離左右。」

行者道：「既如此，不當值者且退，留下六丁神將與日值功曹和眾揭諦保守著我師父。等老孫尋那澗中的孽龍，教他還我馬來。」眾神遵令。三藏才放下心，坐在石崖之上，吩咐行者仔細。

◈膿包—譏罵軟弱無能的人。　不濟—不中用。　神祇—天神與地祇，泛指神明。祇音其。

行者道：「只管寬心。」

好猴王，束一束綿布直裰，撩起虎皮裙子，揝著金箍鐵棒，抖擻精神，逕臨澗壑，半雲半霧的，在那水面上高叫道：「潑泥鰍，還我馬來！還我馬來！」

卻說那龍吃了三藏的白馬，伏在那澗底中間，潛靈養性，只聽得有人叫罵索馬。他按不住心中火發，急縱身躍浪翻波，跳將上來道：「是哪個敢在這裡海口◆傷吾？」

行者見了他，大吒一聲：「休走，還我馬來！」掄著棍，劈頭就打。那條龍張牙舞爪來抓。他兩個在澗邊前這一場賭鬥，果是驍雄◆。但見那：

龍舒利爪，猴舉金箍。

那個鬚垂白玉線，這個眼晃赤金燈。

那個鬚下明珠噴彩霧，這個手中鐵棒舞狂風。

那個是迷爺娘的業子，這個是欺天將的妖精。

他兩個都因有難遭磨折，今要成功各顯能。

來來往往，戰夠多時，盤旋良久，那條龍力軟筋麻，不能抵敵，打一個轉身，又攛於水內，深潛澗底，再不出頭。被猴王罵詈不絕，他也只推耳聾。

行者沒及奈何，只得回見三藏道：「師父，這個怪被老孫罵將出來，他與我賭鬥多時，怯戰而走，只躲在水中間，再不出來了。」

三藏道：「不知端的◆可是他吃了我馬？」

行者道：「你看你說的話，不是他吃了，他還肯出來招聲◆，與老孫犯對◆？」

◆海口─誇嘴。指說話沒有顧忌、隨便亂說。
驍雄─勇猛威武。　端的─真的、果然。有時是「究竟」的意思。
招聲─回應、答話。　犯對─作對。

三藏道：「你前日打虎時，曾說有降龍伏虎的手段，今日如何便不能降他？」

原來那猴子吃不得人急他。見三藏搶白了他這一句，他就發起神威道：「不要說！不要說！等我與他再見個上下。」

這猴王拽開步，跳到澗邊，使出那翻江攪海的神通，把一條鷹愁陡澗徹底澄清的水，攪得似那九曲黃河泛漲的波。那孽龍在於深澗中坐臥不寧，心中思想道：「這才是福無雙降，禍不單行。我才脫了天條死難，不上一年，在此隨緣度日，又撞著這般個潑魔，他來害我。」

你看他越思越惱，受不得屈氣，咬著牙，跳將出去，罵道：「你是哪裡來的潑魔，這等欺我？」

行者道：「你莫管我哪裡不哪裡，你只還了馬，我就饒你性命。」

那龍道：「你的馬是我吞下肚去，如何吐得出來？不還你，便待怎的？」

行者道：「不還馬時看棍！只打殺你，償了我馬的性命便罷！」

他兩個又在那山崖下苦鬥。鬥不數合，小龍委實難搪◆，將身一晃，變做一條水蛇兒，鑽入草科◆中去了。

猴王拿著棍，趕上前來，撥草尋蛇，哪裡得些影響。急得他三尸神◆咋，七竅煙生，念了一聲「唵◆」字咒語，即喚出當坊土地、本處山神，一齊來跪下道：「山神、土地來見。」

行者道：「伸過孤拐◆來，各打五棍見面，與老孫散散心！」

二神叩頭哀告道：「望大聖方便，容小神訴告。」

行者道：「你說甚麼？」

◆**急**—激的借音字。激將、刺激。 **搶白**—責備、嘲諷。 **見個上下**—比個優劣高低。

潑魔—罵人刁鑽凶悍。 **難搪**—抵擋不住。 **草科**—草窠。 **孤拐**—腳踝。

三尸神—道家稱人體內的三種害蟲。上尸稱為「彭倨」，居於腦；中尸稱為「彭質」，居於明堂；下尸稱為「彭蹻」，居於腹胃。每於庚申日向天帝稟報人之過惡。

「唵」字咒語—佛教術語。「唵」字包括攝伏的功用，據說行此法時，可以使一切諸天龍神聽從指揮。本書中行者多次行此咒拘召山神、土地。

二神道：「大聖一向久困，小神不知幾時出來，所以不曾接得，萬望恕罪。」

行者道：「既如此，我且不打你。我問你，鷹愁澗裡，是哪方來的怪龍？他怎麼搶了我師父的白馬吃了？」

二神道：「大聖自來不曾有師父，原來是個不伏天不伏地混元上真，如何得有甚麼師父的馬來？」

行者道：「你等是也不知。我只為那誑上的勾當，整受了這五百年的苦難。今蒙觀音菩薩勸善，著唐朝駕下真僧救出我來，教我跟他做徒弟，往西天去拜佛求經。因路過此處，失了我師父的白馬。」

二神道：「原來是如此。這澗中自來無邪，只是深陡寬闊，水光徹底澄清，鴉鵲不敢飛過；因水清照見自己的形影，便認做同群之鳥，往往身擲於水內，故名『鷹愁陡澗』。只是向年間，觀音菩薩因為尋訪取經人去，救了一條玉龍，送他在此，教他等候那取經人，不許為非作歹。他只是飢了時，上岸來撲些鳥鵲吃，或是捉些獐鹿食用。不知他怎麼無知，今日衝撞了大聖。」

行者道：「先一次，他還與老孫侮手◆，盤旋了幾合；後一次，是老孫叫罵，他再不出。因此使了一個翻江攪海的法兒，攪混了他澗水，他就攛將上來，還要爭持。不知老孫的棍重，他遮架不住，就變做一條水蛇，鑽在草裡。我趕來尋他，卻無蹤跡。」

土地道：「大聖不知。這條澗千萬個孔竅相通，故此這波瀾深遠。想是此間也有一孔，他鑽將下去。也不須大聖發怒，在此找尋；要擒此物，只消請將觀世音來，自然伏了。」

行者見說，喚山神、土地，同來見了三藏，具言前事。

三藏道：「若要去請菩薩，幾時才得回來？我貧僧飢寒怎忍？」

說不了，只聽得暗空中有金頭揭諦叫道：「大聖，你不須動身，小神去

◆侮手──交手、過手的意思。

請菩薩來也。」

行者大喜，道聲：「有累！有累！快行！快行！」那揭諦急縱雲頭，逕上南海。行者吩咐山神、土地守護師父，日值功曹去尋齋供，他又去澗邊巡繞不題。

卻說金頭揭諦一駕雲，早到了南海。按祥光，直至落伽山紫竹林中，托那金甲諸天與木叉惠岸轉達，得見菩薩。

菩薩道：「汝來何幹？」

揭諦道：「唐僧在蛇盤山鷹愁陡澗失了馬，急得孫大聖進退兩難。及問本處土神，說是菩薩送在澗裡的孽龍吞了。那大聖著小神來告請菩薩降這孽龍，還他馬匹。」

菩薩聞言道：「這廝本是西海敖閏之子，他為縱火燒了殿上明珠，他父告他忤逆，天庭上犯了死罪。是我親見玉帝，討他下來，教他與唐僧做個腳力。他怎麼反吃了唐僧的馬？這等說，等我去來。」那菩薩降蓮臺，逕離仙洞，與揭諦駕著祥光，過了南海而來。有詩為證。詩曰：

佛說蜜多◆三藏經，菩薩揚善滿長城。
摩訶◆妙語通天地，般若◆真言救鬼靈。
致使金蟬重脫殼，故令玄奘再修行。
只因路阻鷹愁澗，龍子歸真化馬形。

那菩薩與揭諦不多時到了蛇盤山，卻在那半空裡留住祥雲，低頭觀看，只見孫行者正在澗邊叫罵。菩薩著揭諦喚他來。那揭諦按落雲頭，不經由三藏，直至澗邊，對行者道：「菩薩來也。」行者聞得，急縱雲跳到空中，對他大叫道：「你這個七佛之師，慈悲的教主，你怎麼生方法兒害我？」

◆**蜜多**—梵語譯音。蜜多應作波羅蜜多或波羅蜜，達到彼岸的意思。原意為菩薩有廣大的功行，可以從生死之此岸達到覺悟、不生不滅的彼岸。

摩訶—梵語譯音。盛大、眾多的意思。　**般若**—梵語譯音。就是智慧。

菩薩道：「我把你這個大膽的馬流◆，村愚的赤尻◆！我倒再三盡意，度得個取經人來，叮嚀教他救你性命，你怎麼不來謝我活命之恩，反來與我嚷鬧？」

行者道：「你弄得我好哩！你既放我出來，讓我逍遙自在耍子◆便了。你前日在海上迎著我，傷了我幾句，教我來盡心竭力，服侍唐僧便罷了，你怎麼送他一頂花帽，哄我戴在頭上受苦？把這個箍子長在老孫頭上，又教他念一卷甚麼『緊箍兒咒』，著那老和尚念了又念，教我這頭上疼了又疼，這不是你害我也？」

菩薩笑道：「你這猴子，你不遵教令，不受正果，若不如此拘係◆你，你又誑上欺天，知甚好歹？再似從前撞出禍來，有誰收管？須是得這個魔頭，你才肯入我瑜迦之門路哩。」

行者道：「這樁事，作做◆是我的魔頭罷。你怎麼又把那有罪的孽龍，送在此處成精，教他吃了我師父的馬匹？此又是縱放歹人為惡，太不善也！」

菩薩道：「那條龍，是我親奏玉帝，討他在此，專為求經人做個腳力。你想那東土來的凡馬，怎歷得這萬水千山？怎到得那靈山佛地？須是得這個龍馬，方才去得。」

行者道：「像他這般懼怕老孫，潛躲不出，如之奈何？」

菩薩叫揭諦道：「你去澗邊叫一聲：『敖閏龍王玉龍三太子，你出來，有南海菩薩在此。』他就出來了。」

那揭諦果去澗邊叫了兩遍。那小龍翻波跳浪，跳出水來，變做一個人像，踏了雲頭，到空中對菩薩禮拜道：「向蒙菩薩解脫活命之恩，在此久等，更不聞取經人的音信。」

菩薩指著行者道：「這不是取經人的大徒弟？」

◆**馬流**—猴子。　**赤尻**—紅屁股。　**耍子**—嬉戲、玩耍。
拘係—拘禁、管制。　**作做**—當作、認為、即使、就算的意思。

小龍見了道：「菩薩，這是我的對頭。我昨日腹中飢餒，果然吃了他的馬匹。他倚著有些力量，將我鬥得力怯而回，又罵得我閉門不敢出來。他更不曾提著一個『取經』的字樣。」

行者道：「你又不曾問我姓甚名誰，我怎麼就說？」

小龍道：「我不曾問你是哪裡來的潑魔？你嚷道：『管甚麼哪裡不哪裡，只還我馬來。』何曾說出半個『唐』字？」

菩薩道：「那猴頭專倚自強，哪肯稱讚別人？今番前去，還有歸順的哩。若問時，先提起『取經』的字來，卻也不用勞心，自然拱伏。」

行者歡喜領教。菩薩上前，把那小龍的項下明珠摘了，將楊柳枝蘸出甘露，往他身上拂了一拂，吹口仙氣，喝聲叫：「變！」那龍即變做他原來的馬匹毛片。

又將言語吩咐道：「你須用心還了業障，功成後超越凡龍，還你個金身正果。」那小龍口銜著橫骨◆，心心領諾。菩薩教悟空領他去見三藏，「我回海上去也。」

行者扯住菩薩不放道：「我不去了！我不去了！西方路這等崎嶇，保這個凡僧，幾時得到？似這等多磨多折，老孫的性命也難全，如何成得甚麼功果？我不去了！我不去了！」

菩薩道：「你當年未成人道，且肯盡心修悟；你今日脫了天災，怎麼倒生懶惰？我門中以寂滅成真，須是要信心正果。假若到了那傷身苦磨之處，我許你叫天天應，叫地地靈。十分再到那難脫之際，我也親來救你。你過來，我再贈你一般本事。」

菩薩將楊柳葉兒摘下三個，放在行者的腦後，喝聲：「變！」即變做三根救命的毫毛。教他：「若到那無濟無主◆的時節，可以隨機應變，救得你急苦之災。」行者聞了這許多好言，才謝了大慈大悲的菩薩。

那菩薩香風繞繞，彩霧飄飄，逕轉普陀而去。

◆橫骨—銜在馬嘴中的嚼環，兩端連在轡上，以便駕馭。

無濟無主—既沒有人幫忙，也沒有主意。形容到達絕境地步。

這行者才按落雲頭，揪著那龍馬的頂鬃，來見三藏道：「師父，馬有了也。」三藏一見，大喜道：「徒弟，這馬怎麼比前反肥盛了些？在何處尋著的？」

行者道：「師父，你還做夢哩！卻才是金頭揭諦請了菩薩來，把那澗裡龍化作我們的白馬。其毛片相同，只是少了鞍轡，著老孫揪將來也。」

三藏大驚道：「菩薩何在？待我去拜謝他。」

行者道：「菩薩此時已到南海，不耐煩矣。」

三藏就撮土焚香，望南禮拜。拜罷，起身即與行者收拾前進。行者喝退了山神、土地，吩咐了揭諦、功曹，卻請師父上馬。三藏道：「那無鞍轡的馬，怎生騎得？且待尋船渡過澗去，再作區處◆。」

行者道：「這個師父好不知時務！這個曠野山中，船從何來？這匹馬，他在此久住，必知水勢，就騎著他做個船兒過去罷。」

三藏無奈，只得依言，跨了剗馬◆。行者挑著行囊。到了澗邊。只見那上流頭，有一個漁翁，撐著一個枯木的杌子，順流而下。

行者見了，用手招呼道：「那老漁，你來，你來。我是東土取經去的，我師父到此難過，你來渡他一渡。」漁翁聞言，即忙撐攏。行者請師父下了馬，扶持左右。三藏上了杌子，揪上馬匹，安了行李。那老漁撐開杌子，如風似箭，不覺的過了鷹愁陡澗，上了西岸。三藏教行者解開包袱，取出大唐的幾文錢鈔，送與老漁。

老漁把杌子一篙撐開道：「不要錢，不要錢。」向中流渺渺茫茫而去。三藏甚不過意，只管合掌稱謝。

行者道：「師父休致意了，你不認得他？他是此澗裡的水神。不曾來接得我老孫，老孫還要打他哩。只如今免打就夠了他的，怎敢要錢！」

那師父也似信不信，只得又跨著剗馬，隨著行者，逕投大路，奔西而去。這正是：廣大真如登彼岸，誠心了性上靈山。

◆**區處**—分別處置。 **剗馬**—沒有配馬鞍的馬。剗音產。

同師前進，不覺的紅日沉西，天光漸晚。但見：

淡雲撩亂，山月昏曚。

滿天霜色生寒，四面風聲透體。

孤鳥去時蒼渚闊，落霞明處遠山低。

疏林千樹吼，空嶺獨猿啼。

長途不見行人跡，萬里歸舟入夜時。

三藏在馬上遙觀，忽見路旁一座莊院。

三藏道：「悟空，前面人家，可以借宿，明早再行。」

行者抬頭看見道：「師父，不是人家莊院。」三藏道：「如何不是？」

行者道：「人家莊院，卻沒飛魚穩獸之脊，這斷是個廟宇庵院。」

師徒們說著話，早已到了門首。三藏下了馬，只見那門上有三個大字，乃「里社祠」，遂入門裡。

那裡邊有一個老者，頂掛著數珠兒◆，合掌來迎，叫聲：「師父請坐。」

三藏慌忙答禮，上殿去參拜了聖像。那老者即呼童子獻茶。

茶罷，三藏問老者道：「此廟何為『里社』？」

老者道：「敝處乃西番哈咇國界。這廟後有一莊人家，共發虔心，立此廟宇。里者，乃一鄉里地；社者，乃一社土神。每遇春耕、夏耘、秋收、冬藏之日，各辦三牲花果，來此祭社，以保四時清吉、五穀豐登、六畜茂盛故也。」

三藏聞言，點頭誇讚：「正是『離家三里遠，別是一鄉風』。我那裡人家，更無此善。」

老者卻問：「師父仙鄉是何處？」

三藏道：「貧僧是東土大唐國，奉旨意，上西天拜佛求經的。路過寶坊◆，天色將晚，特投聖祠，告宿一宵，天光即行。」

◆**數珠兒**——佛教徒修行時用來計數的珠串。 **寶坊**——和尚、僧侶的寺院。

那老者十分歡喜，道了幾聲「失迎」，又叫童子辦飯。三藏吃畢，謝了。

行者的眼乖，見他房簷下有一條搭衣的繩子，走將去，一把扯斷，將馬腳繫住。

那老者笑道：「這馬是哪裡偷來的？」行者怒道：「你那老頭子，說話不知高低。我們是拜佛的聖僧，又會偷馬？」

老兒笑道：「不是偷的，如何沒有鞍轡韁繩，卻來扯斷我曬衣的索子？」

三藏陪禮道：「這個頑皮，只是性躁。你要拴馬，好生問老人家討條繩子，如何就扯斷他的衣索？老先◆，休怪！休怪！我這馬，實不瞞你說，不是偷的。昨日東來，至鷹愁陡澗，原有騎的一匹白馬，鞍轡俱全。不期那澗裡有條孽龍，在彼成精，他把我的馬連鞍轡一口吞之。幸虧我徒弟有些本事，又感得觀音菩薩來澗邊擒住那龍，教他就變做我原騎的白馬，毛片俱同，馱我上西天拜佛。今此過澗，未經一日，卻到了老先的聖祠，還不曾置得鞍轡哩。」

那老者道：「師父休怪，我老漢作笑耍子，誰知你高徒認真。我小時也有幾個村錢，也好騎匹駿馬。只因累歲迍邅◆，遭喪失火，到此沒了下梢◆，故充為廟祝◆，侍奉香火。幸虧這後莊施主家募化度日。我那裡倒還有一副鞍轡，是我平日心愛之物，就是這等貧窮，也不曾捨得賣了。才聽老師父之言，菩薩尚且救護神龍，教他化馬馱你，我老漢卻不能少有周濟。明日將那鞍轡取來，願送老師父，扣背前去，乞為笑納。」

三藏聞言，稱謝不盡。早又見童子拿出晚齋。齋罷，掌上燈，安了鋪，各各寢歇。

至次早，行者起來道：「師父，那廟祝老兒昨晚許我們鞍轡，問他要，不要饒他。」

◆**老先**──對年紀大的人的尊稱。 **迍邅**──處境艱險。迍邅音諄詹。
下梢──結局。 **廟祝**──主管廟內香火事務的人。

說未了，只見那老兒果擎著一副鞍轡、襯屜◆、轡籠之類，凡馬上一切用的，無不全備，放在廊下道：「師父，鞍轡奉上。」

三藏見了，歡喜領受。教行者拿了，背上馬看，可相稱否。行者走上前，一件件的取起看了，果然是些好物。有詩為證。詩曰：

雕鞍彩晃柬銀星，寶鐙光飛金線明。
襯屜幾層絨苫疊，牽韁三股紫絲繩。
轡頭皮紮團花粲，雲扇描金舞獸形。
環嚼叩成磨煉鐵，兩垂蘸水結毛纓。

行者心中暗喜，將鞍轡背在馬上，就似量著做的一般。

三藏拜謝那老，那老慌忙攙起道：「惶恐！惶恐！何勞致謝？」

那老者也不再留，請三藏上馬。那長老出得門來，攀鞍上馬。行者擔著行李。那老兒復袖中取出一條鞭兒來，卻是皮丁兒寸紮的香籐柄子，虎筋絲穿結的梢兒，在路旁拱手奉上道：「聖僧，我還有一條挽手兒◆，一發送了你罷。」

那三藏在馬上接了道：「多承布施！多承布施！」

正打問訊，卻早不見了那老兒。及回看那里社祠，是一片光地。只聽得半空中有人言語道：「聖僧，多簡慢你。我是落伽山山神、土地，蒙菩薩差送鞍轡與汝等的。汝等可努力西行，卻莫一時怠慢。」慌得個三藏滾鞍下馬，望空禮拜道：「弟子肉眼凡胎，不識尊神尊面，望乞恕罪。煩轉達菩薩，深蒙恩佑。」你看他只管朝天磕頭，也不計其數。

路旁邊活活的笑倒個孫大聖，孜孜的喜壞個美猴王，上前來扯住唐僧道：「師父，你起來罷，他已去得遠了，聽不見你禱祝，看不見你磕頭，只管拜怎的？」

◆襯屜—用柔軟襯墊做成器物的隔層。 挽手兒—鞭子。

長老道：「徒弟呀，我這等磕頭，你也就不拜他一拜，且立在旁邊，只管哂笑◆，是何道理？」

行者道：「你哪裡知道，像他這個藏頭露尾◆的，本該打他一頓；只為看菩薩面上，饒他打，儘夠了，他還敢受我老孫之拜？老孫自小兒做好漢，不曉得拜人，就是見了玉皇大帝、太上老君，我也只是唱個喏便罷了。」

三藏道：「不當人子，莫說這空頭話◆。快起來，莫誤了走路。」那師父才起來收拾，投西而去。

此去行有兩個月太平之路，相遇的都是些羅羅◆、回回◆，狼蟲虎豹。光陰迅速，又值早春時候。但見山林錦翠色，草木發青芽；梅英落盡，柳眼初開。師徒們行玩春光，又見太陽西墜。三藏勒馬遙觀，山凹裡，有樓臺影影，殿閣沉沉。

三藏道：「悟空，你看那裡是甚麼去處？」

行者抬頭看了道：「不是殿宇，定是寺院。我們趕起些，那裡借宿去。」

三藏欣然從之，放開龍馬，逕奔前來。

畢竟不知此去是甚麼去處，且聽下回分解。

◈**哂笑**—嘻笑、譏笑。哂音審。　**藏頭露尾**—形容言多隱諱，舉止畏縮的樣子。

空頭話—虛而不實的話。

羅羅—中國西南羅緬族系，主要居地介於四川、西康兩省間的大涼山。多以農耕為生，間事漁獵牧商。有象形兼表意的文字，信仰泛靈。

回回—古時稱信仰伊斯蘭教的人。

第一六回

觀音院僧謀寶貝
黑風山怪竊袈裟

卻說他師徒兩個策馬前來，直至山門首觀看，果然是一座寺院。但見那：

層層殿閣，疊疊廊房。
三山門◆外，巍巍萬道彩雲遮；
五福堂前，豔豔千條紅霧繞。
兩路松篁，一林檜柏。
兩路松篁，無年無紀自清幽；
一林檜柏，有色有顏隨傲麗。
又見那鐘鼓樓高，浮屠◆塔峻。
安禪僧定性，啼樹鳥音閒。
寂寞無塵真寂寞，清虛有道果清虛。

詩曰：

上剎祇園隱翠窩，招提勝景賽娑婆。
果然淨土人間少，天下名山僧占多。

長老下了馬，行者歇了擔，正欲進門，只見那門裡走出一眾僧來。你看他怎生模樣：

頭戴左笄帽◆，身穿無垢衣◆。銅環雙墜耳，絹帶束腰圍。
草履行來穩，木魚手內提。口中常作念，般若總皈依。

三藏見了，侍立門旁，道個問訊。那和尚連忙答禮，笑道：「失瞻◆。」問：「是哪裡來的？請入方丈獻茶。」三藏道：「我弟子乃東土欽差，上雷音寺拜佛求經。至此處天色將晚，欲

◆**三山門**—山門，又稱三門、三解脱門，禪剎七堂伽藍之一，是漢傳佛教佛寺建築中的大門建築名稱。 **浮屠**—佛塔。 **左笄帽**—左邊插着簪子的僧帽。笄，簪子。 **無垢衣**—袈裟的別名。 **失瞻**—舊時客套語。謂失於瞻仰拜候。

借上剎一宵。」

那和尚道：「請進裡坐，請進裡坐。」三藏方喚行者牽馬進來。

那和尚忽見行者相貌，有些害怕，便問：「那牽馬的是個甚麼東西？」

三藏道：「悄言！悄言！他的性急，若聽見你說是甚麼東西，他就惱了。他是我的徒弟。」

那和尚打了個寒噤，咬著指頭道：「這般一個醜頭怪腦的，好招他做徒弟？」

三藏道：「你看不出來哩，醜自醜，甚是有用。」

那和尚只得同三藏與行者進了山門。山門裡，又見那正殿上書四個大字，是「觀音禪院」。

三藏又大喜道：「弟子屢感菩薩聖恩，未及叩謝。今遇禪院，就如見菩薩一般，甚好拜謝。」那和尚聞言，即命道人開了殿門，請三藏朝拜。

那行者拴了馬，丟了行李，同三藏上殿。三藏展背舒身，鋪胸納地，望金像叩頭。那和尚便去打鼓，行者就去撞鐘。三藏俯伏臺前，傾心禱祝。祝拜已畢，那和尚住了鼓，行者還只管撞鐘不歇，或緊或慢，撞了許久。

那道人道：「拜已畢了，還撞鐘怎麼？」

行者方丟了鐘杵，笑道：「你哪裡曉得！我這是『做一日和尚撞一日鐘』的。」此時卻驚動那寺裡大小僧人、上下房長老，聽得鐘聲亂響，一齊擁出道：「哪個野人在這裡亂敲鐘鼓？」

行者跳將出來，咄的一聲道：「是你孫外公撞了耍子的。」

那些和尚一見了，諕得跌跌滾滾，都爬在地下道：「雷公爺爺！」

行者道：「雷公是我的重孫兒哩！起來，起來，不要怕，我們是東土大唐來的老爺。」眾僧方才禮拜。

見了三藏，都才放心不怕。內有本寺院主請道：「老爺們到後方丈中奉茶。」遂而解韁牽馬，抬了行李，轉過正殿，逕入後房，序了坐次。

那院主獻了茶，又安排齋供。天光尚早，三藏稱謝未畢，只見那後面有兩個小童，攙著一個老僧出來。看他怎生打扮：

頭上戴一頂毘盧方帽，貓睛石的寶頂光輝；
身上穿一領錦絨褊衫，翡翠毛的金邊晃亮。
一對僧鞋攢八寶，一根拄杖嵌雲星。
滿面皺痕，好似驪山老母；一雙昏眼，卻如東海龍君。
口不關風因齒落，腰駝背屈為筋攣。

眾僧道：「師祖來了。」三藏躬身施禮迎接道：「老院主，弟子拜揖。」那老僧還了禮，又各敘坐。
老僧道：「適間小的們說，東土唐朝來的老爺，我才出來奉見。」
三藏道：「輕造寶山，不知好歹，恕罪！恕罪！」
老僧道：「不敢！不敢！」
因問：「老爺，東土到此，有多少路程？」
三藏道：「出長安邊界，有五千餘里。過兩界山，收了一眾小徒，一路來，行過西番哈咇國，經兩個月，又有五六千里，才到了貴處。」

老僧道：「也有萬里之遙了。我弟子虛度一生，山門也不曾出去，誠所謂『坐井觀天』，樗朽◆之輩。」

三藏又問：「老院主高壽幾何？」老僧道：「痴長二百七十歲了。」

行者聽見道：「這還是我萬代孫兒哩。」

三藏瞅了他一眼道：「謹言！莫要不識高低，衝撞人。」

那和尚便問：「老爺，你有多少年紀了？」行者道：「不敢說。」

那老僧也只當一句瘋話，便不介意，也不再問，只叫獻茶。有一個小幸童◆，拿出一個羊脂玉的盤兒，有三個法藍鑲金的茶鍾。又一童，提一把白銅壺兒，斟了三杯香茶。真個是色欺榴蕊豔，味勝桂花香。

三藏見了，誇愛不盡道：「好物件！好物件！真是美食美器！」

◆褊衫—一種僧尼服裝。開脊接領，斜披在左肩上，類似袈裟。褊音扁。

驪山老母—傳說中的女仙。相傳殷周之間，有驪山女為天子。唐宋以後遂以為女仙，尊為老母。

輕造—冒然造訪。　樗朽—比喻平庸無用之材。樗音書。　幸童—寺院中供使喚的僮僕。

那老僧道：「汙眼！汙眼！老爺乃天朝上國，廣覽奇珍，似這般器具，何足過獎？老爺自上邦來，可有甚麼寶貝，借與弟子一觀？」

三藏道：「可憐，我那東土，無甚寶貝；就有時，路程遙遠，也不能帶得。」

行者在旁道：「師父，我前日在包袱裡，曾見那領袈裟，不是件寶貝？拿與他看看如何？」眾僧聽說袈裟，一個個冷笑。

行者道：「你笑怎的？」

院主道：「老爺才說袈裟是件寶貝，言實可笑。若說袈裟，似我等輩者，不止二、三十件；若論我師祖，在此處做了二百五、六十年和尚，足有七八百件。」叫：「拿出來看看。」那老和尚也是他一時賣弄，便叫道人開庫房，頭陀抬櫃子，就抬出十二櫃，放在天井中，開了鎖。

兩邊設下衣架，四圍牽了繩子，將袈裟一件件抖開掛起，請三藏觀看。果然是滿堂綺繡，四壁綾羅。

行者一一觀之，都是些穿花納錦◈，刺繡銷金之物。笑道：「好，好，好！收起！收起！把我們的也取出來看看。」

三藏把行者扯住，悄悄的道：「徒弟，莫要與人鬥富。你我是單身在外，只恐有錯。」

行者道：「看看袈裟，有何差錯？」

三藏道：「你不曾理會得。古人有云：『珍奇玩好之物，不可使見貪婪奸偽之人。』倘若一經入目，必動其心；既動其心，必生其計。汝是個畏禍的，索之而必應其求，可也；不然，則殞身滅命，皆起於此，事不小矣。」

行者道：「放心！放心！都在老孫身上。」

你看他不由分說，急急的走了去，把個包袱解開，早有霞光迸迸，尚有兩層油紙裹定。去了紙，取出袈裟，抖開時，紅光滿室，彩氣盈庭。眾僧見了，無一個不心歡口讚，真個好袈裟。上頭有：

◈納錦——以穿紗的方法做成的刺繡花樣。

千般巧妙明珠墜，萬樣稀奇佛寶攢。
上下龍鬚鋪彩綺，兜羅四面錦沿邊。
體掛魍魎從此滅，身披魑魅入黃泉。
托化天仙親手製，不是真僧不敢穿。

那老和尚見了這般寶貝，果然動了奸心◆，走上前，對三藏跪下，眼中垂淚道：「我弟子真是沒緣。」
三藏攙起道：「老院師有何話說。」他道：「老爺這件寶貝方才展開，天色晚了，奈何眼目昏花，不能看得明白，豈不是無緣。」
三藏教：「掌上燈來，讓你再看。」
那老僧道：「爺爺的寶貝已是光亮，再點了燈，一發晃眼，莫想看得仔細。」行者道：「你要怎的看才好？」
老僧道：「老爺若是寬恩放心，教弟子拿到後房，細細的看一夜，明早送還老爺西去，不知尊意何如？」

三藏聽說，吃了一驚，埋怨行者道：「都是你！都是你！」

行者笑道：「怕他怎的？等我包起來，教他拿了去看。但有疏虞，盡是老孫管整◆。」

那三藏阻當不住，他把袈裟遞與老僧道：「憑你看去。只是明早照舊還我，不得損汙些須。」老僧喜喜歡歡，著幸童將袈裟拿進去。卻吩咐眾僧，將前面禪堂掃淨，取兩張籐床，安設鋪蓋，請二位老爺安歇；一壁廂又教安排明早齋送行。遂而各散，師徒們關了禪堂，睡下不題。

卻說那和尚把袈裟騙到手，拿在後房燈下，對袈裟號啕痛哭。慌得那本寺僧不敢先睡。小幸童也不知為何，卻去報與眾僧道：「公公哭到二更時候，還不歇聲。」

◆奸心—壞心思，作惡之心。　管整—包辦、保險。

有兩個徒孫是他心愛之人，上前問道：「師公，你哭怎的？」

老僧道：「我哭無緣，看不得唐僧寶貝。」

小和尚道：「公公年紀高大，發過了。他的袈裟放在你面前，你只消解開看便罷了，何須痛哭？」

老僧道：「看的不長久。我今年二百七十歲，空掙了幾百件袈裟。怎麼得有他這一件？怎麼得做個唐僧？」

小和尚道：「師公差了。唐僧乃是離鄉背井的一個行腳僧。你這等年高享用，也夠了，倒要像他做行腳僧，何也？」

老僧道：「我雖是坐家自在，樂乎晚景，卻不得他這袈裟穿穿。若教我穿得一日兒，就死也閉眼，也是我來陽世間為僧一場。」

眾僧道：「好沒正經。你要穿他的，有何難處？我們明日留他住一日，你就穿他一日；留他住十日，你就穿他十日，便罷了。何苦這般痛哭？」

老僧道：「縱然留他住了半載，也只穿得半載，到底也不得氣長。他要去時，只得與他去，怎生留得長遠？」

正說話處，有一個小和尚，名喚廣智，出頭道：「公公要得長遠，也容易。」

老僧聞言，就歡喜起來道：「我兒，你有甚麼高見？」

廣智道：「那唐僧兩個是走路的人，辛苦之甚，如今已睡著了。我們想幾個有力量的，拿了槍刀，打開禪堂，將他殺了，把屍首埋在後園，只我一家知道，卻又謀了他的白馬、行囊，卻把那袈裟留下，以為傳家之寶，豈非子孫長久之計耶？」

老和尚見說，滿心歡喜，卻才揩了眼淚道：「好！好！好！此計絕妙。」即便收拾槍刀。

內中又有一個小和尚，名喚廣謀，就是那廣智的師弟，上前來道：「此計不妙。若要殺他，須要看看動靜。那個白臉的似易，那個毛臉的似難，萬一殺他不得，卻不反招己禍？我有一個不動刀槍之法，不知你尊意如何？」

老僧道：「我兒，你有何法？」

廣謀道：「依小孫之見，如今喚聚東山大小房頭，每人要乾柴一束，捨了那三間禪堂，放起火來，教他欲走無門，連馬一火焚之。就是山前山後人家看見，只說是他自不小心，走了火，將我禪堂都燒了。那兩個和尚，卻不都燒死？又好掩人耳目。袈裟豈不是我們傳家之寶？」

那些和尚聞言，無不歡喜，都道：「強！強！強！此計更妙！更妙！」遂教各房頭搬柴來。唉！這一計，正是弄得個高壽老僧該命盡，觀音禪院化為塵。原來他那寺裡有七、八十個房頭，大小有二百餘眾。當夜一擁搬柴，把個禪堂前前後後，四面圍繞不通，安排放火不題。

卻說三藏師徒安歇已定。那行者卻是個靈猴，雖然睡下，只是存神煉氣，朦朧著醒眼。忽聽得外面不住的人走，揸揸的柴響風生。他心疑惑道：「此時夜靜，如何有人行得腳步之聲？莫敢是賊盜，謀害我們的？」他就一骨魯◆跳起，欲要開門出看，又恐驚醒師父。你看他弄個精神，搖身一變，變做一個蜜蜂兒。真個是：

口甜尾毒，腰細身輕。
穿花度柳飛如箭，粘絮尋香似落星。
小小微軀能負重，嚚嚚薄翅會乘風。
卻自椽棱下，鑽出看分明。

只見那眾僧們搬柴運草，已圍住禪堂放火哩。行者暗笑道：「果依我師父之言，他要害我們性命，謀我的袈裟，故起這等毒心。我待要拿棍打他啊，可憐又不禁打，一頓棍都打死了，師父又怪我行凶。罷，罷，罷！與他個順手牽羊，將計就計，教他住不成罷！」好行者，一觔斗跳上南天門裡。諕得個龐、劉、苟、畢躬身，馬、趙、

◆一骨魯—形容翻身一滾。

遢、闒控背，俱道：「不好了！不好了！那鬧天宮的主子又來了。」

行者搖著手道：「列位免禮，休驚。我來尋廣目天王的。」說不了，卻遇天王早到，迎著行者道：「久闊，久闊。前聞得觀音菩薩來見玉帝，借了四值功曹、六丁六甲並揭諦等，保護唐僧往西天取經去，說你與他做了徒弟，今日怎麼得閒到此？」行者道：「且休敘闊。唐僧路遇歹人，放火燒他，事在萬分緊急，特來尋你借辟火罩兒，救他一救。快些拿來使使，即刻返上。」天王道：「你差了。既是歹人放火，只該借水救他，如何要辟火罩？」行者道：「你哪裡曉得就裡◆。借水救之，卻燒不起來，倒相應◆了他；只是借此罩，護住了唐僧無傷，其餘管他，盡他燒去。快些！快些！此時恐已無及，莫誤了我下邊幹事！」

那天王笑道：「這猴子還是這等起不善之心，只顧了自家，就不管別人。」行者道：「快著！快著！莫要調嘴，害了大事！」那天王不敢不借，遂將罩兒遞與行者。

行者拿了，按著雲頭，逕到禪堂房脊上，罩住了唐僧與白馬、行李。他卻去那後面老和尚住的方丈房上頭坐著，保護那袈裟。看那些人放起火來，他轉捻訣念咒，望巽地上吸一口氣吹將去，一陣風起，把那火轉刮得烘烘亂發。好火，好火！但見：

黑煙漠漠，紅焰騰騰。
黑煙漠漠，長空不見一天星；紅焰騰騰，大地有光千里赤。
起初時，灼灼金蛇；次後來，威威血馬。
南方三炁逞英雄，回祿◆大神施法力。
燥乾柴燒烈火性，說甚麼燧人鑽木；
熱油門前飄彩焰，賽過了老祖開爐◆。
正是那無情火發，怎禁這有意行凶。

◆就裡──底細。　相應──便宜、合算。　回祿──火神。
開爐──古代將禪堂啟用儀式叫做開爐，所以禪堂又叫大冶洪爐。

不去弭災，反行助虐。

風隨火勢，焰飛有千丈餘高；火逞風威，灰迸上九霄雲外。乒乒乓乓，好便似殘年爆竹；潑潑喇喇，卻就如軍中炮聲。燒得那當場佛像莫能逃，東院伽藍無處躲。勝如赤壁夜鏖兵，賽過阿房宮內火。

這正是星星之火，能燒萬頃之田。須臾間，風狂火盛，把一座觀音院，處處通紅。你看那眾和尚，搬箱抬籠，搶桌端鍋，滿院裡叫苦連天。孫行者護住了後邊方丈，辟火罩罩住了前面禪堂，其餘前後火光大發，真個是照天紅焰輝煌，透壁金光照耀。

不期火起之時，驚動了一山獸怪。這觀音院正南二十里遠近，有座黑風山，山中有一個黑風洞，洞中有一個妖精，正在睡醒翻身。只見那窗間透亮，只道是天明。起來看時，卻是正北下的火光晃亮。

妖精大驚道：「呀！這必是觀音院裡失了火。這些和尚好不小心。我看時，與他救一救來。」好妖精，縱起雲頭，即至煙火之下，果然沖天之火，前面殿宇皆空，兩廊煙火方灼。

他大拽步，撞將進去，正呼喚叫取水來，只見那後房無火，房脊上有一人放風。他卻情知如此，急入裡面看時，見那方丈中間有些霞光彩氣，臺案上有一個青氈包袱。他解開一看，見是一領錦襴袈裟，乃佛門之異寶。

正是財動人心，他也不救火，他也不叫水，拿著那袈裟，趁哄打劫，拽回雲步，逕轉東山而去。

那場火只燒到五更天明，方才滅息。你看那眾僧們赤赤精精，啼啼哭哭，都去那灰內尋銅鐵，撥腐炭，撲金銀。有的在牆筐裡，苫搭窩棚；有的赤壁根頭，支鍋造飯。叫冤叫屈，亂嚷亂鬧不題。

卻說行者取了辟火罩，一觔斗送上南天門，交與廣目天王道：「謝借！

謝借！」

天王收了道：「大聖至誠了。我正愁你不還我的寶貝，無處尋討，且喜就送來也。」

行者道：「老孫可是那當面騙物之人？這叫做『好借好還，再借不難』。」

天王道：「許久不面，請到宮少坐一時，何如？」

行者道：「老孫比在前不同，『爛板凳，高談闊論』了；如今保唐僧，不得身閒。容敘！容敘！」急辭別墜雲，又見那太陽星上。逕來到禪堂前，搖身一變，變做個蜜蜂兒，飛將進去，現了本相看時，那師父還沉睡哩。

行者叫道：「師父，天亮了，起來罷。」

三藏才醒覺，翻身道：「正是。」穿了衣服，開門出來，忽抬頭，只見些倒壁紅牆，不見了樓臺殿宇。

大驚道：「呀！怎麼這殿宇俱無，都是紅牆，何也？」

行者道：「你還做夢哩，今夜走了水的。」三藏道：「我怎不知？」

行者道：「是老孫護了禪堂，見師父濃睡，不曾驚動。」

三藏道：「你有本事護了禪堂，如何就不救別房之火？」

行者笑道：「好教師父得知。果然依你昨日之言，他愛上我們的袈裟，算計要燒殺我們。若不是老孫知覺，到如今皆成灰骨矣！」

三藏聞言，害怕道：「是他們放的火麼？」行者道：「不是他是誰？」

三藏道：「莫不是怠慢了你，你幹的這個勾當？」

行者道：「老孫是這等憊懶之人，幹這等不良之事？實實是他家放的。老孫見他心毒，果是不曾與他救火，只是與他略略助些風的。」

三藏道：「天哪，天哪！火起時，只該助水，怎轉助風？」

行者道：「你可知古人云：『人沒傷虎心，虎沒傷人意。』他不弄火，我怎肯弄風？」

三藏道：「袈裟何在？敢莫是燒壞了也？」

行者道：「沒事！沒事！燒不壞！那放袈裟的方丈無火。」

三藏恨道：「我不管你，但是有些兒傷損，我只把那話兒念動念動，你就是死了！」

行者慌了道：「師父，莫念！莫念！管尋還你袈裟就是了。等我去拿來走路。」三藏才牽著馬，行者挑了擔，出了禪堂，逕往後方丈去。

卻說那些和尚正悲切間，忽的看見他師徒牽馬挑擔而來，諕得一個個魂飛魄散道：「冤魂索命來了！」

行者喝道：「甚麼冤魂索命？快還我袈裟來！」

眾僧一齊跪倒，叩頭道：「爺爺呀！冤有冤家，債有債主。要索命不干我們事，都是廣謀與老和尚定計害你的，莫問我們討命。」

行者咄的一聲道：「我把你這些該死的畜生，哪個問你討甚麼命。只拿袈裟來還我走路！」

其間有兩個膽量大的和尚道：「老爺，你們在禪堂裡已燒死了，如今又來討袈裟，端的還是人，是鬼？」

行者笑道：「這夥孽畜，哪裡有甚麼火來？你去前面看看禪堂，再來說話。」眾僧們爬起來往前觀看，那禪堂外面的門窗槅扇，更不曾燎灼了半分。眾人悚懼，才認得三藏是位神僧，行者是尊護法。一齊上前叩頭道：「我等有眼無珠，不識真人下界。你的袈裟在後面方丈中老師祖處哩。」三藏行過了三五層敗壁破牆，嗟嘆不已。只見方丈果然無火，眾僧搶入裡面，叫道：「公公，唐僧乃是神人，未曾燒死，如今反害了自己家當。趁早拿出袈裟，還他去也。」

原來這老和尚尋不見袈裟，又燒了本寺的房屋，正在萬分煩惱焦燥之處，一聞此言，怎敢答應？因尋思無計，進退無方，拽開步，躬著腰，往那牆上著實撞了一頭，可憐只撞得腦破血流魂魄散，咽喉氣斷染紅沙。有詩為證。詩曰：

堪嘆老衲性愚蒙，枉作人間一壽翁。
欲得袈裟傳遠世，豈知佛寶不凡同。

但將容易為長久，定是蕭條取敗功。
廣智廣謀成甚用？損人利己一場空！

慌得個眾僧哭道：「師公已撞殺了，又不見袈裟，怎生是好？」行者道：「想是汝等盜藏起也。都出來，開具花名手本，等老孫逐一查點。」那上下房的院主，將本寺和尚、頭陀、幸童、道人盡行開具手本二張，大小人等共計二百三十名。行者請師父高坐，他卻一一從頭唱名搜檢，都要解放衣襟，分明點過，更無袈裟。又將那各房頭搬搶出去的箱籠物件，從頭細細尋遍，哪裡得有蹤跡。

三藏心中煩惱，懊恨行者不盡，卻坐在上面念動那咒。行者撲地跌倒在地，抱著頭，十分難禁，只教：「莫念！莫念！管尋還了袈裟！」那眾僧見了，一個個戰兢兢的，上前跪下勸解，三藏才合口不念。行者一骨魯跳起來，耳朵裡掣出鐵棒，要打那些和尚，被三藏喝住道：「這猴頭！你頭痛還不怕，還要無禮？休動手，且莫傷人，再與我審問一問。」

眾僧們磕頭禮拜，哀告三藏道：「老爺饒命。我等委實的不曾看見。這都是那老死鬼的不是。他昨晚看著你的袈裟，只哭到更深時候，看也不曾敢看，思量要圖長久，做個傳家之寶，設計定策，要燒殺老爺。自火起之後，狂風大作，各人只顧救火，搬搶物件，更不知袈裟去向。」

行者大怒，走進方丈屋裡，把那觸死鬼屍首抬出，選剝了細看，渾身更無那件寶貝。就把個方丈掘地三尺，也無蹤影。

行者忖量半晌，問道：「你這裡可有甚麼妖怪成精麼？」

院主道：「老爺不問，莫想得知。我這裡正東南有座黑風山，黑風洞內有一個黑大王，我這老死鬼常與他講道，他便是個妖精。別無甚物。」

行者道：「那山離此有多遠近？」

院主道：「只有二十里，那望見山頭的就是。」

◈老衲——年老的僧人。

行者笑道：「師父放心，不須講了，一定是那黑怪偷去無疑。」

三藏道：「他那廂離此有二十里，如何就斷得是他？」

行者道：「你不曾見夜間那火，光騰萬里，亮透三天，且休說二十里，就是二百里也照見了。坐定是他見火光焜耀，趁著機會，暗暗的來到這裡，看見我們袈裟是件寶貝，必然趁哄擄去也。等老孫去尋他一尋。」

三藏道：「你去了時，我卻何倚？」

行者道：「這個放心，暗中自有神靈保護，明中等我叫那些和尚服侍。」即喚眾和尚過來，道：「汝等著幾個去埋那老鬼，著幾個服侍我師父，看守我白馬。」眾僧領諾。

行者又道：「汝等莫順口兒答應，等我去了，你就不來奉承。看師父的，要怡顏悅色；養白馬的，要水草調勻。假有一毫兒差了，照依這個樣棍，與你們看看。」他掣出棍子，照那火燒的磚牆上，撲地一下，把那牆打得粉碎，又震倒了有七八層牆。

眾僧見了，個個骨軟身麻，跪著磕頭滴淚道：「爺爺寬心前去，我等竭力虔心，供奉老爺，決不敢一毫怠慢。」

好行者，急縱觔斗雲，逕上黑風山，尋找這袈裟。正是那：

金禪求正出京畿，仗錫投西涉翠微。
虎豹狼蟲行處有，工商士客見時稀。
路逢異國愚僧妒，全仗齊天大聖威。
火發風生禪院廢，黑熊夜盜錦襴衣。

畢竟此去不知袈裟有無，吉凶如何，且聽下回分解。

第一七回

孫行者大鬧黑風山
觀世音收伏熊羆怪

話說孫行者一觔斗跳將起去，諕得那觀音院大小和尚並頭陀、幸童、道人等一個個朝天禮拜道：「爺爺呀！原來是騰雲駕霧的神聖下界，怪道火不能傷。恨我那個不識人的老剝皮◆使心用心，今日反害了自己。」

三藏道：「列位請起，不須恨了。這去尋著袈裟，萬事皆休；但恐找尋不著，我那徒弟性子有些不好，汝等性命不知如何，恐一人不能脫也。」

眾僧聞得此言，一個個提心吊膽，告天許願，只要尋得袈裟，各全性命不題。

卻說孫大聖到空中，把腰兒扭了一扭，早來到黑風山上。住了雲頭，仔細看，果然是座好山，況正值春光時節，但見：

萬壑爭流，千崖競秀。鳥啼人不見，花落樹猶香。
雨過天連青壁潤，風來松捲翠屏張。
山草發，野花開，懸崖峭嶂；薜蘿生，佳木麗，峻嶺平岡。
不遇幽人，哪尋樵子？澗邊雙鶴飲，石上野猿狂。
矗矗堆螺排黛色，巍巍擁翠弄嵐光。

那行者正觀山景，忽聽得芳草坡前，有人言語。他卻輕步潛蹤，閃在那石崖之下，偷睛觀看。

原來是三個妖魔，席地而坐。上首的是一條黑漢，左首下是一個道人，右首下是一個白衣秀士。都在那裡高談闊論，講的是立鼎安爐，摶砂煉汞，

◈老剝皮─罵人的話。表示憎恨別人到了極點。

白雪黃芽◆，傍門外道◆。

正說中間，那黑漢笑道：「後日是我母難之日◆，二公可光顧光顧。」

白衣秀士道：「年年與大王上壽，今年豈有不來之理？」

黑漢道：「我夜來得了一件寶貝，名喚錦襴佛衣，誠然是件玩好之物。我明日就以他為壽，大開筵宴，邀請各山道官，慶賀佛衣，就稱為佛衣會如何？」

道人笑道：「妙！妙！妙！我明日先來拜壽，後日再來赴宴。」

行者聞得佛衣之言，定以為是他寶貝。他就忍不住怒氣，跳出石崖，雙手舉起金箍棒，高叫道：「我把你這夥賊怪！你偷了我的袈裟，要做甚麼佛衣會？趁早兒將來還我。」

喝一聲：「休走！」掄起棒，照頭一下。

慌得那黑漢化風而逃，道人駕雲而走，只把個白衣秀士一棒打死。拖將過來看處，卻是一條白花蛇怪。索性提起來，捽做五七斷。逕入深山，找尋那個黑漢。轉過尖峰，抹過峻嶺，又見那壁陡崖前，聳出一座洞府。

但見那：

煙霞渺渺，松柏森森。

煙霞渺渺采盈門，松柏森森青繞戶。

橋踏枯槎木，峰巔繞薜蘿。

鳥銜紅蕊來雲壑，鹿踐芳叢上石臺。

那門前時催花發，風送花香。

臨堤綠柳轉黃鸝，傍岸夭桃翻粉蝶。

雖然曠野不堪誇，卻賽蓬萊山下景。

◆立鼎安爐，搏砂煉汞，白雪黃芽—道教的說法。按照一種仙方，把朱砂、汞、鉛，化合在一起燒成丹，人吃此丹，就可成仙。鼎、爐是煉丹用的鍋灶，砂是朱砂，汞和白雪都指水銀，黃芽指鉛。

傍門外道—不正派的宗教派別。比喻不循正規的法門、途徑。

母難之日—指自己的生日。

行者到於門首，又見那兩扇石門關得甚緊。門上有一橫石板，明書六個大字，乃「黑風山黑風洞」。

即便掄棒，叫聲：「開門！」那裡面有把門的小妖，開了門出來，問道：「你是何人，敢來擊吾仙洞？」

行者罵道：「你個作死◆的孽畜！甚麼個去處，敢稱仙洞？『仙』字是你稱的？快進去報與你那黑漢，教他快送老爺的袈裟出來，饒你一窩性命！」

小妖急急跑到裡面，報道：「大王，佛衣會做不成了，門外有一個毛臉雷公嘴的和尚來討袈裟哩！」

那黑漢被行者在芳草坡前趕將來，卻才關了門，坐還未穩，又聽得那話，心中暗想道：「這廝不知是哪裡來的，這般無禮，他敢嚷上我的門來！」教取披掛，隨結束了，綽一桿黑纓槍，走出門來。這行者閃在門外，執著鐵棒，睜睛觀看，只見那怪果生得凶險：

碗子鐵盔火漆光，烏金鎧甲亮輝煌。

皂羅袍罩風兜袖，黑綠絲絛嚲穗長。

手執黑纓槍一桿，足踏烏皮靴一雙。
眼晃金睛如掣電，正是山中黑風王。

行者暗笑道：「這廝真個如燒窰的一般，築煤的無二。想必是在此處刷炭為生，怎麼這等一身烏黑？」

那怪厲聲高叫道：「你是個甚麼和尚，敢在我這裡大膽？」

行者執鐵棒，撞至面前，大吒一聲道：「不要閒講，快還你老外公的袈裟來！」那怪道：「你是那寺裡和尚？你的袈裟在那裡失落了，敢來我這裡索取？」

行者道：「我的袈裟，在直北觀音院後方丈裡放著，只因那院裡失了火，你這廝趁哄擄掠，盜了來，要做佛衣會慶壽，怎敢抵賴？快快還我，饒你性命；若牙迸半個『不』字，我推倒了黑風山，跐平了黑風洞，把你這

◆作死——自找死路。

一洞妖邪都碾為齏粉！」

那怪聞言，呵呵冷笑道：「你這個潑物，原來昨夜那火就是你放的。你在那方丈屋上行凶招風，是我把一件袈裟拿來了，你待怎麼？你是哪裡來的？姓甚名誰？有多大手段，敢那等海口浪言！」

行者道：「是你也認不得你老外公哩！你老外公乃大唐上國駕前御弟三藏法師之徒弟，姓孫，名悟空行者。若問老孫的手段，說出來，教你魂飛魄散，死在眼前。」

那怪道：「我不曾會你，有甚麼手段，說來我聽。」

行者笑道：「我兒子，你站穩著，仔細聽之。我：

自小神通手段高，隨風變化逞英豪。

養性修真熬日月，跳出輪迴把命逃。

一點誠心曾訪道，靈臺山上採藥苗。

那山有個老仙長，壽年十萬八千高。

老孫拜他為師父，指我長生路一條。
他說身內有丹藥，外邊採取枉徒勞。
得傳大品天仙訣，若無根本實難熬。
回光內照寧心坐，身中日月坎離交。
萬事不思全寡欲，六根清淨體堅牢。
返老還童容易得，超凡入聖路非遙。
三年無漏成仙體，不同俗輩受煎熬。
十洲三島還遊戲，海角天涯轉一遭。
活該三百多餘歲，不得飛升上九霄。
下海降龍真寶貝，才有金箍棒一條。
花果山前為帥首，水簾洞裡聚群妖。
玉皇大帝傳宣詔，封我齊天極品高。

◈海口浪言——說大話。

幾番大鬧靈霄殿，數次曾偷王母桃。
天兵十萬來降我，層層密密布槍刀。
戰退天王歸上界，哪吒負痛領兵逃。
顯聖真君能變化，老孫硬賭跌平交。
道祖觀音同玉帝，南天門上看降妖。
卻被老君助一陣，二郎擒我到天曹。
將身綁在降妖柱，即命神兵把首梟。
刀砍錘敲不得壞，又教雷打火來燒。
老孫其實有手段，全然不怕半分毫。
送在老君爐裡煉，六丁神火慢煎熬。
日滿開爐我跳出，手持鐵棒繞天跑。
縱橫到處無遮擋，三十三天鬧一遭。
我佛如來施法力，五行山壓老孫腰。
整整壓該五百載，幸逢三藏出唐朝。

吾今皈正西方去，轉上雷音見玉毫。
你去乾坤四海問一問，我是歷代馳名第一妖！」

那怪聞言笑道：「你原來是那鬧天宮的弼馬溫麼？」行者最惱的是人叫他弼馬溫，聽見這一聲，心中大怒，罵道：「你這賊怪！偷了袈裟不還，倒傷老爺。不要走，看棍！」那黑漢側身躲過，綽長槍，劈手來迎。兩家這場好殺：

如意棒，黑纓槍，二人洞口逞剛強。
分心劈臉刺，著臂照頭傷。
這個橫丟陰棍手◆，那個直拈急三槍◆。
白虎◆爬山來探爪◆，黃龍◆臥道◆轉身忙。
噴彩霧，吐毫光，兩個妖仙不可量。

◆這段韻語中的陰棍手、急三槍、白虎探爪、黃龍臥道等，都是使用槍、棍的不同手法。

一個是修正齊天聖，一個是成精黑大王。
這場山裡相爭處，只為袈裟各不良。

那怪與行者鬥了十數回合，不分勝負，漸漸紅日當午。那黑漢舉槍架住鐵棒道：「孫行者，我兩個且收兵，等我進了膳來，再與你賭鬥。」行者道：「你這個孽畜，叫做漢子？好漢子，半日兒就要吃飯？似老孫在山根下，整壓了五百餘年，也未曾嘗些湯水，哪裡便餓哩！莫推故，休走，還我袈裟來，方讓你去吃飯！」那怪虛晃一槍，撤身入洞，關了石門，收回小怪，且安排筵宴，書寫請帖，邀請各山魔王慶會不題。

卻說行者攻門不開，也只得回觀音院。那本寺僧人已葬埋了那老和尚，都在方丈裡服侍唐僧。早齋已畢，又擺上午齋。正那裡添湯換水，只見行者從空降下，眾僧禮拜，接入方丈，見了三藏。

三藏道：「悟空，你來了？袈裟如何？」

行者道：「已有了根由。早是不曾冤了這些和尚，原來是那黑風山妖怪偷了。老孫去暗暗的尋他，只見他與一個白衣秀士，一個老道人，坐在那芳草坡前講話。也是個不打自招的怪物，他忽然說出道：後日是他母難之日，邀請諸邪來做生日；夜來得了一件錦襴佛衣，要以此為壽，作一大宴，喚做慶賞佛衣會。

「是老孫搶到面前，打了一棍，那黑漢化風而走，道人也不見了，只把個白衣秀士打死，乃是一條白花蛇成精。我又急急趕到他洞口，叫他出來與他賭鬥。他已承認了，是他拿回。戰夠這半日，不分勝負。那怪回洞，卻要吃飯，關了石門，懼戰不出。老孫卻來回看師父，先報此信。已是有了袈裟的下落，不怕他不還我。」

眾僧聞言，合掌的合掌，磕頭的磕頭，都念聲：「南無阿彌陀佛！今日尋著下落，我等方有了性命矣！」

行者道：「你且休喜歡暢快，我還未曾到手，師父還未曾出門哩。只等有了袈裟，打發得我師父好好的出門，才是你們的安樂處；若稍有些須不虞，老孫可是好惹的主子！可曾有好茶飯與我師父吃？可曾有好草料餵馬？」

眾僧俱滿口答應道：「有！有！有！更不曾一毫怠慢了老爺。」

三藏道：「自你去了這半日，我已吃過了三次茶湯，兩餐齋供了，他俱不曾敢慢我。但只是你還盡心竭力去尋取袈裟回來。」

行者道：「莫忙，既有下落，管情拿住這廝，還你原物。放心！放心！」

正說處，那上房院主又整治素供，請孫老爺吃齋。行者卻吃了些須，復駕祥雲，又去找尋。正行間，只見一個小妖，左脅下夾著一個花梨木匣兒，從大路而來。行者度他匣內必有甚麼柬札，舉起棒，劈頭一下，可憐不禁打，就打得似個肉餅一般。卻拖在路旁，揭開匣兒觀看，果然是一封請帖。帖上寫著：

侍生熊羆頓首拜，啟上大闡金池老上人丹房：
屢承佳惠，感激淵深。
夜觀回祿之難，有失救護，諒仙機必無他害。
生偶得佛衣一件，欲作雅會，謹具花酌，奉扳清賞。
至期，千乞仙駕過臨一敘。是荷。先二日具。

行者見了，呵呵大笑道：「那個老剝皮，死得他一毫兒也不虧，他原來與妖精結黨。怪道他也活了二百七十歲，想是那個妖精傳他些甚麼服氣的小法兒，故有此壽。老孫還記得他的模樣，等我就變做那和尚，往他洞裡走走，看我那袈裟放在何處。假若得手，即便拿回，卻也省力。」

好大聖，念動咒語，迎著風一變，果然就像那老和尚一般。藏了鐵棒，拽開步，逕來洞口，叫聲：「開門！」

那小妖開了門，見是這般模樣，急轉身報道：「大王，金池長老來了。」

那怪大驚道：「剛才差了小的去下簡帖請他，這時候還未到那裡哩，如何他就來得這等迅速？想是小的不曾撞著他，斷是孫行者呼他來討袈裟的。管事的，可把佛衣藏了，莫教他看見。」

行者進了前門，但見那天井中松篁交翠，桃李爭妍，叢叢花發，簇簇蘭香，卻也是個洞天之處。又見那二門上有一聯對子，寫著：「靜隱深山無俗慮，幽居仙洞樂天真。」

行者暗道：「這廝也是個脫垢離塵，知命的怪物。」

入門裡，往前又進，到於三層門裡，都是些畫棟雕梁，明窗彩戶。只見那黑漢子穿的是黑綠紵絲袢襖，罩一領鴉青花綾披風，戴一頂烏角軟巾，穿一雙麂皮皂靴。

見行者進來，整頓衣巾，降階迎接道：「金池老友，連日欠親。請坐，請坐。」行者以禮相見。見畢而坐，坐定而茶。茶罷，妖精欠身道：「適有小簡奉啟，後日一敘，何老友今日就下顧也？」

行者道：「正來進拜，不期路遇華翰◆，見有佛衣雅會，故此急急奔來，願求見見。」

那怪笑道：「老友差矣。這袈裟本是唐僧的，他在你處住錫◆，你豈不曾看見，反來就我看看？」

行者道：「貧僧借來，因夜晚還不曾展看，不期被大王取來。又被火燒了荒山，失落了家私。那唐僧的徒弟又有些驍勇，亂忙中，四下裡都尋覓不見。原來是大王的洪福收來，故特來一見。」

正講處，只見有一個巡山的小妖來報道：「大王，禍事了，下請書的小校被孫行者打死在大路旁邊，他綽著經兒◆，變化做金池長老，來騙佛衣也。」那怪聞言，暗道：「我說那長老怎麼今日就來，又來得迅速，果然是他。」

◆華翰—尊稱他人的來信。 住錫—僧人在某地居留。錫，錫杖。 綽著經兒—循著線索。

急縱身，拿過槍來，就刺行者。行者耳朵裡急掣出棍子，現了本相，架住槍尖，就在他那中廳裡跳出，自天井中鬥到前門外。諕得那洞裡群魔都喪膽，家間老幼盡無魂。這場在山頭好賭鬥，比前番更是不同。好殺：

那猴王膽大充和尚，這黑漢心靈隱佛衣。
語去言來機會巧，隨機應變不差池。
袈裟欲見無由見，寶貝玄微真妙微。
小怪巡山言禍事，老妖發怒顯神威。
翻身打出黑風洞，槍棒爭持辨是非。
棒架長槍聲響亮，槍迎鐵棒放光輝。
悟空變化人間少，妖怪神通世上稀。
這個要把佛衣來慶壽，那個不得袈裟肯善歸？
這番苦戰難分手，就是活佛臨凡也解不得圍。

他兩個從洞口打上山頭，自山頭殺在雲外，吐霧噴風，飛砂走石，只鬥到紅日沉西，不分勝敗。

那怪道：「姓孫的，你且住了手，今日天晚，不好相持。你去，你去！待明早來，與你定個死活。」

行者叫道：「兒子莫走！要戰便像個戰的，不可以天晚相推。」看他沒頭沒臉的，只情使棍子打來。這黑漢又化陣清風，轉回本洞，緊閉石門不出。

行者卻無計策奈何，只得也回觀音院裡，按落雲頭，道聲：「師父。」那三藏眼兒巴巴的正望他哩，忽見到了面前，甚喜；又見他手裡沒有袈裟，又懼。問道：「怎麼這番還不曾有袈裟來？」

行者袖中取出個簡帖兒來，遞與三藏道：「師父，那怪物與這死的老剝皮原是朋友。他著一個小妖送此帖來，還請他去赴佛衣會。是老孫就把那小妖打死，變做那老和尚，進他洞去，騙了一鍾茶吃。欲問他討袈裟看看，他不肯拿出。正坐間，忽被一個甚麼巡山的走了風信，他就與我打將起來。只鬥到這早晚，不分上下。他見天晚，閃回洞去，緊閉石門。老孫無奈，也暫回來。」

三藏道：「你手段比他何如？」

行者道：「我也硬不多兒，只戰個手平。」

三藏才看了簡帖，又遞與那院主道：「你師父敢莫也是妖精麼？」

那院主慌忙跪下道：「老爺，我師父是人。只因那黑大王修成人道，常來寺裡與我師父講經，他傳了我師父些養神服氣◆之術，故以朋友相稱。」

行者道：「這夥和尚沒甚妖氣，他一個個頭圓頂天，足方履地，但比老孫肥胖長大些兒，非妖精也。你看那帖兒上寫著『侍生熊羆』，此物必定是個黑熊成精。」

三藏道：「我聞得古人云：『熊與猩猩相類。』都是獸類，他卻怎麼成精？」行者笑道：「老孫是獸類，現做了齊天大聖，與他何異？大抵世間之物，凡有九竅者，皆可以修行成仙。」

三藏又道：「你才說他本事與你手平，你卻怎生得勝，取我袈裟回來？」

行者道：「莫管，莫管，我有處治◆。」

商議間，眾僧擺上晚齋，請他師徒們吃了。三藏教掌燈，仍去前面禪堂安歇。眾僧都挨牆倚壁，苫搭窩棚，各各睡下，只把後方丈讓與那上下院主安身。此時夜靜，但見：

銀河現影，玉宇無塵。滿天星燦爛，一水浪收痕。
萬籟聲寧，千山鳥絕。溪邊漁火息，塔上佛燈昏。
昨夜闍黎鐘鼓響，今宵一遍哭聲聞。

是夜在禪堂歇宿。那三藏想著袈裟，哪裡得穩睡？忽翻身見窗外透白，急起叫道：「悟空，天明了，快尋袈裟去。」

◆風信──信息。　服氣──又稱食、行氣，以呼吸吐納為主。　處治──處理、解決。

行者一骨魯跳將起來，一見眾僧侍立，供奉湯水，行者道：「你等用心服侍我師父，老孫去也。」

三藏下床，扯住道：「你往哪裡去？」

行者道：「我想這樁事都是觀音菩薩沒理，他有這個禪院在此，受了這裡人家香火，又容那妖精鄰住。我去南海尋他，與他講一講，教他親來問妖精討袈裟還我。」

三藏道：「你這去，幾時回來？」

行者道：「時少只在飯罷，時多只在晌午，就成功了。那些和尚可好服侍，老孫去也。」說聲去，早已無蹤。須臾間到了南海，停雲觀看。

但見那：

汪洋海遠，水勢連天。祥光籠宇宙，瑞氣照山川。

千層雪浪吼青霄，萬疊煙波滔白晝。水飛四野，浪滾周遭。

水飛四野振轟雷，浪滾周遭鳴霹靂。休言水勢，且看中間。

五色朦朧寶疊山，紅黃紫皂綠和藍。

才見觀音真勝境，試看南海落伽山。
好去處，山峰高聳，頂透虛空。中間有千樣奇花，百般瑞草。
風搖寶樹，日映金蓮。
觀音殿，瓦蓋琉璃；潮音洞，門鋪玳瑁。
綠楊影裡語鸚哥，紫竹林中啼孔雀。
羅紋石上，護法威嚴；瑪瑙灘前，木叉雄壯。

這行者觀不盡那異景非常，徑直按雲頭，到竹林之下。早有諸天迎接道：「菩薩前者對眾言大聖歸善，甚是宣揚。今保唐僧，如何得暇到此？」
行者道：「因保唐僧，路逢一事，特見菩薩，煩為通報。」諸天遂來洞口報知，菩薩喚入。行者遵法而行，至寶蓮臺下拜了。
菩薩問曰：「你來何幹？」
行者道：「我師父路遇你的禪院，你受了人間香火，容一個黑熊精在那裡鄰住，著他偷了我師父袈裟，屢次取討不與，今特來問你要的。」

菩薩道：「這猴子說話，這等無狀！既是熊精偷了你的袈裟，你怎來問我取討？都是你這個孽猴大膽，將寶貝賣弄，拿與小人看見，你卻又行凶，喚風發火，燒了我的留雲下院，反來我處放刁。」

行者見菩薩說出這話，知他曉得過去未來之事，慌忙禮拜道：「菩薩，乞恕弟子之罪，果是這般這等。但恨那怪物不肯與我袈裟，師父又要念那話兒咒語，老孫忍不得頭疼，故此來拜煩菩薩。望菩薩慈悲之心，助我去拿那妖精，取衣西進也。」

菩薩道：「那怪物有許多神通，卻也不亞於你。也罷，我看唐僧面上，和你去走一遭。」行者聞言，謝恩再拜。

即請菩薩出門，遂同駕祥雲，早到黑風山，墜落雲頭，依路找洞。

正行處，只見那山坡前走出一個道人，手拿著一個玻璃盤兒，盤內安著兩粒仙丹，往前正走。被行者撞個滿懷，掣出棒，就照頭一下，打得腦裡漿流出，腔中血迸攛。

菩薩大驚道：「你這個猴子，還是這等放潑◆。他又不曾偷你袈裟，又不與你相識，又無甚冤仇，你怎麼就將他打死？」

行者道：「菩薩，你認他不得，他是那黑熊精的朋友。他昨日和一個白衣秀士，都在芳草坡前坐講。後日是黑精的生日，請他們來慶佛衣會。今日他先來拜壽，明日來慶佛衣會。所以我認得，定是今日替那妖去上壽。」

菩薩說：「既是這等說來，也罷。」

行者才去把那道人提起來看，卻是一隻蒼狼。旁邊那個盤兒底下卻有字，刻道「凌虛子製」。

行者見了，笑道：「造化！造化！老孫也是便益◆，菩薩也是省力。這怪叫做不打自招，那怪教他今日了劣◆。」

◆放刁—以狡詐或惡性凌人。　放潑—舉動粗野潑悍，不通情理。
便益—方便、便利。　了劣—了結。了音瞭。

菩薩說道：「悟空，這教怎麼說？」

行者道：「菩薩，我悟空有一句話兒，叫做將計就計，不知菩薩可肯依我？」

菩薩道：「你說。」

行者說道：「菩薩，你看這盤兒中是兩粒仙丹，便是我們與那妖魔的贄見；這盤兒後面刻的四個字，說『凌虛子製』，便是我們與那妖魔的勾頭。菩薩若要依得我時，我好替你作個計較，也就不須動得干戈，也不須勞得征戰，妖魔眼下遭瘟，佛衣眼下出現；菩薩要不依我時，菩薩往西，我悟空往東，佛衣只當相送，唐三藏只當落空。」

菩薩笑道：「這猴熟嘴。」

行者道：「不敢，倒是一個計較。」

菩薩說：「你這計較怎說？」

行者道：「這盤上刻那『凌虛子製』，想這道人就叫做凌虛子。菩薩，你要依我時，可就變做這個道人，我把這丹吃了一粒，變上一粒，略大些兒。

菩薩，你就捧了這個盤兒、兩粒仙丹，去與那妖上壽，把這丸大些的讓與那妖。待那妖一口吞之，老孫便於中取事，他若不肯獻出佛衣，老孫將他肚腸就也織將一件出來。」菩薩沒法，只得也點點頭兒依他。

行者笑道：「如何？」

爾時菩薩乃以廣大慈悲，無邊法力，億萬化身，以心會意，以意會身，恍惚之間，變做凌虛仙子：

鶴氅仙風颯，飄飆欲步虛。蒼顏松柏老，秀色古今無。
去去還無住，如如自有殊。總來歸一法，只是隔邪軀。

行者看道：「妙啊，妙啊！還是妖精菩薩，還是菩薩妖精？」

菩薩笑道：「悟空，菩薩、妖精，總是一念；若論本來，皆屬無有。」

行者心下頓悟，轉身卻就變做一粒仙丹：

◈贄見——初次見面餽贈的禮物。贄音至。　勾頭——拘票。　熟嘴——嘴巴很會說話。

走盤無不定，圓明未有方。三三勾漏合，六六少翁商◆。
瓦鑠黃金焰，牟尼白晝光。外邊鉛與汞，未許易論量。

行者變了那顆丹，終是略大些兒。菩薩認定，拿了那個玻璃盤兒，逕到妖洞門口看時，果然是：

崖深岫險，雲生嶺上；柏蒼松翠，風颯林間。
崖深岫險，果是妖邪出沒人煙少；
柏蒼松翠，也可仙真修隱道情多。
山有澗，澗有泉，潺潺流水咽鳴琴，便堪洗耳；
崖有鹿，林有鶴，幽幽仙籟動間岑，亦可賞心。
這是妖仙有分降菩提，弘誓無邊垂惻隱。

菩薩看了，心中暗喜道：「這孽畜占了這座山洞，卻是也有些道分。」因此心中已是有個慈悲。

走到洞口，只見守洞小妖都有些認得道：「凌虛仙長來了。」一邊傳報，一邊接引。那妖早已迎出門道：「凌虛，有勞仙駕珍顧，蓬蓽有輝◆。」菩薩道：「小道敬獻一粒仙丹，敢稱千壽。」他二人拜畢，方才坐定，又敘起他昨日之事。

菩薩不答，連忙拿丹盤道：「大王，且見小道鄙意。」覷定一粒大的，推與那妖道：「願大王千壽。」那妖亦推一粒，遞與菩薩道：「願與凌虛子同之。」讓畢，那妖才待要咽，那藥順口兒一直滾下。現了本相，理起四平，那妖滾倒在地。菩薩現相，問妖取了佛衣。行者早已從鼻孔中出去。菩薩又怕那妖無禮，卻把一個箍兒丟在那妖頭上。那妖起來，提槍要刺，行者、菩薩早已

◆三三勾漏合，六六少翁商——三三、六六兩句乃借卦象變化無窮，以喻煉丹過程之陰陽消長，即所謂三三不盡、六六無窮也。勾漏，指葛洪，其曾求為勾漏令。少翁乃漢時方士。詩中以此二人代指神仙家之流。

蓬蓽有輝——形容貴客來訪，使主人感到倍增光彩。蓬蓽，簡陋的居室。

起在空中，將真言念起。那怪依舊頭疼，丟了槍，滿地亂滾。半空裡笑倒個美猴王，平地下滾壞個黑熊怪。

菩薩道：「孽畜，你如今可皈依麼？」

那怪滿口道：「心願皈依，只望饒命！」行者恐耽擱了工夫，意欲就打。

菩薩急止住道：「休傷他命，我有用他處哩。」

行者道：「這樣怪物，不打死他，反留他在何處用哩？」

菩薩道：「我那落伽山後無人看管，我要帶他去做個守山大神。」

行者笑道：「誠然是個救苦慈尊，一靈不損。若是老孫有這樣咒語，就念上他娘千遍。這回兒就有許多黑熊，都教他了帳。」

卻說那怪甦醒多時，公道難禁疼痛，只得跪在地下哀告道：「但饒性命，願皈正果。」菩薩方墜落祥光，又與他摩頂受戒，教他執了長槍，跟隨左右。那黑熊才一片野心今日定，無窮頑性此時收。

菩薩吩咐道：「悟空，你回去罷，好生服侍唐僧，以後再休懈惰生事。」

行者道：「深感菩薩遠來，弟子還當回送回送。」菩薩道：「免送。」行者才捧著袈裟，叩頭而別。菩薩亦帶了熊羆，逕回大海。有詩為證。詩曰：

祥光靄靄凝金像，萬道繽紛實可誇。
普濟世人垂憫恤，遍觀法界現金蓮。
今來多為傳經意，此去原無落點瑕。
降怪成真歸大海，空門復得錦袈裟。

畢竟不知向後事情如何，且聽下回分解。

第一八回

觀音院唐僧脫難
高老莊大聖除魔

行者辭了菩薩，按落雲頭，將袈裟掛在香柟樹上，掣出棒來，打入黑風洞裡，那洞裡哪得一個小妖？原來是他見菩薩出現，降得那老怪就地打滾，急急都散走了。

行者一發行凶，將他那幾層門上都積了乾柴，前前後後，一齊發火，把個黑風洞燒做個紅風洞，卻拿了袈裟，駕祥光，轉回直北。

話說那三藏望行者急忙不來，心甚疑惑；不知是請菩薩不至，不知是行者托故而逃。正在那胡猜亂想之中，只見半空中彩霧燦燦，行者忽墜階前跪道：「師父，袈裟來了。」三藏大喜。

眾僧亦無不歡悅道：「好了！好了！我等性命，今日方才得全了。」

三藏接了袈裟道：「悟空，你早間去時，原約到飯罷晌午，如何此時日西方回？」行者將那請菩薩施變化降妖的事情，備陳◆了一遍。

三藏聞言，遂設香案，朝南禮拜罷，道：「徒弟啊，既然有了佛衣，可快收拾包裹去也。」

行者道：「莫忙，莫忙。今日將晚，不是走路的時候，且待明日早行。」

眾僧們一齊跪下道：「孫老爺說得是。一則天晚，二來我等有些願心◆兒，今幸平安，有了寶貝，待我還了願，請老爺散了福◆，明早再送西行。」行者道：「正是，正是。」

你看那些和尚都傾囊倒底，把那火裡搶出的餘資，各出所有，整頓了些齋供，燒了些平安無事的紙，念了幾卷消災解厄的經。當晚事畢。

◆**備陳**——詳盡陳述。　**願心**——心願。　**散福**——祭神之後，把酒菜分給大家吃。

次早，方刷扮◆了馬匹，包裹了行囊出門，眾僧遠送方回。行者引路而去，正是那春融◆時節，但見那：

草襯玉驄蹄跡軟，柳搖金線露華新。
桃杏滿林爭豔麗，薜蘿繞徑放精神。
沙堤日暖鴛鴦睡，山澗花香蛺蝶馴。
這般秋去冬殘春過半，不知何年行滿得真文。

師徒們行了五七日荒路，忽一日天色將晚，遠遠的望見一村人家。三藏道：「悟空，你看那壁廂有座山莊相近，我們去告宿一宵，明日再行何如？」行者道：「且等老孫去看看吉凶，再作區處。」那師父挽住絲韁，這行者定睛觀看，真個是：

竹籬密密，茅屋重重。參天野樹迎門，曲水溪橋映戶。
道旁楊柳綠依依，園內花開香馥馥。
此時那夕照沉西，處處山林喧鳥雀；

晚煙出爨，條條道徑轉牛羊。
又見那食飽雞豚眠屋角，醉酣鄰叟唱歌來。

行者看罷道：「師父請行，定是一村好人家，正可借宿。」

那長老催動白馬，早到街衢之口。又見一個少年，頭裹綿布，身穿藍襖，持傘背包，斂褌◆紮褲，腳踏著一雙三耳草鞋，雄糾糾的，出街忙走。行者順手一把扯住道：「哪裡去？我問你一個信兒：此間是甚麼地方？」

那個人只管苦掙，口裡嚷道：「我莊上沒人，只是我好問信？」

行者陪著笑道：「施主莫惱。『與人方便，自己方便。』你就與我說說地名何害？我也可解得你的煩惱。」

那人掙不脫手，氣得亂跳道：「蹭蹬◆！蹭蹬！家長的屈氣受不了，又撞著這個光頭，受他的清氣◆！」

◆刷扮—裝扮、打扮。 春融—春氣融和。亦指春暖解凍。 褌—褲子。褌音昆。
蹭蹬—倒霉。蹭音層四聲，蹬音鄧。 清氣—閒氣。

行者道：「你有本事，劈開我的手，你便就去了也罷。」

那人左扭右扭，哪裡扭得動，卻似一把鐵鈐鉗住一般。氣得他丟了包袱，撇了傘，兩隻手雨點似來抓行者。行者把一隻手扶著行李，一隻手抵住那人，憑他怎麼支吾，只是不能抓著。行者愈加不放，急得暴躁如雷。

三藏道：「悟空，那裡不有人來了？你再問那人就是，只管扯住他怎的？放他去罷。」

行者笑道：「師父不知，若是問了別人沒趣，須是問他，才有買賣。」

那人被行者扯住不放，只得說出道：「此處乃是烏斯藏國界之地，喚做高老莊。一莊人家有大半姓高，故此喚做高老莊。你放了我去罷。」

行者又道：「你這樣行裝，不是個走近路的。你實與我說，你要往哪裡去，端的所幹何事，我才放你。」

這人無奈，只得以實情告訴道：「我是高太公的家人，名叫高才。我那太公有個老女兒，年方二十歲，更不曾配人。三年前被一個妖精占了，那妖整做了這三年女婿。我太公不悅，說道：『女兒招了妖精，不是長法，一則敗壞家門，二則沒個親家來往。』

「一向要退這妖精。那妖精哪裡肯退，轉把女兒關在他後宅，將有半年，再不放出與家內人相見。我太公與了我幾兩銀子，教我尋訪法師，拿那妖怪。我這些時不曾住腳◆，前前後後，請了有三四個人，都是不濟的和尚，膿包的道士，降不得那妖精。剛才罵了我一場，說我不會幹事。又與了我五錢銀子做盤纏◆，教我再去請好法師降他。不期撞著你這個紇刺星◆扯住，誤了我走路，故此裡外受氣，我無奈，才與你叫喊。不想你又有些拿法◆，我掙不過你，所以說此實情。你放我走罷。」

行者道：「你的造化，我有營生，這才是湊四合六◆的勾當。你也不須遠

◆鈐—車軸頭上用來拴住車輪的鐵鍵。鈐音前。 支吾—抵抗、抗拒。
暴躁如雷—形容人遇事急躁、粗暴，一副怒不可抑的樣子。
老—年紀大的人對最末一個兒子、女兒，叫做老兒子、老女兒或老姑娘。 住腳—歇息。
盤纏—旅費、路費。古代出行，將旅費財物以布帛纏束，綑繫腰際，故稱為「盤纏」。
紇刺星—魔星。指遭到意外的阻難。 拿法—古代拳術中的一種擒人手法。

行，莫要花費了銀子。我們不是那不濟的和尚，膿包的道士，其實有些手段，慣會拿妖。這正是『一來照顧郎中，二來又醫得眼好。』煩你回去上覆你那家主，說我們是東土駕下差來的御弟聖僧，往西天拜佛求經者，善能降妖縛怪。」

高才道：「你莫誤了我。我是一肚子氣的人，你錯哄了我，沒甚手段，拿不住那妖精，卻不又帶累我來受氣？」

行者道：「管教不誤了你，你引我到你家門首去來。」

那人也無計奈何，真個提著包袱，拿了傘，轉步回身，領他師徒到於門首◆道：「二位長老，你且在馬臺◆上略坐坐，等我進去報主人知道。」

行者才放了手，落擔牽馬，師徒們坐立門旁等候。

那高才入了大門，逕往中堂上走，可可◆的撞見高太公。

太公罵道：「你那個蠻皮◆畜生！怎麼不去尋人，又回來做甚？」

高才放下包、傘道：「上告主人公◆得知：小人才行出街口，忽撞見兩個和尚：一個騎馬，一個挑擔。他扯住我不放，問我哪裡去。我再三不曾與他說及，他纏得沒奈何，不得脫手，遂將主人公的事情，一一說與他知。他卻十分歡喜，要與我們拿那妖怪哩。」高老道：「是哪裡來的？」高才道：「他說是東土駕下差來的御弟聖僧，前往西天拜佛求經的。」太公道：「既是遠來的和尚，怕不真有些手段。他如今在哪裡？」高才道：「現在門外等候。」

那太公即忙換了衣服，與高才出來迎接，叫聲：「長老。」三藏聽見，急轉身，早已到了面前。那老者戴一頂烏綾巾，穿一領蔥白蜀錦衣，踏一雙糙米皮的犢子靴，繫一條黑綠絛子，出來笑語相迎，便叫：「二位長老，作揖了。」三藏還了禮，行者站著不動。那老者見他相貌

◈湊四合六—偶然巧合。 **門首**—門前、門口。
馬臺—方便上下馬用的石凳子或石臺子，舊時大戶人家多放置在大門左右兩側。
可可的—恰好、正巧。 **蠻皮**—罵人無知的話。 **主人公**—對主人的尊稱。

凶醜，便就不敢與他作揖。行者道：「怎麼不唱老孫喏？」

那老兒有幾分害怕，叫高才道：「你這小廝卻不弄殺我也？家裡現有一個醜頭怪腦的女婿打發不開，怎麼又引這個雷公來害我？」

行者道：「老高，你空長了許大年紀，還不省事。若專以相貌取人，乾淨◆錯了。我老孫醜自醜，卻有些本事。替你家擒得妖精，捉得鬼魅，拿住你那女婿，還了你女兒，便是好事，何必諄諄以相貌為言？」

太公見說，戰兢兢的，只得強打精神，叫聲：「請進。」

這行者見請，才牽了白馬，教高才挑著行李，與三藏進去。他也不管好歹，就把馬拴在敞廳◆柱上，扯過一張退光漆交椅，叫師父坐下。他又扯過一張椅子，坐在旁邊。

那高老道：「這個小長老，倒也家懷◆。」

行者道：「你若肯留我住得半年，還家懷哩。」

坐定，高老問道：「適間小价◆說，二位長老是東土來的？」

三藏道：「便是。貧僧奉朝命往西天拜佛求經，因過寶莊，特借一宿，明日早行。」高老道：「二位原是借宿的，怎麼說會拿怪？」

行者道：「因是借宿，順便拿幾個妖怪兒耍耍的。動問府上有多少妖怪？」

高老道：「天哪！還吃得有多少哩，只這一個妖怪女婿，已被他磨慌了。」行者道：「你把那妖怪的始末，有多大手段，從頭兒說說我聽，我好替你拿他。」

高老道：「我們這莊上，自古至今，也不曉得有甚麼鬼祟魍魎，邪魔作耗◆。只是老拙不幸，不曾有子，只生三個女兒：大的喚名香蘭，第二的名玉蘭，第三的名翠蘭。那兩個從小兒配與本莊人家。只有小的個，要招個女婿，指望他與我同家過活，做個養老女婿，撐門抵戶◆，做活當差。不

◆**乾淨**—這裡是完全、絕對的意思。**敞廳**—兩面相通而寬敞的廳堂。**撐門抵戶**—維持生活家計。**家懷**—不認生、不客套，像在自己家裡一樣。**小价**—謙稱自己的僕人。**作耗**—作祟。

期三年前，有一個漢子，模樣兒倒也精緻。他說是福陵山上人家，姓豬，上無父母，下無兄弟，願與人家做個女婿。我老拙◆見是這般一個無根無絆的人，就招了他。一進門時，倒也勤謹，耕田耙地，不用牛具；收割田禾，不用刀杖；昏去明來，其實也好。只是一件，有些會變嘴臉。」

行者道：「怎麼樣變？」

高老道：「初來時是一條黑胖漢，後來就變做一個長嘴大耳朵的呆子，腦後又有一溜鬃毛，身體粗糙怕人，頭臉就像個豬的模樣。食腸卻又甚大：一頓要吃三五斗米飯，早間點心也得百十個燒餅才夠。喜得還吃齋素；若再吃葷酒，便是老拙這些家業田產之類，不上半年，就吃個罄淨◆。」

三藏道：「只因他做得，所以吃得。」

高老道：「吃還是件小事。他如今又會弄風◆，雲來霧去，走石飛砂，唬得我一家並左鄰右舍，俱不得安生。又把那翠蘭小女關在後宅子裡，一發半年也不曾見面，更不知死活如何。因此知他是個妖怪，要請個法師與他祛退，祛退。」

行者道：「這個何難？老兒你管放心，今夜管情◆與你拿住，教他寫了退親文書，還你女兒如何？」

高老大喜道：「我為招了他不打緊，壞了我多少清名，疏了我多少親眷。但得拿住他，要甚麼文書？就煩與我除了根罷！」

行者道：「容易！容易！入夜之時，就見好歹。」

老兒十分歡喜，才教展抹桌椅，擺列齋供。

齋罷將晚，老兒問道：「要甚兵器？要多少人隨？趁早好備。」

行者道：「兵器我自有。」

老兒道：「二位只是那根錫杖，錫杖怎麼打得那個妖精？」

行者隨於耳內取出一個繡花針來，捻在手中，迎風晃了一晃，就是碗來粗細的一根金箍鐵棒，對著高老道：「你看這條棍子，比你家兵器如何？

◆老拙—老年人自謙之詞。　罄淨—用盡無餘。　弄風—搞把戲騙人。　管情—管保、包管。

可打得這怪否？」

高老又道：「既有兵器，可要人跟？」

行者道：「我不用人，只是要幾個年高有德的老兒，陪我師父清坐閒敘，我好撇他而去。等我把那妖精拿來，對眾取供，替你除了根罷。」

那老兒即喚家僮，請了幾個親故朋友。一時都到，相見已畢，行者道：「師父，你放心穩坐，老孫去也。」

你看他搯著鐵棒，扯著高老道：「你引我去後宅子裡妖精的住處看看。」高老遂引他到後宅門首。行者道：「你去取鑰匙來。」

高老道：「你且看看，若是用得鑰匙，卻不請你了。」

行者笑道：「你那老兒年紀雖大，卻不識耍。我把這話兒哄你一哄，你就當真。」走上前，摸了一摸，原來是銅汁灌的鎖子。狠得他將金箍棒一搗，搗開門扇，裡面卻黑洞洞◆的。

行者道：「老高，你去叫你女兒一聲，看她可在裡面？」

那老兒硬著膽叫道：「三姐姐！」

那女兒認得是她父親的聲音，才少氣無力的應了一聲道：「爹爹，我在這裡哩。」行者閃金睛，向黑影裡仔細看時，你道她怎生模樣？但見那：

雲鬢亂堆無掠，玉容未洗塵淄。
一片蘭心依舊，十分嬌態傾頹。
櫻唇全無氣血，腰肢屈屈偎偎◆。
愁蹙蹙，蛾眉淡；瘦怯怯，語聲低。

她走來看見高老，一把扯住，抱頭大哭。行者道：「且莫哭，且莫哭。我問妳，妖怪往哪裡去了？」

女子道：「不知往哪裡去。這些時，天明就去，入夜方來。雲雲霧霧，往回不知何所。因是曉得父親要祛退他，他也常常防備，故此昏來朝去。」

◆黑洞洞——漆黑昏暗樣子。 屈屈偎偎——形容腰肢軟弱無力的樣子。

行者道：「不消說了。老兒，你帶令愛◆往前邊宅裡，慢慢的敘闊◆，讓老孫在此等他。他若不來，你卻莫怪；他若來了，定與你剪草除根。」那老高歡歡喜喜的，把女兒帶將前去。

行者卻弄神通，搖身一變，變得就如那女子一般，獨自個坐在房裡等那妖精。不多時，一陣風來，真個是走石飛砂。好風：

起初時微微蕩蕩，向後來渺渺茫茫。
微微蕩蕩乾坤大，渺渺茫茫無阻礙。
凋花折柳勝揌麻，倒樹摧林如拔菜。
翻江攪海鬼神愁，裂石崩山天地怪。
銜花麋鹿失來蹤，摘果猿猴迷在外。
七層鐵塔侵佛頭，八面幢幡傷寶蓋。
金梁玉柱起根搖，房上瓦飛如燕塊。
舉棹艄公許願心，開船忙把豬羊賽。

當坊土地棄祠堂，四海龍王朝上拜。
海邊撞損夜叉船，長城刮倒半邊塞。

那陣狂風過處，只見半空裡來了一個妖精，果然生得醜陋：黑臉短毛，長喙大耳；穿一領青不青、藍不藍的梭布直裰，繫一條花布手巾。

行者暗笑道：「原來是這個買賣。」好行者，卻不迎他，也不問他，且睡在床上推病，口裡哼哼嘖嘖◈的不絕。那怪不識真假，走進房，一把摟住，就要親嘴。

行者暗笑道：「真個要來弄老孫哩。」即使個拿法，托著那怪的長嘴，叫做個小跌。漫頭一抖，撲地摜下床來。

那怪爬起來，扶著床邊道：「姐姐，妳怎麼今日有些怪我？想是我來得遲了？」

◈令愛——指對方的女兒。 **敘闊**——敘說離別之情。 **哼哼嘖嘖**——病痛時的呻吟聲。

行者道：「不怪，不怪。」

那妖道：「既不怪我，怎麼就丟我這一跌？」

行者道：「你怎麼就這等樣小家子◆，就摟我親嘴？我因今日有些不自在；若每常好時，便起來開門等你了。你可脫了衣服睡是。」那怪不解其意，真個就去脫衣。行者跳起來，坐在淨桶◆上。那怪依舊復來床上摸一把，摸不著人，叫道：「姐姐，妳往哪裡去了？請脫衣服睡罷。」

行者道：「你先睡，等我出個恭◆來。」那怪果先解衣上床。

行者忽然嘆口氣，道聲：「造化低了。」

那怪道：「妳惱怎的？造化怎麼得低的？我得到了妳家，雖是吃了些茶飯，卻也不曾白吃妳的：我也曾替妳家掃地通溝、搬磚運瓦、築土打牆、耕田耙地、種麥插秧、創家立業。如今妳身上穿的錦，戴的金，四時有花果享用，八節有蔬菜烹煎，妳還有那些兒不趁心◆處，這般短嘆長吁◆，說甚麼造化低了？」

行者道：「不是這等說。今日我的父母隔著牆，丟磚料瓦◈的，甚是打我罵我哩。」那怪道：「他打罵妳怎的？」

行者道：「他說我和你做了夫妻，你是他門下一個女婿，全沒些兒禮體。這樣個醜嘴臉的人，又會不得姨夫，又見不得親戚，又不知你雲來霧去，端的是哪裡人家，姓甚名誰，敗壞他清德，玷辱他門風，故此這般打罵，所以煩惱。」

那怪道：「我雖是有些兒醜陋，若要俊，卻也不難。我一來時，曾與他講過，他願意方才招我。今日怎麼又說起這話？我家住在福陵山雲棧洞。我以相貌為姓，故姓豬，官名叫做豬剛鬣◈。他若再來問妳，妳就以此話與他說便了。」

◈**小家子**—形容舉止不大方、小氣。　**淨桶**—便器。
出恭—排泄糞便。明代考試設有出恭入敬牌，士子如廁通便，須先領牌，故稱通便為「出恭」。且稱大便為「大恭」，小便為「小恭」。　**丟磚料瓦**—比喻東一句、西一句的罵人。料，撂。
趁心—順心。　**短嘆長吁**—不斷嘆氣。形容非常憂傷愁悶。　**剛鬣**—古代對豬的一種稱呼。

行者暗喜道：「那怪卻也老實，不用動刑，就供得這等明白。既有了地方、姓名，不管怎的也拿住他。」

行者道：「他要請法師來拿你哩。」

那怪笑道：「睡著！睡著！莫睬他！我有天罡數的變化，九齒的釘鈀，怕甚麼法師、和尚、道士？就是妳老子有虔心，請下九天蕩魔祖師下界，我也曾與他做過相識，他也不敢怎的我。」

行者道：「他說請一個五百年前大鬧天宮姓孫的齊天大聖，要來拿你哩。」

那怪聞得這個名頭◆，就有三分害怕道：「既是這等說，我去了罷，兩口子做不成了。」

行者道：「你怎的就去？」

那怪道：「你不知道，那鬧天宮的弼馬溫有些本事，只恐我弄他不過，低了名頭，不像模樣。」

說罷，套上衣服，開了門，往外就走。被行者一把扯住，將自己臉上抹了一抹，現出原身，喝道：「好妖怪，哪裡走！你抬頭看看我是哪個？」那怪轉過眼來，看見行者咨牙俫嘴◆，火眼金睛，磕頭毛臉，就是個活雷公相似。慌得他手麻腳軟，劃刺的一聲，掙破了衣服，化狂風脫身而去。行者急上前，掣鐵棒，望風打了一下。那怪化萬道火光，逕轉本山而去。行者駕雲，隨後趕來，叫聲：「哪裡走！你若上天，我就趕到斗牛宮；你若入地，我就追至枉死獄！」

咦！畢竟不知這一去趕至何方，有何勝敗，且聽下回分解。

◆**名頭**──名字。　**咨牙俫嘴**──張嘴露牙。形容裝模作樣、生氣或痛苦的樣子。

第一九回

雲棧洞悟空收八戒

浮屠山玄奘受心經

卻說那怪的火光前走，這大聖的彩霞跟後。正行處，忽見一座高山，那怪把紅光結聚，現了本相，撞入洞內，取出一柄九齒釘鈀來戰。

行者喝一聲道：「潑怪！你是哪裡來的邪魔？怎麼知道我老孫的名號？你有甚麼本事，實實供來，饒你性命。」

那怪道：「是你也不知我的手段，上前來站穩著，我說與你聽。我：

自小生來心性拙，貪閒愛懶無休歇。
不曾養性與修真，混沌迷心熬日月。
忽然閒裡遇真仙，就把寒溫坐下說。
勸我回心莫墮凡，傷生造下無邊孽。

有朝大限◆命終時，八難三途◆悔不喋。
聽言意轉要修行，聞語心回求妙訣。
有緣立地拜為師，指示天關並地闕。
得傳九轉大還丹，工夫晝夜無時輟。
上至頂門泥丸宮，下至腳板湧泉穴。
周流腎水入華池◆，丹田補得溫溫熱。
嬰兒◆姹女◆配陰陽，鉛汞相投分日月。
離龍坎虎◆用調和，靈龜吸盡金烏血◆。

◆**大限**——臨死之前。限，生死之間的界限。　**華池**——道教指人口中舌頭下面的地方為華池。
八難三途——三途，指畜生、餓鬼、地獄。八難的「難」是講遭受災難、遭遇到困難，這是專指沒有機緣接觸到佛法。
嬰兒——道教指鉛為嬰兒。　**姹女**——道教稱汞為姹女。姹音詫。
離龍坎虎——道教煉丹家指元神、元精的代表。離龍，指龍陽，生於離，離屬火。坎虎，指虎陰，生於坎，坎屬水。二者合而為「道本」。
靈龜吸盡金烏血——說明修道之人可以調宇宙之不可調得，天地之不易得。靈龜乃水府靈物，金烏乃太陽之精華。

三花聚頂◆得歸根，五氣朝元◆通透徹。
功圓行滿卻飛升，天仙對對來迎接。
朗然足下彩雲生，身輕體健朝金闕。
玉皇設宴會群仙，各分品級排班列。
敕封元帥管天河，總督水兵稱憲節。
只因王母會蟠桃，開宴瑤池邀眾客。
那時酒醉意昏沉，東倒西歪亂撒潑。
逞雄撞入廣寒宮，風流仙子來相接。
見她容貌挾人魂，舊日凡心難得滅。
全無上下失尊卑，扯住嫦娥要陪歇。
再三再四不依從，東躲西藏心不悅。
色膽如天叫似雷，險些震倒天關闕。
糾察靈官奏玉皇，那日吾當命運拙。
廣寒圍困不通風，進退無門難得脫。

卻被諸神拿住我，酒在心頭還不怯。
押赴靈霄見玉皇，依律問成該處決。
多虧太白李金星，出班俯顖親言說。
改刑重責二千鎚，肉綻皮開骨將折。
放生遭貶出天關，福陵山下圖家業。
我因有罪錯投胎，俗名喚做豬剛鬣。」

行者聞言道：「你這廝原來是天蓬水神下界，怪道知我老孫名號。」

那怪道聲：「哏！你這誆上的弼馬溫，當年撞那禍時，不知帶累我等多少，今日又來此欺人。不要無禮，吃我一鈀！」

◆**三花聚頂**——內丹學術語。「花」通「華」，三花就是三華，表示人體精氣神之榮華。聚頂，就是精氣神混一而聚於頂上。

五氣朝元——道教修煉之法。謂煉內丹者不視、不聽、不言、不聞、不動，而五臟之精氣生剋制化，朝歸於臍內空處。

行者怎肯容情，舉起棒，當頭就打。他兩個在那半山之中，黑夜裡賭鬥。好殺：

行者金睛似閃電，妖魔環眼似銀花。
這一個口噴彩霧，那一個氣吐紅霞。
氣吐紅霞昏處亮，口噴彩霧夜光華。
金箍棒，九齒鈀，兩個英雄實可誇：
一個是大聖臨凡世，一個是元帥降天涯。
那個因失威儀成怪物，這個幸逃苦難拜僧家。
鈀去好似龍伸爪，棒迎渾若鳳穿花。
那個道：「你破人親事如殺父！」
這個道：「你強姦幼女正該拿！」
閒言語，亂喧譁，往往來來棒架鈀。
看看戰到天將曉，那妖精兩膊覺酸麻。

他兩個自二更時分，直戰到東方發白。那怪不能迎敵，敗陣而逃，依然又化狂風，逕回洞裡，把門緊閉，再不出頭。行者在這洞門外看有一座石碣，上書雲棧洞三字。

見那怪不出，天又大明，心卻思量：「恐師父等候，且回去見他一見，再來捉此怪不遲。」隨踏雲點一點，早到高老莊。

卻說三藏與那諸老談今論古，一夜無眠。正想行者不來，只見天井裡忽然站下行者。行者收藏鐵棒，整衣上廳。叫道：「師父，我來了。」

慌得那諸老一齊下拜，謝道：「多勞！多勞！」

三藏問道：「悟空，你去這一夜，拿得妖精在哪裡？」

行者道：「師父，那妖不是凡間的邪祟，也不是山間的怪獸。他本是天蓬元帥臨凡，只因錯投了胎，嘴臉像一個野豬模樣，其實性靈尚存。他說以相為姓，喚名豬剛鬣。是老孫從後宅裡掣棒就打，他化一陣狂風走了。被老孫著風一棒，他就化道火光，逕轉他那本山洞裡，取出一柄九齒釘鈀，與老孫戰了一夜。適才天色將明，他怯戰而走，把洞門緊閉不出。老孫還要打開那門，與他見個好歹，恐師父在此疑慮盼望，故先來回個信息。」

說罷，那老高上前跪下道：「長老，沒及奈何，你雖趕得去了，他等你去後復來，卻怎區處？索性累你與我拿住，除了根，才無後患。我老夫不敢怠慢，自有重謝，將這家財田地，憑眾親友寫立文書，與長老平分。只是要剪草除根，莫教壞了我高門清德。」

行者笑道：「你這老兒不知分限。那怪也曾對我說，他雖是食腸大，吃了你家些茶飯，也與你幹了許多好事，這幾年掙了許多家貲◆，皆是他之力量。他不曾白吃了你東西，問你祛◆他怎的？據他說，他是一個天神下界，替你把家做活，又未曾害了你家女兒。想這等一個女婿，也門當戶對，不怎麼壞了家聲，辱了行止，當真的留他也罷。」

老高道：「長老，雖是不傷風化，但名聲不甚好聽，動不動著人就說：

『高家招了一個妖怪女婿。』這句話兒教人怎當？」三藏道：「悟空，你既是與他做了一場，一發與他做個結局，才見始終。」行者道：「我才試他一試耍子。此去一定拿來與你們看，且莫憂愁。」叫：「老高，你還好生管待我師父，我去也。」

說聲去，就無形無影的，跳到他那山上，來到洞口，一頓鐵棍，把兩扇門打得粉碎。口裡罵道：「那饢糠◆的夯貨◆，快出來與老孫打麼！」那怪正喘噓噓的睡在洞內，聽見打得門響，又聽見罵饢糠的夯貨，他卻惱怒難禁，只得拖著鈀，抖擻精神，跑將出來，厲聲罵道：「你這個弼馬溫，著實憊懶！與你有甚相干，你把我大門打破？你且去看看律條，打進大門而入，該個雜犯死罪哩。」行者笑道：「這個呆子！我就打了大門，還有個辯處；像你強占人家女

◆**家貲**—家中資產。**祛**—驅逐。**饢糠**—罵人如畜生般吃糠。饢，拚命的吃。**夯貨**—罵人蠢笨。

子，又沒個三媒六證，又無些茶紅酒禮◆，該問個真犯斬罪哩。」

那怪道：「且休閒講，看老豬這鈀！」

行者使棒支住道：「你這鈀可是與高老家做長工築地種菜的？有何好處怕你？」

那怪道：「你錯認了，這鈀豈是凡間之物？你且聽我道來：

此是煅煉神冰鐵，磨琢成工光皎潔。
老君自己動鈐鎚，熒惑◆親身添炭屑。
五方五帝用心機，六丁六甲費周折。
造成九齒玉垂牙，鑄就雙環金墜葉。
身妝六曜排五星，體按四時依八節。
短長上下定乾坤，左右陰陽分日月。
六爻神將按天條，八卦星辰依斗列。
名為上寶遜金鈀，進與玉皇鎮丹闕。
因我修成大羅仙，為吾養就長生客。

敕封元帥號天蓬，欽賜釘鈀為御節。
舉起烈焰並毫光，落下猛風飄瑞雪。
天曹神將盡皆驚，地府閻羅心膽怯。
人間那有這般兵，世上更無此等鐵。
隨身變化可心懷，任意翻騰依口訣。
相攜數載未曾離，伴我幾年無日別。
日食三餐並不丟，夜眠一宿渾無撇。
也曾佩去赴蟠桃，也曾帶他朝帝闕。
皆因仗酒卻行凶，只為倚強便撒潑。
上天貶我降凡塵，下世盡我作罪孽。
石洞心邪曾吃人，高莊情喜婚姻結。

◆茶紅酒禮——舊時訂婚時男方送給女方的禮物，因其中必有茶、酒，故稱為「茶紅酒禮」。
熒惑——火星。此指火德星君。熒音螢。

這鈀下海掀翻龍鼉窩，上山抓碎虎狼穴。
諸般兵刃且休題，惟有吾當鈀最切。
相持取勝有何難，賭鬥求功不用說。
何怕你銅頭鐵腦一身鋼，鈀到魂消神氣泄！」

行者聞言，收了鐵棒道：「呆子不要說嘴，老孫把這頭伸在那裡，你且築一下兒，看可能魂消氣泄？」那怪真個舉起鈀，著氣力築將來，撲地一下，鑽起鈀的火光焰焰，更不曾築動一些兒頭皮。諕得他手麻腳軟，道聲：「好頭！好頭！」

行者道：「你是也不知。老孫因為鬧天宮，偷了仙丹，盜了蟠桃，竊了御酒，被小聖二郎擒住，押在斗牛宮前，眾天神把老孫斧剁鎚敲，刀砍劍刺，火燒雷打，也不曾損動分毫。又被那太上老君拿了我去，放在八卦爐中，將神火煅煉，煉做個火眼金睛，銅頭鐵臂。不信，你再築幾下，看看疼與不疼？」

那怪道：「你這猴子，我記得你鬧天宮時，家住在東勝神洲傲來國花果山水簾洞裡，到如今久不聞名，你怎麼來到這裡，上門子欺我？莫敢是我丈人去那裡請你來的？」

行者道：「你丈人不曾去請我。因是老孫改邪歸正，棄道從僧，保護一個東土大唐駕下御弟，叫做三藏法師，往西天拜佛求經，路過高莊借宿，那高老兒因話說起，就請我救他女兒，拿你這饢糠的夯貨。」

那怪一聞此言，丟了釘鈀，唱個大喏道：「那取經人在哪裡？累煩你引見引見。」

行者道：「你要見他怎的？」

那怪道：「我本是觀世音菩薩勸善，受了他的戒行，這裡持齋把素，教我跟隨那取經人往西天拜佛求經，將功折罪，還得正果。教我等他這幾年，

◆築—捅、刺。　魂消氣泄—魂魄、靈氣消散。指死亡。

不聞消息。今日既是你與他做了徒弟，何不早說取經之事，只倚凶強，上門打我？」

行者道：「你莫詭詐欺心軟我，欲為脫身之計。果然是要保護唐僧，略無虛假，你可朝天發誓，我才帶你去見我師父。」

那怪撲地跪下，望空似搗碓◆的一般，只管磕頭道：「阿彌陀佛，南無佛，我若不是真心實意，還教我犯了天條，劈屍萬段！」

行者見他賭咒發願，道：「既然如此，你點把火來燒了你這住處，我方帶你去。」

那怪真個搬些蘆葦荊棘，點著一把火，將那雲棧洞燒得像個破瓦窰。對行者道：「我今已無罣礙◆了，你卻引我去罷。」

行者道：「你把釘鈀與我拿著。」那怪就把鈀遞與行者。

行者又拔了一根毫毛，吹口仙氣，叫：「變！」即變做一條三股麻繩，走過來，把手背綁剪了。那怪真個倒背著手，憑他怎麼綁縛。卻又揪著耳朵，拉著他，叫：「快走！快走！」

那怪道：「輕著些兒，你的手重，揪得我耳根子疼。」行者道：「輕不成，顧你不得。常言道：『善豬惡拿。』只等見了我師父，果有真心，方才放你。」他兩個半雲半霧的，逕轉高家莊來。有詩為證：

金性剛強能剋木，心猿降得木龍歸。
金從木順皆為一，木戀金仁總發揮。
一主一賓無間隔，三交三合有玄微。
性情並喜貞元聚，同證西方話不違。

頃刻間到了莊前。行者鉗著他的鈀，揪著他的耳道：「你看那廳堂上端坐的是誰？乃吾師也。」

那高氏諸親友與老高，忽見行者把那怪背綁揪耳而來，一個個忻然迎到

◈搗碓—指舂米動作一上一下，後亦借為形容磕頭的樣子。碓，舂米的器具。碓音對。
罣礙—心中有所牽掛。

天井中，道聲：「長老！長老！他正是我家的女婿！」

那怪走上前，雙膝跪下，背著手，對三藏叩頭，高叫道：「師父，弟子失迎。早知是師父住在我丈人家，我就來拜接，怎麼又受到許多周折？」

三藏道：「悟空，你怎麼降得他來拜我？」行者才放了手，拿釘鈀柄兒打著，喝道：「呆子，你說麼！」那怪把菩薩勸善事情，細陳了一遍。

三藏大喜，便叫：「高太公，取個香案用用。」老高即忙抬出香案。

三藏淨了手焚香，望南禮拜道：「多蒙菩薩聖恩。」那幾個老兒也一齊添香禮拜。拜罷，三藏上廳高坐，教悟空放了他繩。行者才把身抖了一抖，收上身來，其縛自解。那怪重新禮拜三藏，願隨西去。又與行者拜了，以先進者為兄，遂稱行者為師兄。

三藏道：「既從吾善果，要做徒弟，我與你起個法名，早晚好呼喚。」

他道：「師父，我是菩薩已與我摩頂受戒，起了法名，叫做豬悟能也。」

三藏笑道：「好，好。你師兄叫做悟空，你叫做悟能，其實是我法門中的宗派。」悟能道：「師父，我受了菩薩戒行，斷了五葷三厭，在我丈人家持齋把素，更不曾動葷。今日見了師父，我開了齋罷。」

三藏道：「不可，不可。你既是不吃五葷三厭，我再與你起個別名，喚為八戒。」那呆子歡歡喜喜道：「謹遵師命。」因此又叫做豬八戒。

高老見這等去邪歸正，更十分喜悅，遂命家僮安排筵宴，酬謝唐僧。八戒上前扯住老高道：「爺，請我拙荊◆出來拜見公公、伯伯，如何？」行者笑道：「賢弟，你既入了沙門，做了和尚，從今後，再莫題起那『拙荊』的話說。世間只有個火居道士◆，哪裡有個火居的和尚？我們且來敘了坐次，吃頓齋飯，趕早兒往西天走路。」

高老兒擺了桌席，請三藏上坐；行者與八戒坐於左右兩旁，諸親下坐。

◆**高坐**——坐於坐具上，別於古時席地而坐。
拙荊——謙稱自己的妻子。　**火居道士**——有家室的道士。

高老把素酒開樽，滿斟一杯，奠了天地，然後奉與三藏。

三藏道：「不瞞太公說，貧僧是胎裡素，自幼兒不吃葷。」

老高道：「因知老師清素，不曾敢動葷。此酒也是素的，請一杯不妨。」

三藏道：「也不敢用酒，酒是我僧家第一戒者。」

悟能慌了道：「師父，我自持齋，卻不曾斷酒。」

悟空道：「老孫雖量窄，吃不上罈把，卻也不曾斷酒。」

三藏道：「既如此，你兄弟們吃些素酒也罷，只是不許醉飲誤事。」遂而他兩個接了頭鍾。各人俱照舊坐下，擺下素齋。說不盡那杯盤之盛，品物之豐。

師徒們宴罷，老高將一紅漆丹盤，拿出二百兩散碎金銀，奉三位長老為途中之費；又將三領綿布褊衫為上蓋◆之衣。

三藏道：「我們是行腳僧，遇莊化飯，逢處求齋，怎敢受金銀財帛？」

行者近前，掄開手抓了一把，叫：「高才，昨日累你引我師父，今日招了一個徒弟，無物謝你，把這些碎金碎銀，權作帶領錢，拿了去買草鞋穿。以後但有妖精，多作成我幾個，還有謝你處哩。」高才接了，叩頭謝賞。老高又道：「師父們既不受金銀，望將這粗衣笑納，聊表寸心。」

三藏又道：「我出家人，若受了一絲之賄，千劫難修。只是把席上吃不了的餅果，帶些去做乾糧足矣。」

八戒在旁邊道：「師父、師兄，你們不要便罷，我與他家做了這幾年女婿，就是掛腳糧也該三石哩。丈人啊，我的直裰，昨晚被師兄扯破了，與我一件青錦袈裟；鞋子綻了，與我一雙好新鞋子。」高老聞言，不敢不與，隨買一雙新鞋，將一領褊衫，換下舊時衣物。

那八戒搖搖擺擺，對高老唱個喏道：「上覆丈母、大姨、二姨並姨夫、姑舅諸親：我今日去做和尚了，不及面辭，休怪。丈人啊，你還好生看待我

◆上蓋—上身的外衣。

渾家◆，只怕我們取不成經時，好來還俗，照舊與你做女婿過活。」

行者喝道：「夯貨！卻莫胡說！」

八戒道：「不是胡說，只恐一時間有些兒差池，卻不是和尚誤了做，老婆誤了娶，兩下裡都耽擱了？」

三藏道：「少題閒話，我們趕早兒去來。」

遂此收拾了一擔行李，八戒擔著；背了白馬，三藏騎著；行者肩擔鐵棒，前面引路。一行三眾，辭別高老及眾親友，投西而去。

有詩為證。詩曰：

滿地煙霞樹色高，唐朝佛子苦勞勞。
飢餐一缽千家飯，寒著千針一衲袍。
意馬胸頭休放蕩，心猿乖劣莫教嚎。
情和性定諸緣合，月滿金華◆是伐毛◆。

三眾進西路途，有個月平穩。行過了烏斯藏界，猛抬頭見一座高山。三藏停鞭勒馬道：「悟空、悟能，前面山高，須索◈仔細仔細。」八戒道：「沒事。這山喚做浮屠山，山中有一個烏巢禪師，在此修行，老豬也曾會他。」

三藏道：「他有些甚麼勾當？」

八戒道：「他倒也有些道行。他曾勸我跟他修行，我不曾去罷了。」師徒們說著話，不多時，到了山上。好山！但見那：

山南有青松碧檜，山北有綠柳紅桃。鬧聒聒，山禽對語；舞翩翩，仙鶴齊飛。香馥馥，諸花千樣色；青冉冉，雜草萬般奇。澗下有滔滔綠水，崖前有朵朵祥雲。

◈渾家—對妻子的稱呼。 須索—必須。
金華—佛教術語。金波羅華的略稱，就是金色蓮花，形容功行圓滿的境界。
伐毛—佛、道教的術語。即伐毛洗髓、脱胎換骨，所謂功德圓滿。

真個是景致非常幽雅處，寂然不見往來人。

那師父在馬上遙觀，見香檜樹前有一柴草窩，左邊有麋鹿銜花，右邊有山猴獻果，樹梢頭有青鸞、彩鳳齊鳴，玄鶴、錦雞咸集。

八戒指道：「那不是烏巢禪師？」三藏縱馬加鞭，直至樹下。

卻說那禪師見他三眾前來，即便離了巢穴，跳下樹來。

三藏下馬奉拜，那禪師用手攙道：「聖僧請起。失迎，失迎。」

八戒道：「老禪師，作揖了。」

禪師驚問道：「你是福陵山豬剛鬣，怎麼有此大緣，得與聖僧同行？」

八戒道：「前年蒙觀音菩薩勸善，願隨他做個徒弟。」

禪師大喜道：「好，好，好！」又指定行者，問道：「此位是誰？」

行者笑道：「這老禪怎麼認得他，倒不認得我？」

禪師道：「因少識耳。」三藏道：「他是我的大徒弟孫悟空。」

禪師陪笑道：「欠禮，欠禮。」

三藏再拜：「請問西天大雷音寺還在哪裡？」

禪師道：「遠哩！遠哩！只是路多虎豹，難行。」

三藏殷勤致意，再問：「路途果有多遠？」

禪師道：「路途雖遠，終須有到之日，卻只是魔障◆難消。我有《多心經》一卷，凡五十四句，共計二百七十字。若遇魔障之處，但念此經，自無傷害。」三藏拜伏於地懇求，那禪師遂口誦傳之。經云：

《摩訶般若波羅蜜多心經》：

觀自在菩薩，行深般若波羅蜜多時，照見五蘊皆空，度一切苦厄。舍利子，色不異空，空不異色；色即是空，空即是色。受想行識，亦復如是。

◆**魔障**—傳說中指害人性命、迷惑人的惡鬼。

舍利子，是諸法空相，不生不滅，不垢不淨，不增不減。
是故空中無色，無受想行識，無眼耳鼻舌身意，
無色聲香味觸法，無眼界，乃至無意識界，無無明，亦無無明盡。
乃至無老死，亦無老死盡。無苦寂滅道，無智亦無得。
以無所得故，菩提薩埵。
依般若波羅蜜多故，心無罣礙；無罣礙故，無有恐怖。
遠離顛倒夢想，究竟涅槃。
三世諸佛，依般若波羅蜜多故，得阿耨多羅三藐三菩提。
故知般若波羅蜜多是大神咒，是大明咒，是無上咒，
是無等等咒，能除一切苦，真實不虛。故說般若波羅蜜多咒，
即說咒曰：「揭諦揭諦，波羅揭諦，波羅僧揭諦，菩提薩婆訶！」

此時唐朝法師本有根源，耳聞一遍《多心經》，即能記憶，至今傳世。此乃修真之總經，作佛之會門◆也。那禪師傳了經文，踏雲光，要上烏巢

而去。被三藏又扯住奉告，定要問個西去的路程端的。那禪師笑云：

道路不難行，試聽我吩咐。千山千水深，多瘴多魔處。
若遇接天崖，放心休恐怖。行來摩耳巖，側著腳蹤步。
仔細黑松林，妖狐多截路。精靈滿國城，魔主盈山住。
老虎坐琴堂◆，蒼狼為主簿◆。獅象盡稱王，虎豹皆作御。
野豬挑擔子，水怪前頭遇。多年老石猴，哪裡懷嗔怒。
你問那相識，他知西去路。

行者聞言，冷笑道：「我們去，不必問他，問我便了。」三藏還不解其意。那禪師化作金光，逕上烏巢而去。長老往上拜謝，行者心中大怒，舉鐵棒望上亂搗，只見蓮花生萬朵，祥霧護千層。行者縱有攪海翻江力，莫

◆會門—主要的門路、方法。
琴堂—指縣官治理公事的地方。
主簿—漢代以來通用的官名，主管文書簿籍及印鑑。

想挽著烏巢一縷藤。

三藏見了，扯住行者道：「悟空，這樣一個菩薩，你搗他窩巢怎的？」

行者道：「他罵了我兄弟兩個一場去了。」

三藏道：「他講的西天路徑，何嘗罵你？」

行者道：「你哪裡曉得？他說『野豬挑擔子』是罵的八戒，『多年老石猴』是罵的老孫。你怎麼解得此意？」

八戒道：「師兄息怒。這禪師也曉得過去未來之事，但看他『水怪前頭遇』這句話，不知驗否？饒他去罷。」行者見蓮花祥霧，近那巢邊，只得請師父上馬，下山往西而去。那一去：

管教清福人間少，致使災魔山裡多。

畢竟不知前程端的如何，且聽下回分解。

第二〇回

黃風嶺唐僧有難
半山中八戒爭先

偈曰：

法本從心生，還是從心滅。
生滅盡由誰？請君自辨別。
既然皆己心，何用別人說？
只須下苦功，扭出鐵中血。
絨繩著鼻穿，挽定虛空結。
拴在無為樹，不使他顛劣。
莫認賊為子，心法都忘絕。
休教他瞞我，一拳先打徹。
現心亦無心，現法法也輟。
人牛不見時◆，碧天光皎潔。
秋月一般圓，彼此難分別。

這一篇偈子◆，乃是玄奘法師悟徹了

《多心經》，打開了門戶◆，那長老常念常存，一點靈光自透。且說他三眾在路餐風宿水，帶月披星，早又至夏景炎天。但見那：

花盡蝶無情敘，樹高蟬有聲喧。

野蠶成繭火榴妍，沼內新荷出現。

那日正行時，忽然天晚，又見山路旁邊有一村舍。三藏道：「悟空，你看那日落西山藏火鏡，月升東海現冰輪。幸而道旁有一人家，我們且借宿一宵，明日再走。」八戒道：「說得是，我老豬也有些餓了，且到人家化些齋吃，有力氣，好挑行李。」行者道：「這個戀家鬼，你離了家幾日，就生報怨◆。」八戒道：「哥啊，比不得你這喝風呵煙◆的人。我從跟了師父這幾日，長

◆**人牛不見時**──用牧人馴牛的經過，來表現佛門弟子調伏心意的禪觀修證過程。牧牛比喻「治心」，十牛圖中第八種境界為人牛俱忘，即人牛不見時，認為這是大乘的「我法俱空」的成就。

偈子──僧侶所寫蘊含佛法的詩。**打開門戶**──指領悟修道的門徑。**報怨**──埋怨。

忍半肚飢，你可曉得？」

三藏聞之道：「悟能，你若是在家心重呵，不是個出家的了，你還回去罷。」

那呆子慌得跪下道：「師父，你莫聽師兄之言，他有些贓埋◆人。我不曾報怨甚的，他就說我報怨。我是個直腸◆的痴漢◆，我說道肚內飢了，好尋個人家化齋，他就罵我是戀家鬼。師父啊，我受了菩薩的戒行，又承師父憐憫，情願要服侍師父往西天去，誓無退悔。這叫做『恨苦修行』。怎的說不是出家的話？」

三藏道：「既是如此，你且起來。」

那呆子縱身跳起，口裡絮絮叨叨的，挑著擔子，只得死心塌地，跟著前來。早到了路旁人家門首。三藏下馬，行者接了韁繩，八戒歇了行李，都佇立綠蔭之下。三藏拄著九環錫杖，按按藤纏篾織斗篷，先奔門前。只見一老者，斜倚竹床之上，口裡嚶嚶◆的念佛。三藏不敢高言，慢慢的叫一聲：「施主，問訊了。」

那老者一骨魯跳將起來，忙斂衣襟，出門還禮道：「長老，失迎。你自哪方來的？到我寒門何故？」

三藏道：「貧僧是東土大唐和尚，奉聖旨，上雷音寺拜佛求經。適至寶方天晚，意投檀府告借一宵，萬祈方便方便。」

那老兒擺手搖頭道：「去不得，西天難取經。要取經，往東天去罷。」

三藏口中不語，意下沉吟：「菩薩指道西去，怎麼此老說往東行？東邊哪得有經？」靦腆難言，半晌不答。

卻說行者素性凶頑，忍不住，上前高叫道：「那老兒，你這們大年紀，全不曉事。我出家人遠來借宿，就把這厭鈍◆的話唬唬我。十分你家窄狹，沒處睡時，我們在樹底下，好道◆也坐一夜，不打攪你。」

◆喝風呵煙—不食人間煙火。　賍埋—栽贓、誣蔑的意思。　直腸—形容人心地坦白、直率。
痴漢—拙鈍不靈的男子。　嚶嚶—形容低語聲。　厭鈍—掃興、不順遂。　好道—無論如何。

那老者扯住三藏道：「師父，你倒不言語，你那個徒弟，那般拐子臉◆，別頦腮◆，雷公嘴，紅眼睛，一個癆病魔鬼，怎麼反衝撞我這年老之人？」

行者笑道：「你這個老兒，忒也沒眼色。似那俊刮◆些兒的，叫做中看不中吃。想我老孫雖小，頗結實，皮裹一團筋哩。」

那老者道：「你想必有些手段。」

行者道：「不敢誇言，也將就看得過。」

老者道：「你家居何處？因甚事削髮為僧？」

行者道：「老孫祖貫東勝神洲海東傲來國花果山水簾洞居住。自小兒學做妖怪，稱名悟空。憑本事，做了一個齊天大聖。只因不受天祿，大反天宮，惹了一場災愆。

「如今脫難消災，轉拜沙門，前求正果。保我這唐朝駕下的師父，上西天拜佛走遭，怕甚麼山高路險，水闊波狂？我老孫也捉得怪，降得魔，伏虎擒龍，踢天弄井◆，都曉得些兒。倘若府上有甚麼丟磚打瓦◆、鍋叫門開◆，老孫便能安鎮。」

那老兒聽得這篇言語，哈哈笑道：「原來是個撞頭◆化緣的熟嘴兒和尚。」

行者道：「你兒子便是熟嘴。我這些時，只因跟我師父走路辛苦，還懶說話哩。」

那老兒道：「若是你不辛苦，不懶說話，好道活活的聒殺◆我。你既有這樣手段，西方也還去得，去得。你一行幾眾？請至茅舍裡安宿。」

三藏道：「多蒙老施主不叱之恩。我一行三眾。」

老者道：「那一眾在哪裡？」

行者指著道：「這老兒眼花，那綠蔭下站的不是？」

老兒果然眼花，忽抬頭細看，一見八戒這般嘴臉，就諕得一步一跌，往屋裡亂跑，只叫：「關門，關門，妖怪來了！」

◆拐子臉—形容外貌怪異。　別頦腮—癟嘴巴、癟腮幫子。
俊刮—漂亮。　踢天弄井—上天入地的各項本領。比喻本領高強。　丟磚打瓦—形容妖邪作祟。
鍋叫門開—鬧鬼。　撞頭—形容走投無路，到處碰壁。　聒殺—形容非常嘈雜。

行者趕上扯住道：「老兒◆莫怕，他不是妖怪，是我師弟。」

老者戰兢兢的道：「好！好！好！一個醜似一個的和尚！」

八戒上前道：「老官兒◆，你若以相貌取人，乾淨差了。我們醜自醜，卻都有用。」

那老者正在門前與三個和尚相講，只見那莊南邊有兩個少年人，帶著一個老媽媽、三四個小男女，斂衣赤腳，插秧而回。他看見一匹白馬、一擔行李，都在他家門首喧譁，不知是甚來歷，都一擁上前問道：「做甚麼的？」八戒調過頭來，把耳朵擺了幾擺，長嘴伸了一伸，嚇得那些人東倒西歪，亂蹡◆亂跌。慌得那三藏滿口招呼道：「莫怕！莫怕！我們不是歹人，我們是取經的和尚。」

那老兒才出了門，攙著媽媽道：「婆婆起來，少要驚恐。這師父是唐朝來的，只是他徒弟臉嘴醜些，卻也面惡人善。帶男女們家去。」那媽媽才扯著老兒，二少年領著兒女進去。

三藏卻坐在他門樓裡竹床之上，埋怨道：「徒弟呀，你兩個相貌既醜，言語又粗，把這一家兒嚇得七損八傷◆，都替我身造罪哩。」八戒道：「不瞞師父說，老豬自從跟了你，這些時俊了許多哩。若像往常在高老莊時，把嘴朝前一掬，把耳兩頭一擺，常嚇殺二、三十人哩。」行者笑道：「呆子不要亂說，把那醜也收拾起些。」三藏道：「你看悟空說的話，相貌是生成的，你教他怎麼收拾？」行者道：「把那個耙子嘴揣在懷裡，莫拿出來；把那蒲扇耳貼在後面，不要搖動，這就是收拾了。」那八戒真個把嘴揣了，把耳貼了，拱著頭，立於左右。行者將行李拿入門裡，將白馬拴在樁上。

只見那老兒才引個少年，拿一個板盤兒，托三杯清茶來獻。茶罷，又吩咐辦齋。那少年又拿一張有窟窿無漆水的舊桌，端兩條破頭折腳的凳子，

◆**老兒**—老翁。　**老官兒**—對老者的稱呼。　**蹡**—行走。蹡音槍。　**七損八傷**—形容損傷慘重。

放在天井中，請三眾涼處坐下。

三藏方問道：「老施主高姓？」老者道：「在下姓王。」

三藏道：「有幾位令嗣？」道：「有兩個小兒，三個小孫。」

三藏道：「恭喜，恭喜。」又問：「年壽幾何？」

道：「痴長六十一歲。」行者道：「好！好！好！花甲重逢矣。」

三藏復問道：「老施主，始初說西天經難取者，何也？」

老者道：「經非難取，只是道中艱澀難行。我們這向西去，只有三十里遠近，有一座山，叫做八百里黃風嶺，那山中多有妖怪。故言難取者，此也。若論此位小長老，說有許多手段，卻也去得。」

行者道：「不妨！不妨！有了老孫與我這師弟，任他是甚麼妖怪，不敢惹我。」

正說處，又見兒子拿將飯來，擺在桌上，道聲：「請齋。」三藏就合掌諷起齋經。八戒早已吞了一碗。長老的幾句經還未了，那呆子又吃夠三碗。

行者道：「這個饟糠的，好道撞著餓鬼了。」

那老王倒也知趣，見他吃得快，道：「這個長老，想著實餓了，快添飯來。」那呆子真個食腸大，看他不抬頭，一連就吃有十數碗。三藏、行者俱各吃不上兩碗。呆子不住，便還吃哩。

老王道：「倉卒無殽，不敢苦勸，請再進一箸。」

三藏、行者俱道：「夠了。」

八戒道：「老兒滴答◆甚麼，誰和你發課◆，說甚麼五爻六爻？有飯只管添將來就是。」呆子一頓，把他一家子飯都吃得罄盡，還只說才得半飽。卻才收了家火，在那門樓下，安排了竹床板鋪睡下。

次日天曉，行者去背馬，八戒去整擔。老王又教媽媽整治些點心湯水管待，三眾方致謝告行。老者道：「此去倘路間有甚不虞，是必還來茅舍。」

◆滴答──囉嗦。　發課──算命、打卦。

行者道：「老兒，莫說哈話◆。我們出家人不走回頭路。」遂此策馬挑擔西行。

噫！這一去，果無好路朝西域，定有邪魔降大災。三眾前來，不上半日，果逢一座高山，說起來十分險峻。三藏馬到臨崖，斜挑寶鐙觀看，果然那：

高的是山，峻的是嶺；陡的是崖，深的是壑；響的是泉，鮮的是花。
那山高不高，頂上接青霄；這澗深不深，底中見地府。
山前面，有骨都都◆白雲，屹嶝嶝◆怪石，說不盡千丈萬丈挾魂崖。
崖後有彎彎曲曲藏龍洞，洞中有叮叮噹噹滴水巖。
又見些丫丫叉叉帶角鹿，泥泥痴痴◆看人獐，
盤盤曲曲紅鱗蟒，耍耍頑頑白面猿。
至晚巴山尋穴虎，帶曉翻波出水龍，登的洞門唿喇喇響。
草裡飛禽，撲轤轤起，林中走獸掬嗶嗶行。

猛然一陣狼蟲過，嚇得人心趷蹬蹬驚。
正是那當倒洞當當倒洞，洞當當倒洞當山。
青岱染成千丈玉，碧紗籠罩萬堆煙。

那師父緩促銀驄，孫大聖停雲慢步，豬悟能磨擔徐行。正看那山，忽聞得一陣旋風大作。三藏在馬上心驚，道：「悟空，風起了。」行者道：「風卻怕他怎的？此乃天家四時之氣，有何懼哉？」三藏道：「此風甚惡，比那天風不同。」行者道：「怎見得不比天風？」三藏道：「你看這風：

巍巍蕩蕩颯飄飄，渺渺茫茫出碧霄。
過嶺只聞千樹吼，入林但見萬竿搖。
岸邊擺柳連根動，園內吹花帶葉飄。

◈**哈話**─洩氣話。　**骨都都**─形容不斷地向外冒，雲霧上升的樣子。
屹嶝嶝─峻峭聳立的樣子。嶝音鄧。　**泥泥痴痴**─形容呆頭呆腦的樣子。

收網漁舟皆緊纜，落篷客艇盡抛錨。
途半征夫迷失路，山中樵子擔難挑。
仙果林間猴子散，奇花叢內鹿兒逃。
崖前檜柏棵棵倒，澗下松篁葉葉凋。
播土揚塵沙迸迸，翻江攪海浪濤濤。」

八戒上前一把扯住行者道：「師兄，十分風大，我們且躲一躲兒乾淨。」行者笑道：「兄弟不濟。風大時就躲，倘或親面撞見妖精，怎的是好？」八戒道：「哥啊，你不曾聞得『避色如避仇，避風如避箭』哩？我們躲一躲，也不虧人。」行者道：「且莫言語，等我把這風抓一把來聞一聞看。」八戒笑道：「師兄又扯空頭謊了，風又好抓得過來聞？就是抓得來，便也鑽了去了。」行者道：「兄弟，你不知道老孫有個『抓風』之法。」好大聖，讓過風頭，把那風尾抓過來聞了一聞，有些腥氣。道：「果然不是好風，這風的味道不是虎風，定是怪風，斷乎有些蹊蹺。」

說不了，只見那山坡下剪尾跑蹄，跳出一隻斑斕猛虎。慌得那三藏坐不穩雕鞍，翻跟頭跌下白馬，斜倚在路旁，真個是魂飛魄散。八戒丟了行李，掣釘鈀，不讓行者走上前，大喝一聲道：「孽畜，哪裡走！」趕將去，劈頭就築。那隻虎直挺挺站將起來，把那前左爪掄起，摳住自家的胸膛，往下一抓，滑刺的一聲，把個皮剝將下來，站立道旁。你看他怎生惡相？咦，那模樣：

血津津的赤剝身軀，紅媸媸的彎環腿足。
火焰焰的兩鬢蓬鬆，硬搠搠的雙眉直豎。
白森森的四個鋼牙，光耀耀的一雙金眼。
氣昂昂的努力大哮，雄糾糾的厲聲高喊。

喊道：「慢來！慢來！吾當不是別人，乃是黃風大王部下的前路先鋒。

今奉大王嚴命，在山巡邏，要拿幾個凡夫去做按酒◆。你是哪裡來的和尚，敢擅動兵器傷我？」

八戒罵道：「我把你這個孽畜！你是認不得我。我等不是那過路的凡夫，乃東土大唐御弟三藏之弟子，奉旨上西方拜佛求經者。你早早的遠避他方，讓開大路，休驚了我師父，饒你性命；若似前猖獗，鈀舉處，卻不留情！」

那妖精哪容分說，急近步，丟一個架子，望八戒劈臉來抓；這八戒忙閃過，掄鈀就築。那怪手無兵器，回身就走；八戒隨後趕來；那怪到了山坡下亂石叢中，取出兩口赤銅刀，急掄起，轉身來迎。兩個在這坡前一往一來，一衝一撞的賭鬥。

那裡孫行者攙起唐僧道：「師父，你莫害怕。且坐住，等老孫去助助八戒，打倒那怪好走。」

三藏才坐將起來，戰兢兢的，口裡念著《多心經》不題。

那行者掣了鐵棒，喝聲叫：「拿了！」此時八戒抖擻精神，那怪敗下陣去。行者道：「莫饒他，務要趕上！」他兩個掄起鈀，舉鐵棒，趕下山來。那怪慌了手腳，使個金蟬脫殼計，打個滾，現了原身，依然是一隻猛虎。行者與八戒哪裡肯捨，趕著那虎，定要除根。那怪見他趕得至近，卻又摳著胸膛，剝下皮來，苫蓋在那臥虎石上，脫真身，化一陣狂風，逕回路口。忽見著那師父正念《多心經》，被他一把拿住，駕長風攝◆將去了。可憐那三藏啊！江流注定多磨折，寂滅門中功行難。

那怪把唐僧擒來洞口，按住狂風，對把門的道：「你去報大王說，前路虎先鋒拿了一個和尚，在門外聽令。」那洞主傳令，教拿進來。那虎先鋒腰插著兩口赤銅刀，雙手捧著唐僧，上前跪下道：「大王，小將不才，蒙鈞令差往山上巡邏，忽遇一個和尚，他是東土大唐駕下御弟三

◆按酒—下酒物。　攝—捉拿。

藏法師，上西方拜佛求經，被我擒來奉上，聊具一饌。」

那洞主聞得此言，吃了一驚道：「我聞得前者有人傳說，三藏法師乃大唐奉旨意取經的神僧；他手下有一個徒弟，名喚孫行者，神通廣大，智力高強。你怎麼能夠捉得他來？」

先鋒道：「他有兩個徒弟，先來的使一柄九齒釘鈀，他生得嘴長耳大；又一個使一根金箍鐵棒，他生得火眼金睛。正趕著小將爭持，被小將使一個金蟬脫殼之計，撤身得空，把這和尚拿來，奉獻大王，聊表一餐之敬。」

洞主道：「且莫吃他著。」

先鋒道：「大王，見食不食，呼為劣蹶◆。」

洞主道：「你不曉得。吃了他不打緊，只恐怕他那兩個徒弟上門吵鬧，未為穩便。且把他綁在後園定風樁◆上，待三五日，他兩個不來攪擾，那時節，一則圖他身子乾淨，二來不動口舌，卻不任我們心意？或煮或蒸，或煎或炒，慢慢的自在受用不遲。」

先鋒大喜道：「大王深謀遠慮，說得有理。」教：「小的們，拿了去。」旁邊擁上七八個綁縛手，將唐僧拿去，好便似鷹拿燕雀，索綁繩纏。這裡是苦命江流思行者，遇難神僧想悟能。道聲：「徒弟啊！不知你哪山擒怪，何處降妖，我卻被魔頭拿來，遭此毒害，幾時再得相見？好苦啊！你們若早些兒來，還救得我命；若十分遲了，斷然不能保矣！」一邊嗟嘆，一邊淚落如雨。

卻說那行者、八戒趕那虎下山坡，只見那虎跑倒了，塌伏在崖前。行者舉棒盡力一打，轉震得自己手疼。八戒復築了一鈀，亦將鈀齒迸起。原來是一張虎皮，蓋著一塊臥虎石。行者大驚道：「不好了，不好了，中了他計也！」

◆劣蹶—本指馬不馴順，後形容人的性情倔強。 定風樁—讓狂風停止的木樁。

八戒道：「中他甚計？」

行者道：「這個叫做金蟬脫殼計：他將虎皮蓋在此，他卻走了。我們且回去看看師父，莫遭毒手。」兩個急急轉來，早已不見了三藏。

行者大叫如雷道：「怎的好？師父已被他擒去了。」

八戒即便牽著馬，眼中滴淚道：「天哪，天哪！卻往哪裡找尋？」

行者抬著頭道：「莫哭！莫哭！一哭就挫了銳氣。橫豎想只在此山，我們尋尋去來。」

他兩個果奔入山中，穿崗越嶺，行夠多時，只見那石崖之下聳出一座洞府。兩人定步觀瞻，果然凶險。但見那：

疊嶂尖峰，迴巒古道。青松翠竹依依，綠柳碧梧冉冉。

崖前有怪石雙雙，林內有幽禽對對。

澗水遠流沖石壁，山泉細滴漫沙堤。

野雲片片，瑤草芊芊。妖狐狡兔亂攛梭，角鹿香獐齊鬥勇。

劈崖斜掛萬年藤，深壑半懸千歲柏。
奕奕巍巍欺華嶽，落花啼鳥賽天臺。

行者道：「賢弟，你可將行李歇在藏風山凹之間，撒放馬匹，不要出頭。等老孫去他門首與他賭鬥，必須拿住妖精，方才救得師父。」八戒道：「不消吩咐，請快去。」

行者整一整直裰，束一束虎裙，掣了棒，撞至那門前，只見那門上有六個大字，乃「黃風嶺黃風洞」。卻便丁字腳◆站定，執著棒，高叫道：「妖怪，趁早兒送我師父出來，省得掀翻了你窩巢，躧平了你住處！」那小怪聞言，一個個害怕，戰兢兢的跑入裡面報道：「大王，禍事了！」那黃風怪正坐間，問：「有何事？」小妖道：「洞門外來了一個雷公嘴毛

◆丁字腳—兩腳站成直角的姿式。

臉的和尚，手持著一根許大◆粗的鐵棒，要他師父哩。」那洞主驚張，即喚虎先鋒道：「我教你去巡山，只該拿些山牛、野彘、肥鹿、胡羊，怎麼拿那唐僧來，卻惹他那徒弟來此鬧吵，怎生區處？」

先鋒道：「大王放心穩便，高枕勿憂。小將不才，願帶領五十個小校出去，把那甚麼孫行者拿來湊吃。」洞主道：「我這裡除了大小頭目，還有五七百名小校，憑你選擇，領多少去。只要拿住那行者，我們才自自在在吃那和尚一塊肉，情願與你拜為兄弟。但恐拿他不得，反傷了你，那時休得埋怨我也。」虎怪道：「放心！放心！等我去來。」

果然點起五十名精壯小妖，擂鼓搖旗，纏兩口赤銅刀，騰出門來，厲聲高叫道：「你是哪裡來的個猴和尚，敢在此間大呼小叫的做甚？」

行者罵道：「你這個剝皮的畜生！你弄甚麼脫殼法兒，把我師父攝了，倒轉問我做甚！趁早好好送我師父出來，還饒你這個性命！」

虎怪道：「你師父是我拿了，要與我大王做頓下飯。你識起倒◆，回去罷；不然，拿住你，一齊湊吃，卻不是買一個又饒◆一個？」

行者聞言，心中大怒，扢迸迸◆，鋼牙錯嚙；滴流流，火眼睜圓，掣鐵棒喝道：「你多大手段，敢說這等大話？休走，看棍！」

那先鋒急持刀按住。這一場果然不善，他兩個各顯威能，好殺：

那怪是個真鵝卵，悟空是個鵝卵石。
赤銅刀架美猴王，渾如累卵來擊石。
烏鵲怎與鳳凰爭，鵓鴿◆敢和鷹鷂敵。
那怪噴風灰滿山，悟空吐霧雲迷日。
來往不禁三五回，先鋒腰軟全無力。
轉身敗了要逃生，卻被悟空抵死逼。

那虎怪抵架不住，回頭就走。他原來在那洞主面前說了嘴，不敢回洞，

◆許大——偌大、很大。　起倒——高低。　饒——添加。　扢迸迸——奮然躍起的樣子。

逕往山坡上逃生。行者哪裡肯放，執著棒，只情趕來，呼呼吼吼，喊聲不絕，卻趕到那藏風山凹之間。

正抬頭，見八戒在那裡放馬。八戒忽聽見呼呼聲喊，回頭觀看，乃是行者趕敗的虎怪，就丟了馬，舉起鈀，刺斜著頭一築。可憐那先鋒，脫身要跳黃絲網，豈知又遇罩魚人，卻被八戒一鈀，築得九個窟窿鮮血冒，一頭腦髓盡流乾。

有詩為證，詩曰：

三五年前歸正宗，持齋把素悟真空。

誠心要保唐三藏，初秉沙門立此功。

那呆子一腳屣住他的脊背，兩手掄鈀又築。行者見了，大喜道：「兄弟，正是這等！他領了幾十個小妖，敢與老孫賭鬥，被我打敗了，他轉不往洞跑，卻跑來這裡尋死。虧你接著，不然又走了。」

八戒道：「弄風攝師父去的可是他？」

行者道：「正是，正是。」八戒道：「你可曾問他師父的下落麼？」行者道：「這怪把師父拿在洞裡，要與他甚麼鳥大王做下飯。老孫惱了，就與他鬥將這裡來，卻被你送了性命。兄弟啊，這個功勞算你的。你可還守著馬與行李，等我把這死怪拖了去，再到那洞口索戰。須是拿得那老妖，方才救得師父。」八戒道：「哥哥說得有理。你去，你去。若是打敗了這老妖，還趕將這裡來，等老豬截住殺他。」

好行者，一隻手提著鐵棒，一隻手拖著死虎，逕至他洞口。正是：

法師有難逢妖怪，情性相和伏亂魔。

畢竟不知此去可降得妖怪，救得唐僧，且聽下回分解。

◆鶺鴒—羽灰黑色，頸部及胸前呈暗紅色，可在家中飼養。

國家圖書館出版品預行編目(CIP)資料

西遊記/孫家琦編輯. — 第一版.
— 新北市 ： 人人，2017.02
冊 ； 公分. —(人人文庫)
ISBN 978-986-461-091-4(卷1:平裝)
ISBN 978-986-461-096-9(全套:平裝)
857.47 105025279

【人人文庫】

卷1

第一回至第二〇回

題字・篆刻／羅時僖
書系編輯／孫家琦
書籍裝幀／楊美智
發行人／周元白
出版者／人人出版股份有限公司
地址／23145新北市新店區寶橋路235巷6弄6號7樓
電話／(02)2918-3366(代表號)
傳真／(02)2914-0000
網址／www.jjp.com.tw
郵政劃撥帳號／16402311人人出版股份有限公司
製版印刷／長城製版印刷股份有限公司
電話／(02)2918-3366(代表號)
經銷商／聯合發行股份有限公司
電話／(02)2917-8022
第一版第一刷／2017年2月
定價／新台幣**260**元

※本書內頁紙張採敦榮紙業進口日本王子58g文庫紙